国家出版基金项目
NATIONAL PUBLICATION FOUNDATION

《三联经典文库》

第二辑

2012 年国家出版基金项目

三联经典文库

199

深刻的印象

《生活周刊》社　编

生活·讀書·新知 三联书店

图书在版编目(CIP)数据

深刻的印象 / 《生活周刊》社编. -- 北京 : 生活·读书·新知三联书店, 2014.1
（三联经典文库第二辑）
ISBN 978-7-108-04600-0

Ⅰ. ①深… Ⅱ. ①生… Ⅲ. ①散文集－中国－当代②杂文集－中国－当代 Ⅳ. ①I267

中国版本图书馆CIP数据核字(2013)第152233号

199 深刻的印象

责任编辑	卢 莹
封扉设计	蔡立国
责任印制	徐 方
出版发行	生活·讀書·新知 三联书店 (北京市东城区美术馆东街22号)
邮 编	100010
经 销	新华书店
印 刷	北京鹏润伟业印刷有限公司
版 次	2014年1月北京第1版 2014年1月北京第1次印刷
开 本	787毫米×1092毫米 1/32 印张 16.875
字 数	242千字
定 价	61.00元

《三联经典文库》出版缘起

适逢生活·读书·新知三联书店八十华诞，为弘扬传统，接续文脉，回报读者，服务社会，我们决定策划出版《三联经典文库》。

1932年7月，生活书店在上海创办，此后，读书出版社和新知书店相继成立。本文库第一辑、第二辑所选图书，来自于这三家出版单位及其分支机构，以及1948年生活·读书·新知三联书店成立后的出版物，始于1932年，截至1951年，两辑各一百种。此为第二辑，涉及政治、经济、社会、军事、思想文化诸领域，涵盖专著、文集、散文、小说、诗歌、传记、报道等体裁，既有直面现实、追求真理、讴歌真善美、抨击假恶丑的原创作品，又有引介世界各国先进文化、传播新知、开启民智的迻译之作，真实记录了那一代知识分子的思考与探索、理想与愿景和对中华民族文化传承与创新所做出的努力与贡献。

本文库所辑入各书，多为名家名作，在版本方面，以初版一印本或经著译编者审定、修订、增订过的版本为首选，因此本文库又具有较为珍贵的版本价值和收藏价值。

本文库还将编选续辑，使之成为恢弘文化工程。诚挚希望读者给予批评和指正，帮助我们完善编选工作，再现三联经典作品之风采。殊为遗憾的是，由于年代久远，一些原著译编者及其后人未能取得联系并奉付稿酬，诚盼版权所有者与我们联系。祈愿三联前辈所创造的精神财富能薪火相传，为中华文化的伟大复兴增光添彩。

《三联经典文库》编辑委员会

2013年8月

凡　　例

一、本文库为重排本，由繁体字竖排版改为简体字横排版。

一、以忠实于原作、整旧如旧为编辑原则，对当时使用的专有名词、外文译名，以及民国时期的语言和特色予以保留。

一、原书注释如旧，编者所出的注释，均以“编者注”标明，以示与原书注释的区别。

一、对原书残缺或字迹漫漶之处，以□示代。

一、对繁简文本转换时的“如右”、“见左”一类，对应改为“如上（前）”、“见下（后）”。

一、对原书中各种错讹脱衍之处，直接订正，不再以其他符号标示。

一、对数字、标点符号的用法，在不损害原文语义的情况下，做必要的规范。

一、本文库各书均前插原书书影、原书版权页和文库版“本书出版说明”。

一、本书出版说明的撰写，以客观中立为原则，扼要介绍本书的内容、版本流转、著译编者的情况。

本书出版说明

本书为多人旅欧美（包括英国、法国、德国、丹麦、比利时、瑞士、美国）之后所写通讯之结集。所有文章均为华人所写，文中描述了他们在异国他乡的感受，对当时所在国的印象，其中又以美国、法国、德国、英国的见闻和感受为多。教育，给人留下的印象最为深刻：普及程度很高，校园环境优美，教学设施完备，师资力量雄厚，课程设置合理，教学方法灵活。欧美的科学技术发达，生产力进步，社会秩序井然，物质生活方便舒适，精神生活健康快乐，普通民众拥有民主自由的政治生活，妇女有相当的经济地位和社会地位，这些都让人感触颇深。书中还有欧美各地不同的风俗、婚姻家庭观念等新鲜见闻以飨读者。作者在描述这些美好事物的同时，也痛心地发现，中国与欧美存在这样大的差距，国人在欧美时常受到欺侮，是由于中国国内战争频仍，经济落后，国际地位低下，政府当局专制，人民没有民主造成的。“国家不怕打击，只怕打击后，不知振作，不肯振作。”所以他们热切盼望自己的祖国能像二战后的德国那样，卧薪尝胆，坚忍不拔，以谋求经济快速发展，人民生活富足快乐。

本书作为“生活海外通讯”之一，于1932年6月初版，第二版出版时间不详，1933年1月第三版，本次出版即以第三版为底本。为方便阅读，本次出版时编者将原书中数量庞大的着重号一律删除。

《生活周刊》，是一本在当年有着广泛影响力的综合性刊物，1925年10月11日在上海创办，由中华职业教育社主办、王志莘主编。1926年10月起邹韬奋接任主编，为避免给中华职业教育社黄炎培等先生带来不必要的牵连，杂志自1933年起始独立经营。“九·一八事变”后，杂志致力于宣传抗日，反对国民党的不抵抗政策，重视读者服务工作。1933年12月16日出至八卷，杂志被国民党当局查封。

生活·读书·新知三联书店

2013年8月

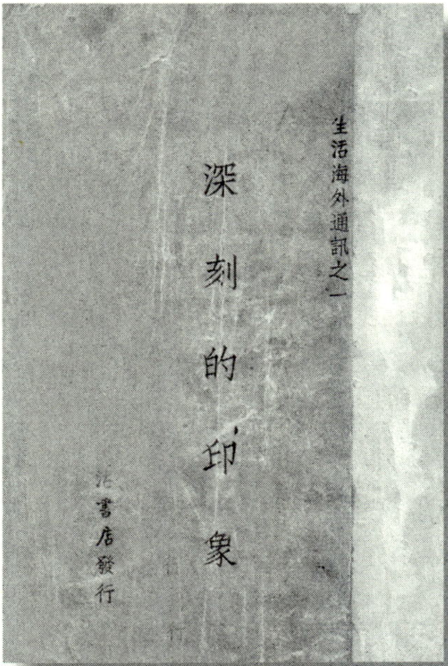

生活书店 1933 年 1 月第三版书影

生活海外通訊之一

深刻的印象

每冊實價玖角
外埠酌加寄費

編輯者　生活週刊社

發行者　生活書店　上海法租界陶爾斐司路

印刷者　生活印刷所

民國二十一年六月初版
民國二十二年一月三版

原书版权页

目次

弁　言

常语有谓“秀才足不出户，能知天下事”，这句话虽是科举时代恭维秀才的话，现在并无所谓秀才，但是足不出户能知天下事却不是一件不可能的事情，最直接的方法是自己跑到各处去看看，但一人的时间精力均有限度，机会亦难强得，则其次的方法殆莫善于阅览良好的各国通讯，《生活周刊》向来注重各国通讯，也就是这个意思。现在特把这种材料整理编成单行本，以便爱读诸君卧游之用。

民国廿一年五月十日韬奋记于生活周刊社

深刻的印象

张伯苓

这次出国到欧洲是第二次，到美国是第三次。这二十年内每十年去一次。他们的进步很快，尤其是最近的十年。我此次游历各处所得的最深刻的印象，是随处使我觉得在这个世界上要求生存的一定要奋斗，不去奋斗就不能生存，要生存就要努力奋斗。回到中国来看看，觉得我们中国最大的病是穷。有人说他们在物质上诚然进步，精神上如何？其实精神和物质是不能强分的。孔子有个高足颜回，孔子因为他能“一箪食，一瓢饮，人不堪其忧，回也不改其乐”，便赞他“贤哉回也”；但我们只要听他说“人不堪其忧”，可见即在当时孔子的门弟子中能像颜回那样的已经只有他一人，那里能望以一人难能可贵的事情责之于一般人？在一般人，物质穷乏得厉害，安望享得到什么精神上的快乐？所以我们必先有物质上的快乐，而后才能有精神上的快乐；必先有物质上的进步，而后才能有精神上的进步。精神和物质是不能强分的。

美国之所以发达，原因很多，我可以把她概括为四点：第一是土地广大，产物丰富，取之不竭，用之不尽，欧洲各国的农产差不多都要人家供给，美国自己用了有余，还可以供给人家。第二是她的地势好：东西隔着两大洋，太平洋和大西洋，南北无强邻。南墨西哥，北坎拿大，都及不到她，所以边境连炮台都没有，他们简直不预备打仗。三十几年来的两次大战，第一次西班牙大战，第二次欧洲大战，都没有打到美国的地域。国内常有战事的国家总是弄不好的，美境既没有战事的发生，于是更易发达了。第三是工业发达，因为他们富，所以能用新的机器和科学的新方法从事制造，结果生产率高而品质精良，并且成本能够减轻。欧洲即不如美，因财力所限，旧机器和旧设备也只得勉强用下去。讲到第四，那是最教人佩服的，也是我们中国顶顶学不来的，就是社会上的那些为群服务力行不懈的领袖，像爱迪生和福特那些人都是七八十岁了，仍然在那里努力的干。他们是拜金钱主义吗？他们的金钱赚得用不完了，如为金钱而干，大可以不干了，但是他们还是干。他们的乐不是在赚钱，就在乎干。讲到这里，我们不得不佩服他们的体格，他们的体格好，所以六七十岁还能干。美国人的精神真令人佩服。我们说美国人崇拜金钱，要知道他们真会用金钱。

后来到英国去。从前我对于英国因为她和中国在历史上的关系，所以我的感想不大好。此次我去看看，真是教人万分佩服。她的好处在做事彻底，处处彻底；一点不肯随便敷衍。房子，街道，公园，地道无一不整齐，真令人佩服。房子不高，但是很整齐，比美国整齐得多。美国的房子很高，二十几层，三十几层，顶高的有六七十层；伦敦的房子只有五六层，六七层。英国重保守，有把握，他们虽然不猛进如美国，但保守而渐进的不懈的精神亦真令人佩服。这种彻底的精神在英国随处可以看得出。我现在随便举一件和我自己有关系的事情谈谈。有一次他们的无线电播音台托人介绍请我约期演讲些关于中国教育的事情，派了一个年约三十几岁的办事员来接洽。他要我先把演稿写好，我说我事情忙得很，那里有工夫写演稿，他见我自己没有工夫写，不慌不忙的叫我说给他听，由他打了八张纸，预备二十分钟讲完。既而又要我先到他公司里去试一下，看时间讲得准不准，我初有难色，后被他麻烦不过，也就答应随他去走一趟。到了那里，坐在一间小房间里试讲，旁有两个书记把我所讲的记下来，又有一人看好时间。总之虽是试讲，他们仍是十分郑重的做。演词打好共七张半，那天我就照它讲完，刚刚二十分钟。由此一件小事就可以看见英国人做事按步就班，不慌不乱，非做到不休。我对他说没有工夫，他并不就走，却锲而不舍的和你慢慢的讲，慢慢的使你终于就范，一点不肯随随便便的放过去。

我们国内有许多难以解决的困难问题，到外国去研究研究别国，也各有各的困难问题，不过不及我国之甚罢了。英国的困难是他们的国度太工业化了。我坐火车看见外面田里没有一个农人，农人到那里去？都做工去了。因此有地也没有人种。他们的粮食都从坎拿大来的，奶油，鸡蛋从丹麦来的，英国乡下除去种点青草喂喂牛，出些新鲜牛乳，没有人种粮食，大家都做工去了。工业发达的国家一定要有销货的商场；推销英国货最大的商场就是中国同印度。但现在印度天天在那里闹革命，甘地要提倡土货抵制英货，英国的前途恐怕不能乐观。

现在英国最大的问题就是失业问题。因欧战后失业工人的激增，政府就行了一种补助制度，发给失业工人生活费。但流弊就生出来了，甚至于有些工人竟借此偷懒不愿意做工，到政府领津贴，领来钱就换成法郎带到法国去住。这怎么得了！由农而工容易，由工而农不容易，这是英国最困难的问题。

再说法国。法国人太随便了，讲到个人还好，但是说到全体便不大行。他们的人民虽是聪明，但是太空泛，太浪漫，太理想，太浮华，所以在欧战后至今尚未恢复元气。

德国最教我佩服，顶顶的佩服。欧战以后，德国一败涂地，赔款虽赔不起，前途虽是黑暗，但是还要穷干，硬气的干，不赖债，不宣告破产，还是干着准备还债。从前有的殖民地都被人家夺去了，但他们不因此气馁，还是干。从前德国工人每日做八点钟工作，现在做十点钟，他们要增加生产力，把货卖去了还债。全国一致的往前干，不怕苦的干去。我问他们你们的前途怎样，他们说我们的前途看去当然不大亮，但是我们总是要努力前进，除了努力前进又有什么办法？这样的精神真是不可及！我们中国只要有德国十分之一的精神，中国前途就不怕了。中国的现况要比德国好万倍，但是一点精神也没有。

我们中国最苦的最大的病症是穷和弱，若要富要强，要学美国的猛进，英国的彻底，德国的坚毅，那么一切的事情都可以不成问题了。

十八，十，六。

最近旅行欧美的感想

刘湛恩

我自本年春间因校事赴美，后来为代表中华职业教育社出席日内瓦世界教育大会，转道欧洲一行，借此两个机会，得重游欧美通都大邑，胜地名区，感觉他们的进步，与我三年前在外调查比较，已迥乎不同。归途与老友张伯苓寿景伟两博士同船，趁海行多暇，就组织了一个海上研究会，每日下午四时大家聚拢来，将我国事事落伍样样不如人的病原，研究探讨，现在且把我们所谈的结果写下来，付国人讨论。

一曰穷。从来事业的发达虽是靠托人工，但亦借重财力。入欧美国境，看见他们建筑如何壮丽，交通如何利便，企业如何发达，即政治教育没有一样不上轨道，日新月异，这固然是他们的科学发达，人人能运用智慧，推陈出新；但逐渐改观以有今日的成功，却不知费了多少财力。返观吾国则连年兵革频仍，人民于衣食住行亦无以自全，那有闲钱为远大的打算？大家饱受穷的无穷之累，要想争气，有所不能。现在重要的方法殊宜赶紧提倡实业教育，栽植企业人才，俾一切可逐渐改观；一方面更要厉行殖民政策，将国内户口大部分移置边省，开一般贫乏的新生路。

二曰私。我们看到美国汽油大王辛克勒尔（Sinclair）因发生舞弊案，坐牢六个月，法国财政总长亦为侵占公款致受控诉，这亦是他们私心太重，身罹法网的铁证，殊不能说外国人都是至公无私，不过他们纵偶有利欲熏心，私利是图，但发现后亦严受法律制裁，不讲情面，而大多数人好讲公德勇于合作的精神仍克保持。我人要知私心不去，既难厚集群力，图谋远大，而彼此又极易发生意见，起权利上无谓的冲突。欲救其弊，仍赖提倡公民教育，实行一般人民的人格训练，以引导趋入光明途径。

三曰愚。世界人群的进化，科学的昌明，都是在知识方面努力的成功。故欧美首先注重教育发达，且绝少文盲，我国近年虽亦致力教育，但阻碍多端，难期普及，所以大多数国民仍是目不识丁，缺乏常识，昧于世界现状。当此科学万能的时代，各种事业莫不与学术息息相通。要是一直这样愚鲁无知，旧方法既不适用，新发明又无从学乖，何能利用科学以创建百业？

四曰弱。大凡吾人经营各种事业，要达到成功美满的目的，那是全靠有充分的精神来对付的。假使你没有结实的身体，强健的脑经，坚强的心志，则精神衰弱，意气颓唐，稍有困难，即不免临事而惧，何能振作有为呢？试观国人泰半是体质亏弱，要像外人治事的勤奋，真不易得。就拿无关紧要的外观行路来比较，看他们挺胸昂首，步伐整齐，气概轩昂，亦愧不及。正本清源，仍须先注意到身体的修养，提倡体育，注重卫生。有了百炼成钢的身体，精神饱满，不怕不能任重致远，担荷非常。

五曰乱。乱是破坏一切的现象。在乱的阶段没有过去的时候，秩序毫无，要着手做事是没有一样可以成功的。我国近来虽在努力改进，但结果仍旧事事落伍，财力智慧咸不如人，固然是绝大原因，而十余年来军阀肆虐，内乱频仍，土匪充斥，到处掠夺，奉公守法的人少，肆行无忌的人多，以致民不聊生，亦是阻挠种种进步的重大障碍。欧美当军事告终，无不力求政治教育商农制造亟上轨道，无不十二分努力于国内和平统一，使人民咸知守法而不敢犯，免得一方面建设，一方面破坏，循环不已，徒耗财力。吾国今日正坐此病，诚能全国一心，内乱不作，政治修明，则人民有余力创造改作，成功自亦易期。

以上数端，都是谈谈我们自己的短处，但仔细想来，以吾国的广土众民，地有余利，均远非欧美所能企及，倘不是自暴自弃，善为努力，断然没有不能强盛的道理。所望国人常常要想到欧美人的长处比我们的太长，我们的短处比欧美人的更短，时时刻刻要存一个学恐不及改过不惮的决心，来发奋进行，继续不断的努力这加长补短的重要工作，否则我辈出洋的人徒然临渊羡鱼，归来报告，如同讲几个山海经给大家听听，有什么好处呢？

十八，十，二七。

英国之部

伦敦的警察

沈本强

住在伦敦的吾国人某君，有一天晚上在馆子里吃饭，多喝了一点酒，有些醉了，回去的时候在公共汽车上觉到要吐，不得已他吐在手帕里。下车后他把手帕掷在路旁，晚上黑暗没有人看见。

过了一天，一个巡警到这个人的家里间，是否失了一个金牙齿。他回答并没有，巡警不得要领去了。

原来，这位中国人在公共汽车上吐的时候，一个金牙齿落在手帕里，没有知道；后来把手帕掷在路旁，这一个金牙齿，也就一同掷去了。巡警在路上看见一条手帕，取来一看，里头还包着一只金牙齿，要把拾得的东西，归还物主，不知道物主是谁。他带回去仔细把这牙齿反复察看，看见牙齿上有做的人的牌号。巡警就拿这牙齿到这家铺子去问有什么方法可以知道这牙齿的主人。铺子里的人拿这牙齿一看，知道是定做的，在账簿里把定做人的姓名住址找了出来。巡警照了这地址，找到这位中国人那里去。

当巡警到这中国人家里问他是否失落金牙齿的时候，他已经记起失了这件东西，不过不好意思承认；因为牙齿落在地上还不知道，似乎要变成笑话了。

巡警问了这个人，回答不是；回去又仔细研究，到做牙齿的铺里去重问，但是得不到第二个物主。因此，他又到这中国人那里去说，这牙齿一定是他的。若是的，请他承认，把原物收回，了事。否则，巡警将无法消案了。某君听了这番话，便承认他是物主。

前年英国总罢工九日，伦敦秩序井然，毫无乱事。这种好的秩序，其时在英国目见的外国人，无有不赞美的。推原其故，一半由于英国一般人民程度比较的高，有纪律，遇事能镇静；一部分也由于负维持治安责任的巡警办事得力。伦敦巡警的所以效能高，大原因是由于组织的完善，各个人做事认真不苟且。不只是办警务如是，其他的事，也应该要这样的。我们做事，不论大小，若都切实做去，不怕没有成绩，不怕没有兴趣。

十七，二，二。

肃穆

渊公

上礼拜日看过了英皇临幸西冥寺的感谢仪式（thankfulgiving service），有些情形也许是国人们所乐闻的。爰拉杂为记。

上礼拜日清晨八时，英国的民众便一大堆地挤满了西冥寺的门口，此间社会是有秩序的，所以人尽管多，绝没有人争先抢后的往前拥，不用警察招呼，自然而然地排成行列，依次入口，毫无喧哗声响。既而寺内座位告满，民众便满坑满谷的站了一街，迤逦至数里之长。大约皇帝所经之地，街边皆挤满了民众，警察以及骑巡都在街心及街边排列梭巡，鸦雀无闻的很是肃穆。未几看见了五个着红衣黑裤戴黑貂皮大帽的御卫队，荷枪步行，停立于西冥寺门首，清道夫便接着大撒其黄沙，盖英国习惯于其皇帝所经之地尚须以黄沙铺地，以示优越，恰如吾国满清及袁世凯时代出行时必须于其经过之处断绝交通，铺黄沙以示黄天后土之意。惟英皇出时断绝交通之时极暂，一切都不如吾国之麻烦。到了十时四十八分，便见双马篷车驰骤而至（速度亦不甚快），御者衣红衣黑裤，戴高帽，皆中古时代装束，中坐皇帝及皇后，皇帝脱帽与民众为礼，皇后亦笑容可掬的点头而过，后面紧跟着一乘双马篷车，端坐了皇太子二太子，及其后夫人，再后便是汽车满装了皇子皇孙，一齐到西冥寺门首下车入内，行其所谓“感谢仪式”。原来这次英皇害了一次大病，几乎要翘辫子，医生们将他从鬼门关拖了回来，于是他又可以大走黄沙铺的路。本来在皇帝以及利用皇帝的政治家，口里若说一声这病是由医生们医好的，这便没有什么伟大，而且也不神秘，所以只得自己骗自己，都说这得感谢上帝，因为皇帝的得复原完全是靠了上帝的神威，医生们不过是心灵上得了些上帝的感示，依着这个感示把皇帝医好了！所以病好之后得大大的感谢一下才是正理。于是始有这个礼拜日的青天白日见鬼！他们在礼拜堂（按：西冥寺是一个上古遗留下来的大礼拜堂，各名人的尸骨都葬在内，奈端的骨也在其中）。做了些什么勾当呢？无非是赞美上帝，唱些上帝佑福皇帝（God save the King）皇帝万岁的歌就算了事。接着皇帝老爷便匆匆忙忙的由原道回宫。民众痴得可笑，一直站在街上等到皇帝回宫以后方才逐渐散去。于是英国便算举行了一次重大的典礼，首相阁员以及各国的大使公使也都一律参加庆祝，民众也觉得“未曾有”。这一天表面的情形不过是如此如此，但就这一天的事实作再进一步的研究，还可以看得出几个要点来。（一）英国民众对皇帝有特别尊崇的心理，不过英皇在政治上毫无权力，一切权力皆集中于下议院，惟民众对彼感情极洽，皆愿留此古代遗物，好像用作博物院一种陈列的东西。（二）民众确有训练，所以社会整齐。从这两点出发，所以政治家便可大利用而特利用。因为民众有训练，故都有政治兴趣，愿意赞助公共事业；因为对皇帝有特别感情，故能以皇帝为幌子面号召一切。是以自皇帝复元之日起，政府便利用这个机会举行了一种感谢公债（thankful fund），截至感谢仪式之日为止，共获四百四十六万余元，以一部分为皇家大学医院基金

（因为这医院的医生医好了皇帝的病），一部分作铫矿的经费（radium fund）。足见英人事事都有政治意味，事事都要牵涉到政治范围中去，仅仅一个徒拥虚名博物院式的皇帝，都要无微不至的利用。这次的利用不过是小而又小的起码利用。关于政治上的应用还有巧夺天工的去处，说来也可印证一下英国政治家弄的把戏。按英本国现在实际仅有英格兰及苏格兰两部，其余如爱尔兰，纽芳兰，新西兰，南非洲，澳洲，坎拿大各领地，皆各自为政，内政固然自有议会，英国无权过问，即外交一层，各领地政府亦在各国大派代表，直接交涉，所以英政府对于领地几乎只有商议权而无行政权，管来管去，只有牢牢地缚紧一个殖民地的印度为其商业尾闾，对各领地不但几无权利过问，且又不敢过于压迫，因为美国独立给了英政府一个重大的教训，各领地也得了个好榜样，稍受压迫，都会学样，所以英政府只有若即若离的维系它，不敢过事压迫，而维系的方法，就是拿这个“孤家”来应用一下子，说是各领地皆当在皇冕底下统一起来（under the crown），英国皇帝便是坎拿大的皇帝，便是……皇帝，如此云云，便将一盘散沙的大英帝国联合拢了。英国政治家简直没有不可利用的东西，所以英国外交比任何国家都特别好，也是因为应付得巧妙的缘故。我国的政治呢，现在总比较的大有进步，社会任何事件发生都能运用到政治上面去，这是一种进步的现象。但是内容没有人家好，人家民众有训练，民众自身能够发生政治兴趣，对于政治有辨别是非的能力，所以政治家只管调皮，决不敢作怪，稍一越轨，便立刻倾覆。我国则民众太无训练，只得一任翻风作浪者的玩弄，自己只是哑子吃黄连，说不出的苦。

十八，七，十四。

旧式外交之秘文

徐季和

记者近在英国牛津大学波德利安图书馆见有东印度公司胡夏米与上海道来往公文之抄本，其中有为“夷”字称谓，生出种种纠葛，往反辩驳，断断不休，此系前清道光十二年事，本为时代上过去之陈迹，但当时两方斤斤较量，认为一莫大问题，在我国官书已无可查考，亦外交上之趣闻，且抚今追昔，人事沧桑，亦殊令人感慨系之，故特选录三件，以介绍于读者。

胡夏米上苏松太道书：“英吉利国船主谨上书苏松太道大人：现已领到批示文书，惟该文书未有印，亦未载有合礼之言……大英国终不是夷国，乃系外国，其伟大之权威与辽阔之幅员，普天下无国足以驾而上之。吾人至此，不过通商，使彼此均获其利而已。现吾人欲往上海……敬求转报两江总督大人……。"

苏松太道回书："……南方谓之蛮，东方谓之夷，西方谓之戎，北方谓之狄，中国古圣人之书固已明言之，自古至今皆用如此称呼，不能更改！况舜与文王皆中国之大圣人，孟子尚言舜东夷之人也，文王西夷之人也，有何不合礼之意义？无庸多疑可也……"

胡夏米又上苏松太道书："大英国船主敬悉贵国称东方外国人为夷，惟以此称大英国人民仍未妥。试言其理由：（一）贵国古人称朝鲜为东夷，今英吉利人民之本地则在大清国之西方，非东方也；（二）大英国之属地方向则在大清国之东西南北各方，亦非仅东方；（三）《大清会典》卷十一载苗羌蛮貊等之居于中国者与夷人同；（四）苏东坡曾有言曰：夷狄不可以中国之治治之也，譬若禽兽然，求其大治，必至于大乱，先王知其然，是故以不治治之。由此观之，称为夷人，即蛮貊而已矣。倘必以大英国人民为夷人，是乃凌辱大英国之体面，触犯大英国人民，必致激怒成仇也……"

我们阅此数段肤浅而好笑的文字，至少可以看出距今九十八年前中国人一定要称英国人做夷，英国人一定不肯做夷，缠夹不清，颇堪发噱。记者以为我们中国固无所用其虚骄，亦无所用其怯懦，往昔对外之虚骄，和近今对外之怯懦，都不是正常的办法。根据知己知彼的识见，内充实力以与各国作互相尊重的周旋，才是正当的办法。

伦敦，四月九日。

国庆与国丧

沧　波

去国万里的人们，到了本国的国庆日，无论他平时对于国家的观念是怎样，头脑中的感想总应该有点不同。我们出了国门，一方固到处显出我们国家的不争气，一方还觉得我们总还幸而有这样一个国家。我们国家现在的地位不如人，是我们的责任，我们现在走到外国，除去那种下等人不说，稍具知识的人，说起是中国来，还多少对你有点兴趣。我常说国际间的中国，譬如一家败落乡绅，眼前的声名当然不响，可是背诵一点家史及遗闻轶事，人家倒还情愿洗耳恭听。我到英国遇见的人上中下三等总算不少了，除了若干没有知识的人，多数人提起中国，总还有相当的好感，所以我觉到中国是一个可爱的国家，便撇开道德，从利害上说，中国也值得爱的。深居国内的人听我这句话也许要惊奇。何必惊奇？今日在外国的留学生，厌恶本国的，数目着实不少，此中情状，真是不忍卒述哩！

在国外希望国庆日，最少的限度，我们期望到这一日可以瞻仰我们的国旗，到这一日好使我们对国旗尽一点敬礼。说来可不悲伤！出了香港，我们就没有见过国旗，我们没有商船军舰在外洋游行，当然不必说，我们望见国旗颜色的机会，当然只有驻外的使领馆了。可是我至今还不懂，中国在外国的使领馆，向来不喜欢挂国旗的，欧洲数个大城的中国使领馆，连牌子也没有一块，国旗更不见一面。我在巴黎，曾经面询高公使，他说在那里修理，可是到我离巴黎的时候，还没有修理好！后来问问留法的朋友，说公使馆就向不挂国旗！我们回想到北平的东交民巷，上海的外滩公园附近，各国使馆门前的国旗招展，再看看欧洲名城中别国的使领馆门前，绝没有不挂国旗并无招牌，大约中国的外交官自己觉得自己国家无地位，销声匿迹，算是韬晦藏拙的办法罢！

期望国庆，国庆居然到了，期望在这一天瞻仰瞻仰我们的国旗。虽然，事情太不凑巧，我们今年的国庆日，恰逢英国追悼 R 一〇一号飞船死难人员的国丧日，我们到公使馆远远就见我们的国旗下了半旗，这一天伦敦是全市举哀的。我一早就到威士名特寺谒灵榇，出来到圣保罗教堂去参预追荐礼，伦敦的市民都如丧考妣，而我恰不忘今天是我们的国庆日，一过中午就跑到公使馆去了。公使馆除了一个茶会，并没有别的举动，更没有别国来的贺客，不但今年逢着英国的国丧如是，听说往年也没有人来的，唯一的理由，当然是没有钱。我们局外人，自然于此等外交秘密的地方，不敢妄加议论，不过我们想起每年七月中美法两国国庆日，北京的东交民巷和上海的美法领事馆，气势之盛，较之我国驻外使馆的凄凉风味，相去何啻天壤！是谁之过欤？

我们海外的国庆，就在一杯红茶一块蛋糕中过去了，现在让我报告一点那一天英国的国丧情形罢。

R 一〇一号飞船在英国算最著名的飞船，与德国徐伯林是齐名的，此次飞行的目的，要从欧洲到印度。这个飞船出发在前星期六，我当时在我的屋内客堂中吃茶，满街的人聚在地下欢呼，第二天清晨我到客堂用早点，房东太太便告诉我 R 一〇一号出事了。那天是礼拜

R 一〇一号飞船遇难前一日的摄影。旅客舱位即在此船中部的后面一节内。

此为 R 一〇一号飞船内饭厅一部分的摄影。该饭厅可容五十人座位。此影中即有此次遭难的乘客。

日，早晨没有日报，到晚上见了晚报，才知道那只飞船在法国跌下，满船乘客死者四十八人，英国航空总长亦同被于难。从此英国的报纸一星期内，满纸的 R 一〇一号，街谈巷议，开口便是 R 一〇一号。十月九日，飞船死难人员灵榇从法国运回伦敦，十日灵榇四十八具陈列在威士名特寺，举行国殡仪式，同时圣保罗教堂举行追荐典礼。听说事前伦敦市民去函航空部要求入场券者有两万人，结果因教堂中只能容纳七千人，只发出来宾券五千张。我好容易托人弄到入场券一张，十一时到教堂门口，四面的人围观者已不知多少。十一时半追荐礼开始，英太子，首相，各部总长，各国大使先后入席，最后伦敦市尹及伦敦主教，康德堡大主教鱼贯上乐坛。我的座位恰在伦敦市尹前面，伦敦市尹与伦敦主教高踞龛中，伦敦市尹穿着金绣黑缎的长袍，有红褂金绣的侍卫做前导，市尹的前面有一侍卫执金杖，其后随一人高举金镶七星宝剑，周围环坐伦敦市耆老，皆著蓝缎狐皮出风长袍。伦敦主教及康德堡大主教前皆有黑袍之教士执金杖为之前导，两童子在后为之执袍尾。各要人入席后，空军乐队奏哀乐三折，堂内琴声起，全体肃立唱国歌

"上帝长佑我王……"，英太子以下皆随教士起跪诵经，后康德堡大主教至祭坛上供，全场唱赞美诗和之，最后空军在堂外吹军号，以示招魂之意，至十二时半追荐礼毕。当追荐礼进行时，教堂中阴气沉沉，唱诗班所讽咏者，皆"超升"，"解脱"字句。祭坛之上，列R一〇一号飞船上劫余残破之国旗，观者泪盈于眶，妇人垂泪者尤多。礼毕教堂前门重开，路人围观英太子及首相者几于万头攒仰，"太子眶中泪盈盈"，观者窃窃私语如是，英人崇奉王室之诚，于此可见。

英人死后陈柩于威士名特寺大厅者，名曰国葬礼（lying-in-state）。三十年来，惟英前王爱特华逝后有此隆典，其先则格拉史顿死后亦曾有此荣哀，此次R一〇一号飞船人员殉身航行，英政府以其有功国家，内阁阁议决定陈柩威士名特寺。我到威士名特寺不过清晨九时，观者排列之长队已穿过马路三条，鹄待二时，始得进门。灵榇四十八具，两具一排，满列厅内，棺上覆以英国国旗，观众到平台下棺前即分成两排，使每人得细览灵榇。威士名特寺本来是阴气逼人的，到了这一天，厅堂里陈列了这许多灵榇，灵榇的周围，站着蓝服的空军，右手

R 一〇一号飞船内的休息室有六十二尺长，三十三尺宽，为从来飞船中未有之大室，两旁且有走廊，此影即走廊之一部分，飞行时在此由玻窗下望，山川人物有如蚁蝼。

执枪，枪口向地，两目垂地，远望竟如石像。观客中女宾垂泪者甚多，我旁边一位女客，竟大哭失声。这时候堂内布满着什么一种空气，也可想像而得。五天以前，我亲见R一〇一号的飞船高翔云际，五天以后，一船活泼泼的健儿，竟长眠三尺桐棺中，人生想到这种境界，感怆凄恻之情，直无从说起。我走出威士名特寺，伦敦塔还是依然屹立，泰晤士河还依然水流汩汩，市街的车马，还是依然热闹。人生总要物化，无论英雄好汉，总逃不出这一关，“寿终正寝”和“不幸短命”，其实也都同归于尽。

不过，我们看见人家为国家出力而死，死后的报施是这样的隆重，已死的人对这种仪仗知与不知，是另一件事，我总觉得自己国家兴盛，做鬼亦必定觉得光荣些——假使有鬼的话。人家的国丧，各国的政府都赶着会特派代表来参加；我国的国庆，公使馆中只是聚几个学生一杯红茶一块蛋糕就了结，这是从何说起呢！

十月十二日伦敦南郊蓊山。

巴立门观礼

沧　波

研英宪者，莫不知英王与巴立门之威权，英国最高主权之所寄曰“王与巴立门”（King in Parliament）。所谓“王与巴立门”者，即国会（巴立门）之决议而以王命颁之全国。英儒谈宪，谓宇宙权威最盛之物，莫过“王与巴立门”，“王与巴立门”威权所临，天下事无不能为，所不能为者但不能使阴变阳以钗易弁而已。今人谈政，每言议会政治取譬于英伦，其实英宪精义，议会之外，尚有王宪，垂拱而治，貌虽近似，事有不然。白芝浩英宪论，谓王与内阁，名实不同，机能各具，英王者今日英宪中名器所属而统揽帝国无上之利器也，英国妇孺，至今有不知国会而莫不知有王，不知有巴立门之决议而莫不知有王命，英国本部如是，帝国全部亦莫不如是。说者为不列颠帝国统揽疆土之广有史以来莫与伦比，维系之者，“王”有力焉。

英国国会，春秋开会，开会之时，例必由英王召集，其实此事至于今日，告朔饩羊，但求其礼。英王临国会为时仅及五分钟，御驾由白金汉宫到威士名特寺（英两院所在）周历市街为时亦仅一刻。十月二十八日，为本届国会开会之期，予先期得上院友人纳比君之助，获王族观礼厢入场券，是日晨十时予即乘车至威士名特寺。道旁结队观者已甚拥挤，尤以白金汉宫驰道两旁及威士名特桥下至寺前伫立者为多。有途人告予，谓伫观之民众，有黎明六时即来鹄候者。盖英人好秩序守法，凡遇盛典，观众伫立道左，无不依次排列。予前观R一〇一号飞船殉难烈士殡礼，牛津街两旁伫立之人共十余排，然绝无争先拥挤者，此次所见犹然。予入上院已逾十时一刻，由警卫导至上院王族观礼厢，厢内以深蓝丝绒铺地，红皮饰椅，上院议场中，桌椅及宝座皆饰红色。予入席后与数友闲谈，见红袍金绣之人憧憧往来，询之知为贵族议员也，逾时来者愈多，女宾御大礼服者尤多，云皆贵族家属。十一时前后忽见一短小之苍髯老者，衣红袍由上院议场出至议员休息室，细视之，知乃韦白也（Sidney

Webb）。韦白提倡社会主义半生，今亦趋跄贵族间矣。盖自去年工党执政，韦白即由工党政府请授以卑斯菲尔爵士（Lord Passfield）入上院而兼殖民大臣，故今日英报已不见韦白之姓氏，而称卑斯菲尔爵士矣。吾见韦白，即移视议场四周，冀觅韦白夫人，终不可得，而韦白来往人丛中，独行踽踽，或者韦白夫人并不愿为贵族夫人，而韦白之入贵族院或亦工党中之政略，势不得已耶?

十一时四十分，院中遥闻礼炮声，逾时英中世纪服装王室卫队荷枪而入，此队服装最为离奇，圆冠红褂，帽檐缘以象征锦花，红褂之外，袴亦红色，袜亦红色，英人称此类人为 Beefeater，直译之即“食肉之士”，喻其强悍多力也。此类卫队，平时并不拱卫王宫，但充伦敦塔卫卒。吾人一入伦敦塔，古垣照眼，触目古装卫卒，辄觉身入画中，闻英王室有大典，此类卫卒尚列入仪仗，以昭笃旧之义。古装卫队后继以王宫近卫，制服皆用红色金边，帽上有白锦飘带成丛，形式与从前北京总统府卫队无异。两队侍卫入上院长廊，皆分立两旁，此时英王盖已进院入休息室，场内空气顿觉严肃，未几见有古装卫士捧王冠由外入内；王冠金质，四边镶以宝石，晶莹耀目，闻此冠平时陈列伦敦塔，遇有大典方由卫士取出应用。卫士捧王冠入室未几，遥见英王休息室正门洞开，全体卫士执枪肃立，知英王不久莅临，俄而果见锦绣红褂者七八人手执金棍，棍端有小红十字架，其后继以锦绣蓝褂者七八人，所执者同系金棍，两人一排，鱼贯向上院议场前进。其后见一黑缎袍（上有锦绣团花）而冠白羊毛 Whig 者，徐步前行，询之左右，知为上院议长 Lord Chancellor（此人服装竟与吾国戏台上孔明八卦袍无异）。上院议长之后有两人，一执金杖（Mace），一捧圆帽一顶，其后即见一老人头戴晶莹闪烁之王冠，身御红丝绒长袍，高举右手，与一华贵妇人携手前进（妇人亦戴王冠），男卫士及侍女各两人捧其袍尾，知英王偕后来矣。当时场中肃静无声，王族厢中多数女宾皆对王后鞠躬为礼，王后微颔其首，自进长廊以至议场皆如之。入议场后全体议员肃立，下院议员在上院无座席，由议长率领在角门伫立。王及其后登宝座后起立读开会词，读毕起辞，各议员起立为礼，仪仗一如入门时，英王执后手徐行入休息室，众宾遇王及后所过处皆俯首为礼，王后答礼如初。王及后入休息室约五分钟，其卫士即分别向院外出动，逾时席散，盖王及其后登御车返宫矣。余入上院议长秘书室稍憩即辞出。

余观英王仪仗，其气象乃如置身剧场，上院中自贵族议员以至英王所服御之装饰，形式构造及颜色盖无一不奇，若效我国之流行语而为之评骘，又可谓无一不反动，无一不落伍也，若平心以此取譬于吾国之旧俗，则王族及其侍卫之服装，以视前清之翎顶袍褂，有何轩轾，而英人不以为异，岂惟不以为异，且保存之惟恐不周，英帝国之威权，初未尝因此而减色，岂惟不因之而减色，属国朝仪，且咸从此取法焉。由是可知国家之强弱与政治之入轨与否，所系于形迹者实少。（日本天皇朝服至今袭用千年来旧仪，日本国内妇女之御木屐者至今尚所在皆是，而其国势则蒸蒸日上。）吾国人数十年来，专骛外观而不知其他，数十年改革，万事尽成非驴非马而美其名曰此顺应世界潮流也。国势政象，所裨几何？（此文非为提倡复古，主旨所在，乃在移转国人之目光，使知兴废更张，当务大者，若辗转在微事末节好为纷更，徒自扰耳。）

十九，十，九。

伦敦闲话（一）

沧　波

伦敦市内最伟大的建筑物，要推 Trafalgar Square 的纳迩逊铜像，这座铜像，真是高矗云表，铜像周围的广场内有极大石狮子蹲伏两旁。伦敦市内只有这座建筑物，还差强人意，可是要与巴黎的凯旋门比较，却瞠乎其后。看欧洲都市，巴黎总是第一了，宫殿讲究，市街宏丽，不但伦敦不能与巴黎比，柏林也不能与巴黎比。伦敦与巴黎的名胜，同样有烟黑的门墙，然在巴黎只觉它是古香古色，到伦敦便觉得破烂颓败。伦敦是感觉不到城市的美，便在白金汉宫维多利亚偌大的铜像前面，也只感到有点庄严的份儿，说不上一点 civic beauty。

英国真是个人主义最浓厚的国家，无论在政治或在社会方面，看不出一点集中的征象。论城市方面，各地皆有相当的特点，像爱丁堡那样有特别历史的地方，更俨然与伦敦相颉颃，不像在法国看过巴黎便无一处可看。其余如学校，法国的巴黎大学，集中全国的人才图书，而在英国却到处找不着这样相等的东西，牛津剑桥至今还是私立的，伦敦大学东一个college，西一个college，如到伦敦要找整个的伦敦大学，那是找不到的。至在社会，则伦敦市内郊外火车是一个商业公司，电车是一个公司，地道电车是一个公司，公共汽车又是一个公司。固然，英国的立国精神是在个人的创造力，然而现在时代不同了，这种个人主义，毕竟成了时代上落伍的东西！

英国的gentleman和中国的“士大夫”，我一时寻不出十分差别。英国旧式的教育，本来不注重什么专家的训练，牛津剑桥的学生，于正式功课以外，艺术音乐运动皆要涉猎一点，犹之中国的士大夫，文章诗赋以外，还要能谈谈书画金石，从前也要习习骑射。英国的政论家，白芝浩总算是后无来者了，他说英国的特点，全在一点：气息不同流俗，这种特点，不是英国国民性本来的天赋，就是士大夫教育培养出来。他说英国人民本来也是拜金，自有士大夫教育，拜金的风气也被它压制住了，“英国的社会，不是黄金可买得动的”！我研究政治，最爱不释手者首推白芝浩的《宪论》，白芝浩观察最精的地方，也在此等深入的议论。不过我替白芝浩可惜，假使他懂得中国历史，他必定要恍然自失，他所认为英国的特点之一，实在比不上中国“饿死事小，失节事大”一类的话，大约英国人是没有听见过，英国历史上就不曾出过像苏格拉底那类的人。白芝浩是极力维护贵族制度的，说贵族的用处，就在抑制陋俗，这又是中国旧家望族的老调了。

在威士名特寺旁边的巴立门，算是世界议会的老祖师，我在欧洲大陆看过几个国会，那开会时候的景象，叫嚣凌乱，一言以蔽之，与我们从前在学校里开学生会时绝无分别。当时我常想到英国去看看，必定绝对不同了，岂知我到了英国，常常到巴立门去旁听，他们的情形比较欧洲各国的国家，也只有程度上的差异罢了。政府党和反对党开口嘲骂的态度，原无根本上的区别，议员当本党党员起立发言时，拍手或高唱“ya”以壮声势，遇反对党发言时，敌党必大呼“hush”（即中国嗤之以鼻的神情），会场有时人声鼎沸，议长才起立高呼“order”。法国国会的议长桌上，有一小钟，议长命令不行时，即击钟警告。英国国会议长只有一座龛子，前面并没有桌子，也没有警钟。议场开议的时候，许多议员，有在lobby里面散步，有在烟室里面抽烟谈天，不到表决的时候，议场里面的人数总是寥寥无几。有时候议员在外应酬忙，一声说要投票表决，国会内各政党的总干事，开始手忙脚乱四处打电话邀本会议员出席凑数，更是屡见不鲜之事。议员政治到了今日，只有党的组织严密是一件新发明的东西。议会开会的时候，最忙碌的便是各党的总干事（chief-ship），他要四处召集本党议员出席，还要注意本党议员在议场上所发表的言论，是否与党意符合，如果他发见某一同党议员在议场上发表的言论，与党意不符，甚至与之违反，第二天他就要去警告那位议员，一次警告不听，如果那位议员是有能力的，他一定到党内想法替他讨一个较优的差使！（如次长或有薪给的委员之类。）如果那位议员在他们目光中并不是了不得，总干事就立刻通知地方党部的干事，叫他在该地方选民中宣传，那位议员下届选举当然就危险了。这种情形，是英国国会中千真万确的实在情形，我们并不执此一端便诋毁议会政治在今日已完全破产，或根本不能存在，不过我们却十二分觉到从前 expression according to conscience（照良心发表意见）的格言，已成“告朔饩羊”了。

伦敦闲话（二）

沧　波

巴黎有个蜡人馆，伦敦亦有个蜡人馆，论到规模，伦敦的蜡人馆实较巴黎的要宏大，不过中国人大都久耳巴黎蜡人馆的名，而不晓得伦敦的蜡人馆，这大概是薛福成一篇游记的功效罢？伦敦蜡人馆最有价值的地方，我们觉得是对于英国历代王室遗像，和历代服式的陈列。我们到过北平故宫博物院，瞻览历代帝皇遗像，觉得已是了不得，其实比较人家那种蜡像的模型，又觉瞠乎其后了。伦敦的蜡人馆，不但英国的帝皇及名人有像，即各国的卿相名人亦有像。我们中国人到了欧洲总想去找找中国人有没有像在里面，找了半天，总算找到孙中山先生的像，不过他们把他陈列在一个屋角里，对面是欧洲的名优，而该博物院的说明书中（一九三〇年本），还并没有知道中山先生已逝世，最荒谬的，说中山先生是广东的省长，那个型像，面色特别黄黑，与中山先生生时的仪表，全不相类，不知他们是照什么照片模下来的。蜡人馆楼下有一大间“地狱世界”，都是陈列那些欧洲的著名罪犯，此中居然也有一个中国人，拖了辫子侍候两个英国水兵吃鸦片，这间小房间外面写着“鸦片窟”（opium den）几个字，我们看见这个东西，什么兴致都没有了。我们对外交官，实在不愿意多加批评，不过看到这种地方，我们实在忍耐不住！就伦敦蜡人馆那样众目昭彰的地方，可以任便人家将你的“国父”随意摆布，随意说明，甚至任便人家宣传最恶劣最不堪的事实而视若无睹。这种事情，比不得什么重大外交，公使馆正式去一公函，便可发生效力的，我们不谙洋务的人，实在莫测此中的高深！

温莎离宫（Windsor Castle），算是英国的“凡尔赛”了，温莎离伦敦甚远，由滑铁卢车站乘火车一小时半可达，其距离与巴黎到凡尔赛，柏林到 Postam 相仿佛。温莎是一小镇，盖以离宫而闻名者也。离宫四周皆有矮墙式的堡垒，此宫创始，盖在 Norman 时。宫殿公开任人参观者，仅英王室接待外国君主别室及御宴大厅等处，欧洲宫殿，观览法国以后，其余美德诸国，皆自郐以下无足道者。惟吾北京宫殿，盖与西方别树一帜，未可同日论也。西方大抵有宫而无殿，此政制及帝皇威权不同所在，西方君王接见臣庶，每在便室，即有朝贺，亦在便殿，丹墀数仞，高堂百尺之景象，绝难多见，如北平之太和殿，是盖今日万国所难观之奇观乎？惟论及居处，则西方宫内陈设装置，似较吾国为优，北平清宫内之大玻璃窗及土炕，在物质上皆不及西方。今日欧洲各国宫殿，民主国家，自不必论，即在君主之国家，除王室居处之所，其余类皆开放，与万民同其游观，历史上若亘古无帝皇之制，则今日建筑美术上，必不能有若此之奇观遗传后人，此又读史之另一观感也。

办报纸的人，到一处地方，总要看看报馆。我出门最懒，参观报馆尤懒，幸成君舍我在旁时时督促。我们在英国看的报馆，数量在法国之上，自然英国的报馆，内容什么都较法国来得完备宏大。英国报馆现在建筑最新式的，要推 Daily Telegraphy，固然《泰晤士》及《每日邮报》规模都不错，Morning Post 内部的精神竟与《时事新报》伯仲之间。英国报馆里编辑部职员，除了夜编辑外，办公时间到下午七时就完了，比不得中国什么人都要熬夜。我参观报馆数十家，第一个感想，当然是我们国内的报馆什么都不如人家；（他们职员的薪水，经记者会议决，最低限度每人每礼拜八镑八先令，合华币每月五百余元。）第二便觉中国从前许多人到外国来考察回去的报告，许多地方太不忠实，这一件事非一二语所能尽述的，且待将来有机会再谈。

伦敦市中有两家中国菜馆（伦敦全市中国菜馆甚多），一家是C菜馆，一家是K菜馆。C菜馆生意一天好一天，天气冷了，火炉新装，门帘桌布椅衣无一不新；一会儿，一顶崭新的玻璃橱又陈设起来；又一会儿，鲜美的地毯又铺在地上了。所以学生会请客在这里，公使馆也来光顾，外国人也来请客，中国学生又多到此吃便饭。看看那家K菜馆，陈设一天一天破败下去，热汽管不必说，炉子也装不起一个新的，门帘破污得可怜，虽然K菜馆的老板天天站在门口鞠躬如仪地送客接客，可是生意一天不像一天，座上终是寥落没有几人，窗子上天天站着特别好的菜也无人去望他，眼巴巴看着C菜馆车马盈门。所以，世上只有锦上添花，那有雪中送炭！

伦敦闲话（三）

沧　波

在中国读几本洋书的人，总应该听见过“法屏社”（Fabian Society）的名词罢，我进的那个学校 London School of Economics & Political Science（现在是伦敦大学的一部），便是该社的健将韦白（Sidney Webb）所创办的。“法屏”是社会主义者，这个字原是一位罗马将军的名氏，意义是无抵抗，“法屏社”中人崇奉社会主义而同时不主张革命，他们高揭“宪政社会主义”（constitutional socialism）的旗帜，共产党骂他们为投机派，当然，在共产党的立场，像“法屏”派的人，当然是最可恶，当然比保守党还要可恨。“法屏”向来活动政治的方式，一方面在社会上纠合同志办学校，出版书报，公开演讲；一方面加入政党，所谓“潜入”政策。

现在“法屏社”还是工党内一个有力的分子，“法屏社”人在今日当然和三十年前不同了，韦白先生也变了卑斯菲尔贵族了（Mr. Webb turns to be Lord Passfield），萧伯纳也是欧洲文坛上的权威了，许多二等角色，次长的次长，议员的议员了，“法屏”的会员也弥漫全国知识阶级了，“法屏”的出版物也浸成社会主义学说中自成一家之说了。在某种意义上，“法屏社”是成功了，但是“法屏”今日的努力，还是和三十年前一样，除了推陈出新的出版物，不断底在知识阶级眼前表现，每半年中总有大规模的公开演讲。本年的大演讲，就在Kings way Hall举行，前后六次演讲，售票楼上包厢共十二先令，正厅一镑一先令，讲题都是关于“德谟克拉西”，开台戏是罗素唱的，华拉司拉司畿，韦白夫人继之，萧伯纳唱的压台戏。几位演讲的人，除了拉司畿外，都是苍髯白发的老头儿，罗素先生十年前在中国，头发是灰白的，现在是全白了；从前在国内看过韦白夫人的照相，是一位很幽静美丽的太太，现在变成老太婆了；萧伯纳不但须发皆白，眉毛亦白了，就中自以萧的年龄为最大，七十五六岁了（？）。萧于每次演讲都来旁听，每次他到台上就座，台下皆有狂热之鼓掌声欢迎，只有拉司畿还是三十六岁神采奕奕的少年。演讲的会场太大，几位老先生（除萧先生）的演讲，都因声浪发颤，不大听得清，拉司畿毕竟年富力强，声浪是宏大得多。萧伯纳的压台戏，真使人感动极了，七十衰翁，到了演说台，竟如生龙活虎，他前后激励“法屏社”员，说“法屏社”的事业还在开始，我们要天天检点，我们不要忘掉三十年来光荣的努力，今日英国一切的一切，都待“法屏”主义的实现去补救云云。他演说的神情，不但好好先生的包尔温，不能望其项背，即麦克唐纳亦有相形见绌之慨。萧氏那次演说达两小时之久而无倦容，萧伯纳不是中国人意想中的萧伯纳！（我似乎记得国内有人把萧伯纳与梅兰芳并论，岂非奇谈。）不仅是词人，不仅是学者，我每次去听演讲，旁边一位中国朋友每见萧伯纳来旁听，听到得意处，还独自点头，独自微笑，那位朋友常对我说：“这样的高年，还出来凑什么热闹，早点回去休息休息罢！”我那位朋友的话，真是中国人的心理，我们一般读书人，要杀灭这种心理才行呀。我在国内最厌恶一种无病呻吟遗少式的少年词人，这种人会哼了几句诗词，病也来了，愁也来了，像是一件不得了的事。看看人家的文学家是怎样？读书人谈政治，在东方始终是一个历史上的滑稽，宪政国家似乎只有读书人谈政治才有效力，看看英国的“法屏社”，可为文人吐气，尤足为东方人的好榜样也。

十九世纪的革命为求自由，从美国独立，法国大革命直到日本的复兴，都向这条路上走；二十世纪的问题乃是平等——尤其是经济的平等，俄国的革命和各国社会上的骚动，都向着这条路走。欧洲今日的现象真是满目惨淡，工业革命的黄金时代已经过去了，现在的残山剩水，就是失业问题，市场问题，生产过剩问题；这几个问题，欧洲人一辈子没法解决。这种问题解决不了，国际上便再来一个大战，国内便再起革命，像英国这样讲宪政的国家，到现在有许多人也恐慌革命。现在英国的问题——社会和经济的平等，不是巴立门所能解决得了的，巴立门到今天还在资产阶级的手里，巴立门的背景还是资本主义，现在的问题，就在请资本制度自灭去救济无产阶级，用和平的方法去请人家自杀，这是不容易办到的。现在一般主张用宪政手段去改造社会的人们，都在这个圈子里钻进钻出，然而这个方法终似哀求人家自杀，自杀后把遗产来救济你，所以世界的前途，尤其是宪政的前途实在非常的惨淡。至在国际方面，就举几个极明显的例，如少数民族问题，经济国家主义的膨胀，移民的限制，及东方民族运动的勃兴，在在显露国际和平前途的危机。国际和平不能保持，国内的革命益易爆发，在欧洲看不出生路来，这是我最近不能转移的概念。

二十，十二，十五，伦敦。

英国之花园村

费福熊

欧美各国，工业发达后，工厂林立，城市勃兴，农辍于野，弃田就工，待遇既劣，环境尤坏，日处烟突纷立人口繁密之都市，营营扰扰，劳动如牛马，偈处斗室，家庭如樊笼，不复有放牧田间，载歌载耕之乐。日出而作，终日劳乏，工余疲惫，亦无娱乐，人生何为，更无意趣可言。虽然，此亦工业兴后所不可免者，工业制度之为世诟病，亦即在此。英国为工业先进，此种病态，尤为普遍，有识之士忧之，考求改善者久矣。三十年来，遂有花园村者二，卓然立于繁市之外，自成境界，并不废工，而工人之环境福利处处顾到。村离伦敦不远，乘坐快车，半小时许可达。国内外人士，远道往观者，络绎于途。月前与二三友人偕去参观，见闻所得，颇有足述。

历史　新村之拟议，由来已久。英国社会学派始祖翁温先生（Robert Owen）首倡此说。十九世纪中叶前，在美国及英伦三岛，先后有四处之建立。“新兰独克”村（New Ladark）为其尤著者，惜赞助乏人，财力支绌，中途废弃，后人惜之。哈宛德爵士（Sir Ebenezer Howard）秉体先贤遗意，身起力行，坚苦卓绝，卒于千九百年成立“兰起湖斯”花园村（Letch-woth Garden City）于“憨脱福”郡（County of Hertford）之乡间，迄今垂三十年，经营扩充，蔚成巨观。战后哈氏复在同郡郊外，觅地建“惠泠”村（Welwyn Garden City），是为第二个花园村，亦已有十载历史，成立较迟，而设计更新。吾等往观者，即系“惠泠”，全村广二千五百英亩（约合华亩万五千余亩）。本是农田，陆续分向地主购下，并成一块，筑路造屋，成为新村。原有居户，疏疏落落，不及三百，既经开辟，逐渐增至七千；本是一片荒地，今则井然成一完善秀丽之名村矣。主其事者，犹认为草创，余地尚多，他日发展，正未艾焉。

宗旨　花园村之设，改良工人生活为其唯一宗旨。

工人在都市工作，环境喧嚣，空气恶浊，而各物昂贵，度日尤艰，住处狭隘，局促不适，都城幅员辽阔，居处离厂远者多，往返奔走，惟恐不及，逐逐于街市之间，几无时不在仓皇匆迫之中。工毕返寓，倍觉疲乏，欲事游息，苦无空旷清幽之地可供舒散，则其生涯亦大苦矣。花园村欲矫此弊，择地于郊野，房屋人口，均有限额，不使过多，请实业家投资设厂于此，而厂之分配亦散在各地，并不拥挤，一厂之旁，必有草地广场，众屋之间，必有花木亭榭，境地幽旷，尘嚣不到，自居处步行至工厂，最远无逾十分钟者，从容步行，更自怡然。工人工作游息其间，日与天地草木相接，如处大公园中，身心俱快。环境好，生活好，工作虽勤，不易劳乏，效率因此锐进，出品质量均增，非但工人受其益，厂主亦获其利也，据村中办事人言，历年统计，花园村诸厂出品，确胜他处，而工人体力亦见壮健，则其效果固已见矣。

组织　当时创办，购地兴屋，在在需费，招股集资，有地产公司之设，经费即所从出，全村产业属诸公司，一切设施经营及设计，均归公司负责。事权既专，办事自易。股东大会公举一董事会，主持用人行政。总公司外有附属公司，隶属其下。若水料、电气、器皿、砖瓦、运输、娱乐等等，均各有公司，专司其事，翼助总公司，而受其指挥监督。观地产公司组织法中，最足称述之点，为股息有限率，章程中规定，全年股息不得超七分，盈余多时，超出之数，不属股东，而属公家，全数充改进全村福利之用，所以示别于一般营业性质之公司，旨在为社会造福，非图利也。再全村兴辟后，地价必增，所谓不劳而获之租（unearned increment）必巨，则亦同受不得超过七分之限制，而以余利归公也。企业发达，盈余必富，有此限制，获利仍归诸公，公家日富，设备日周，居民生计日裕，而公司亦永立于稳固不拔之基矣。此外尚有合作商店之设，物品佳，售价廉，乡人均受其利，生活费亦为减低不少。

设备　全村分住宅、工业、商业、园林四大区。道路修整，广阔平坦，路旁植树种草，景色秀丽。街车少，行人稀，更幽静可喜。住宅约二千家，格式一律，整齐美观。工厂有三十家，大多英人资本，亦有美人所设者。各种实业皆有，若造纸、麦粉等，并不雷同。商业区中，有商店、旅馆、影戏院、戏院（可容千二百人）、图书馆、公共食堂等。食堂甚广，工人居民可就食此间。食料丰盛，而取值甚廉。另辟一室，谓为精室，供旅客就餐。学校、教堂、医院，则设幽僻之处，亦宽广完备。就村之四周划出一带为园林区，花草茂盛，树木葱郁，溪水一勺，点缀其间，尤饶逸趣，工余息坐其间，积劳尽除。春间可作郊游，夏间可以纳凉。英人性喜运动，则运动场游泳池到处皆有。村离伦敦只二十英里，交通便利，更觉密迩。资本家因此乐于投资，愿就其间分设工厂，一切开支均较伦敦为省，而并不感受不便。但厂之总数，亦有限额，设厂以前，必先与地产公司接洽，向其购地，或自造厂，或即托代建。雇用工人，或在他处雇定，携之俱来，请公司拨屋容留，或径托公司代雇，房价甚贱，工人一家租小楼一幢，有卧室三间，浴室厕所均备，每星期租金仅十先令。其欲有客堂者，则十二先令（屋内器皿居户自备）。有子女者，房价酌减，以轻负担。有子一人，减六便士，二子减一先令，以此类推。吾侪戏谓夫妇二人有子女二十，则可以不付房租矣。其以余屋转租他人者，则因其有此收入，房价加一先令。住户不限工人，惟仅工人有此待遇。喜其地者，均可觅屋卜居。

工人之在伦敦工作者，亦尽可在此居家，早出晚归，火车公共汽车均通，亦无若何大不便。

行政　“惠冷”，“兰起湖斯”二村，同在“憨脱福”郡，各成市区（urban district），区内行政自有区政厅（urban district council）执管。若卫生、路政等事，均为区厅职权。教育警察，范围较广，归郡政厅（county council）主管。交通邮政，事关全国，当然直属中央。其行政系统，固与其他市乡同为一体，并不独异，惟别有地产公司之设，职权甚广，行政上或不免冲突。区政厅因有监督之权，公司董事会中，区厅有代表三人，与董事有同等权力，襄导赞助，更以收公私互助通力合作之功也。公司章程有股息不逾七分之限制，与议会制定之市政设计法案条文相合，照例可得中央资助，中央曾拨借二十五万镑，以助其成，分二十五年归还。

工业国家，工人生活改善，固为第一要着，而人口分配亦成一大难题。实业既兴，群弃乡间，糊口都市，都市人烟日密，卫生、路政、住处、空地均成问题，欲使人民还居乡村，势有所不能，盖既成工商业中心，不能阻其谋生于此也。救济之法，惟移实业工业于各地，工者自随之俱去，则集中拥挤之弊免矣。花园村之设，即使工厂移于乡村，工人始得乡居，而改善生活之计可施，分配人口之议可行。今仅草创，全英仅此二村，诚使全国风起，花园村遍于各地，一切难题，迎刃自解，不仅居民食其赐，社会亦蒙其福。花园村者，岂但开救济工人之先河，实亦市政设计之新猷也。英人重实际，不尚空谈，有计划，有毅力，私人倡导于前，国家赞助于后，故其举也易，其成也速，而其创基立业，尤稳固久远。吾国年来亦有盛倡新村者，举国本汹汹，田野为墟，使能坚毅以之，群策群力，化荒野为新村，全国成一大花园，岂非千古美事？固不必读桃花源记而心向往之，诵乌托邦文而频涉幻想也。

二十，四，四。

牛津学校生活

费福熊

英国之牛津天下古学府，历史久远，人文荟萃，为世人艳称，不但学校环境与他处不同，学风学制亦特立独异。绵延全镇古朴庄严之建筑，校舍也；络绎道左方帽黑袍之行人，宿儒硕耆与莘莘学子也；入其境如别一天地，而负笈此地者亦自成一世界，学校生活放浪多趣，颇足述者。

牛津有书院（college）二十八，联合而成大学，学生六千，分隶各院，住院者多。院内老树成荫，绿茵满地，幽雅清逸，足供静修。校外景色亦自动人，茂林丛草，与溪水河流，为其天然之环境。学程三年卒业，第一年习文字，以拉丁，希腊，德文，法文为主课。第二三年习选定之专科，如习历史者，有英国史，欧洲史，宪法史，经济史等八门；习社会者有政治，经济，历史，哲学等四大门。教法除名师讲授外，甚注重亲炙教诲。学生各有导师（tutor）负责教导。所谓导师制度，为牛津剑桥之特点。学年年分三期，每学期上课八星期，春冬各休假六星期，加以例假暑假，放假时反多于上课时也。

英国大学之有宿舍者，惟牛津剑桥二校。凡为学生（除研究生外），必须住校。校舍虽不敷，轮流居住，至少留居所属之书院一年，盖大学教育不仅在发展个性，兼重群众生活。寄宿校内，经教师薰陶，与同学切磋，于应对进退之间，学业品性，同受裨益，训练教化之功，为非住宿校外者所能得。校规紧严，管理因亦称便也。学生每人占室二间，一为寝室，一为书室，有校役执役。日常生活大约如下：晨兴，校役以早点进，早餐既毕，披上齐腰黑色制服，携带纸笔，往返奔走上课于各书院之间，栗六全晨。午后无课，从事运动，或鼓桨或击球，兴尽返校，时逾五时，于是开卷，埋首书本，不三小时而铃震晚膳矣。晚膳必至大堂，教师学生群集一堂，教师坐高位，另据一桌，谓之高桌（high table），学生雁列坐堂下共餐。晚膳后用功者返室自修，好动者出外访友，闲言喧笑。至九时，闻基督书院（Christ Church）之大钟，铿锵而鸣，击一百零一下，是为各院闭门之时，踉跄返院，然后死心塌地，读二三小时而就寝焉。其或兴犹未尽，固可遍叩同院学生之门，再谋畅谈也。有逾十时始返者，阍人以名姓报院长，明日柬来，且请吃大菜矣。同学交际以互邀用茶为最普通。此外各学会各团体开会聚餐之时甚多，学期中上课读书运动交际，加以每星期须见导师，呈读课卷，面受教诲，可谓十分忙碌。自修之时少，真正用功之时反在假中。学期将终，导师命录书名一二十本，备在假中细诵，盖学期中兼收并蓄，至假期中始得细细咀嚼也。

寄宿校外住于乡人家庭者，同受学校管束，必就居于经大学批准之居户，必供室二间，须家世清白人口齐整地位适当房屋清洁，其已有女房客或女学生寄居者，绝不能邀批准也。房东向大学负责，每日以寄宿生起居行动填单详报。屋门十时必须下键。除原有之锁外，须另装一暗锁，谓之死锁（dead lock），均由房东执管，学生虽潜配钥匙，能开普通之锁，无法动此死锁，则不敢逾时返寓，亦无由启关潜出也。偶至戏院或影戏院消遣，并不禁阻，惟不得购头二等以下之座，畏与下流混杂也。学生血气方刚，易受诱惑，防微杜渐，惟恐不周。监学复随时微服暗查，学生畏之如虎，至私谥之为凶犬（bull dog）！

牛津有女生九百，另有女校寄宿管理。女生用功者多，鲜见缺课，而图书馆中尤以女生居多，垂髫束裙，方帽道袍，妩媚庄重，佼佼不俗；男女同学间不准往还，鲜有交谈同行者。校章规定，男女学生不准结伴徜徉于河边林间，女生欲访男生者，必先请准书院当局，复向大学监学告假，另有一女为伴，始可限时至男校相访。男生则绝对不准过访女生，以此较之伦敦大学男女同学之杂坐笑谑捉对跳舞者，风气习俗，又自不同。

人谓牛津守旧，称为贵族学校，其实未必，学生出身中人之家者居多，受免费津贴者至少有十之四。教课学程以养成见解高超思想宽大为主旨，教授学说尤多新颖，固未尝导人于守旧也。

二十，五，十六。

议会旁观记

费福熊

英以议会治国，众议院为国民喉舌，为政治中心，有国会之母之名，日常所见，亦庄亦谐，岂但为留心国政者兴趣所集之点，亦异国人士游此土者所注意。吾国号为共和，未尝见代议政治，虽一度有参众两院之设，所遗留于国人印象者，只掷墨匣之武剧，与贿选之秽史耳。不佞数至英之国会游，愿以管窥所得，摭述其日常生活之一斑，虽仅及外表，无关宏旨，然或足借以引起国人对宪政之观感乎？

众议院议场（如图）作长方形，院之上端正中供议长坐，南向，座前设案，为秘书席，案上卷宗满列，左右有文件箱二。两旁列长椅数排，以秘书案桌为界，为议士席，政府党据其右，在野党据其左，相对而坐。旁

英国众议院议场。

听席记者席设楼上厢廊。场之正门对上院。议长座后侧门为议士出入之所。场外为走廊，即所谓 lobby，通休息室及烟室图书馆餐厅等处。议场面积不大，议席仅容议士总数之半，如六百十五议士同时到场，后至者只能鹄立，盖议场过大，则议士距发言者远，演辞或不晰聆，精神将见涣散。议士座前不设桌，议士不能伏案作书，注意可以集中，亦不能击桌作声以扰秩序。座为长凳而非安乐椅，则议士不能偃伏假寐。席分左右两对列，与他国之作椭圆形者不同。说者谓英国之能维持其两党制，与此不无关系，盖议场形势只分两党，政府中人如今之工党及其从者尽坐场之右半，为在朝党（praty in power）；敌党如今之保守党自由党据左坐，虽非一党，同为在野（praty in opposition），在议场中固仅有在朝与在野两党之分。如席为椭形，则因议席之位自有极左极右准左准右及正中等众党之分矣。朝野两党面相向，如两阵对垒。首相及总次长坐右席第一排，敌党诸领袖若前任阁员等坐左席第一排，如两军之将帅，从者后坐相随，而议长居中，不偏不倚，如公正人，将以堂堂之阵，在议场中，以合法之手续，彰明较著以决其政见之异同焉。

二时三刻，议开，议长盛服出，三秘书一牧师后随，侍从武官锦衣，肩金杖前导（杖名 Mace，为议长法力之标符），经走廊，至院门，巡士出呼，缓步而入，众议士起立，议长升座，武官仅敬以金杖供案前几上，退三步，一鞠躬，三退，三鞠躬出，牧师至案前祈祷，退，议长坐，众议士亦坐，会遂开，始以问案，议士提出责问，总次长等一一答复，约历一小时而毕，于是依议事日程，正式开议例案。

逢有要案时，三大党领袖全体出马，议场挤满，诸领袖唇枪舌剑，众议士喧笑助威，旁听者竞集楼厢屏息而听，注目而视，全院空气，紧张异常。领袖既据前席，离秘书案近，起立时凭案上文件箱而言，或慷慨激昂，或冷隽深刻，议士静听，至滑稽处，失声大笑，至痛快处，连呼其听诸其听诸（Hear！ Hear！），以代叫好（议场中不准叫好拍掌），间有阻挠以斥妄谬，遂起舌战者，则全场且喧呼止之矣。议场习惯，辩论时议士不互称名，以某部贵部长或某区贵代表代之，免伤私谊也。议士出入，不得在发言者之前经过，免阻视线也。不知者偶犯之，则全场大笑，且手足无措矣。朝野两党领袖之座位相距不过一丈，以秘书案桌为界，有如鸿沟，发言者扬臂顿足之时，不得越此河界一步，盖以古时佩剑，畏其拔剑起舞，意在对坐之政敌也。西俗入室去帽，独议场中可以戴帽，每见保守党前席锁臂木坐大礼帽覆额者，一望而知为失意外交家张伯伦也。盖古时王者召绅富筹款，即就广场中露天集会，防暴雨酷日，戴帽者多，至今议会中犹有此遗风。

议场中最热闹之时为四时后初开议之时，及晚膳后九十时激辩正烈之时，每一主要发言者占时约一小时，甚至二三小时，继续辩论，至七时半后议士陆续出外进膳，议场顿现冷静，留座者寥若晨星，只一二次等角色犹滔滔向空座大发议论，至九时始渐见生气，议士餐罢先后归座，于是要角登场，精神一振，词锋逞，舌战最酣，至十一时而辩终表决紧要关头至矣，短兵相接，人人兴奋，议长起立，全场肃然。议长沈声曰："赞成此案者曰是"，但闻一声"阿爱"（aye），有如雷鸣！议长曰："余思赞成者多"，忽"诺"声（no）大起，声震屋瓦。议长不能辨二声孰大，乃曰"扫除廊厦"（glear the lobby），是为分队表决之号，于是电铃大震，议士之散在吸烟室图书馆等处者，闻铃声踉跄而入，全体议士离座步出，赞成者右向，否议者左向。经点票员穿长廊而绕返院中归座，未几四点票员入，鞠躬如也，肃立案前，朗声报告曰："赞成者若干，否议者若干。"一声赞成者多，政府党人掷帽而起，欢呼如狂，历数分钟，议长乃曰："本案通过。"欢呼复作，时已十一时有半，且近子午。一日之议程既毕，昼夜劳瘁之衮衮诸士亦倦矣，议长退座，侍从武官复入，捧金杖置几下，鞠躬而退，会散场空矣，但闻巡士犹兀立场中高声呼曰："谁归家？"是为最后之点缀，盖昔时单身夜行者惧为盗劫，归家者例须武士伴护，今虽承平日久，夜如明昼，而古俗犹保存不废也。

五月三日，伦敦。

人口统计

俞柳忱

英国人口统计，英格兰，威尔斯，看做一个单位；苏格兰看做一个单位。英威苏虽是同日举行，但是分开工作。我此文专论英威的人口统计，意在说明人口统计的重要性质和方法。我们假设，要知道英威两块地方人口有多少？男人多少？女人多少？某种年龄的人口有多少？（譬如说罢，三岁孩儿有多少？八十岁老公公有多少？）就业的有多少？不就业的有多少？（就业的话，决不能说士农工商就算了事，书记雇员就算了事，还得按照一百二十种的事务填一下。）结婚的有多少？不结婚有多少？结婚而离婚的有多少？住在城市的人口有多少？住在乡村的人口有多少？住在某城某村的有多少？每一家有多少房间？住的人有多少？要详细确实知道上面的问题，就得统计人口，俗话说："数一数人儿"。英国正式的全国人口统计，第一次在一八〇一年，以后每十年举行一次。今年是一九三一年，又是轮到人口统计年度，规定本年四月二十六日为人口统计日。七月六日，人口统计的初期报告，已经出版。以后赓续出版，总得一二年把这次统计报告出完全。我们先把英威的人口统计怎样办理的手续说一说，再把这次人口统计的初期报告说一说。在说明统计手续和报告内容之前，我们要问一问，人口统计有什么用处？在商业上呢，人命保险，没有人口统计，很难正确计算，那是谁亦晓得。至于政府方面，教育，卫生保险，失业保险，税项收入估计，住房建筑，都得借助人口统计。在英国方面，其重要固不待言，现在正感到十年一期太长，想改为五年一期。请问在中国要不要仿行一下？我且举个例子，国人就感到重要了。譬如说罢，我们要办全国义务教育，从明年一月一日起施行。第一，我们要问明年一月一日全国有多少学龄儿童？第二，在每城每村有多少学龄儿童？第三，最近之将来，每年有多少学龄儿童？没有人口统计，怎能知道呢？其他施政，诸如此类的事情多得很。现在世界上的统计家常说："各国都有全国人口统计，中国只有全国人口差不多的估计，觉到很讨厌，不能作世界人口的比较。"我们不晓得等到什么年度，才有正式的全国人口统计呢？

英国办理人口统计的总机关，是户口登记总所（General Register Office）。这位登记总所的所长是常任职，不随政潮进退的。还有一千七百处登记分所，分所所长，受总所所长的指挥。人口登记所除了办理全国人口统计以外，平时管理生育，死亡，和婚姻的登记，兼监督选民登记。这次办理全国人口统计，自然是总所所长总其成，分所所长分其职。已有固定的机关，不用临渴掘井似的另起炉灶。总所所长先把英威地方分为四万多调查区，每区派定一个调查员。这四万多调查员，却是临时雇用的。于统计日前（四月二十日），每家颁发了一张人口统计表，有十二个问题，由家主照填在四月廿六日的夜里在其家中住宿的人员，不论是主是客，是本国人是外国人（客人与外国人当然注明一下）。但在旅馆公寓，当然由掌柜填了。填的人在法律上有守秘密的义务，而且个人亦可以另要一张调查表。这样的调查表发了十三兆张。此外还有船上，监狱等等特种调查表。到了四月廿七日，由调查员挨家收取调查表。倘若表中有错误的地方，由调查员更正。调查员有询问相关问题之权，亦有守秘密的义务。调查员收齐调查表以后，有一番核对小工作，在五月十八日以前，送交各该人口登记分所所长。分所所长亦有一番核对小工作，于六月四日都汇交人口登记总所所长。一到总所，大工作来了。先把各表编为钻孔卡片，每人一张卡片。以孔之地位高低，表示年龄性别等等。编完卡片，把卡片放在分类，计算，和列表的机器。这些机器，有三百多架，每架价值一千多镑。机器的分开和列表的能力，每小时可以分开二万四千个卡片。假定不用机器，而用人们来点数的话，请问点到几时方罢休呢？做这番工作的人们，总有三四百人。这样分类，计算和列表的结果，汇订三万册，重量是每本一百二十磅。总计这一次英威人口统计，用费是十四万镑。我们要知道英威只有四十兆人口，我国向称四百兆人口，我不晓我国举办全国人口统计，要化多少经费呢！至于调查表的形式，应该怎样规定？问题要问多少？报告怎样编纂？编纂的方法应该怎样？则属于专门性质，我们不能在这里细讲了。

关于人口统计的办法，我在上面已述其梗概，现在要谈谈他们初期报告所得到的结论。先说初期报告的主要数目。

一九三一年四月二十六日英格兰和威尔斯人口：

总数	39，947，931
男	19，138，844
女	20，809，087

此次人口统计总数，较诸一九二一年总数，增加2，061，232，恰为5.44%。以人口总数讲，英威自有统计以来，这次数目最大（一八〇一年初次统计只有十一兆多）。以增加人口讲，除了一九一一至一九二一年统计有欧战关系外，可算是从一八六一年人口统计以来数目最小的了。我们且把一九二一年统计和本年统计之间增加人口的数目比较一下：

生育（增）	6，930，000
死亡（减）	4，692，000
移出超移入（减）	177，000
净增	2，061，000

对于上面的主要数目，以及各区的分类数目（因繁多不录），人口登记总所所长报告的意见，分别说一说：

（一）人口增加率的将来　一九二一年人口统计报告，总所所长曾经预测英威人口数目的稳定。果然，这次统计结果，十年之间，人口增加率只有 16.3‰，除了瑞典之外，算是英国最低。这十年之中，婚姻率并不减少，结婚的人们，年龄亦轻，但是生育率减低了。所以总所所长又要预测二十年后，英威人口增加率，达了顶点了。

这样的人口数目，渐趋稳定，是不是可虑的事情呢？因为英国现在有二百万失业人口，以及各项实业的衰颓，所以一般舆论，不以为惊骇。况且死亡率减低，证明公众卫生的进步，体力的健全，英人颇有自满的口吻。《满却斯脱卫报》说："人口益多益好，这是野蛮人的迷信。试问茫茫众生，在城内住几间破屋，衣服褴褛，在乡间终岁勤劳，不得一饱，这种情形之下，有什么理由可以说人口愈多愈好？"所以人口数目多之外，还得人口的质量佳，人口享受幸福多才对呢！

（二）人口南移　战前工业，依赖煤铁，煤铁出于北方，所以英国工业区域，在于北方与东北区域。人口增加，亦在北方。现在工业用电，加之交通便利，新工业都在南方。英国人口南移，大家知道，不过这次统计结果，有凭有据罢了。这次统计报告称，自佉省夏克省（Gheshire，Yorkshire）以北人口，较诸上次统计，减少443，000人，威尔斯中区减少259，000人。英格兰中区减少81，000人，英格兰东区减少41，000人，英格兰东南部增加615，000人。

（三）城市人口情形　城市与乡村人口的分配，还是趋向城市。不过现代城市，向城郊建设住宅，人口并不溷集城中罢了。大伦敦为8，202，818人。较上次统计，增加722，617人，占城市居民四分之一，占全英威人口五分之一，所以有“肿头”之称。伯明翰已过百万，增加80，246人。利物浦855，539人，增加50，493人。满却斯脱766，333人，增加30，559人。此外人口减少的有六百四十八城。

（四）女多男率　英国女多男率，在欧战以前，平均为男1，000人，女1，068人。一九一一年统计，女多于男为1，179，276人。一九二一年统计，因为欧战关系，青年阵亡，女多于男，为1，736，221人。本年统计，女多于男，为1，670，243人，恰为女多于男率1，087人（约5%）。尤以三十岁与五十岁之女人，超过同年之男人为最多。与上次统计，二十岁与三十岁为最多相比较，这次统计结果，可以安慰生女的父母了。

二十，七，七。

法国之部

俯仰今古

张镜秋

我们自去年十二月二十九日由沪乘法邮镇怒沙，是晨十时启碇后，途中遇大浪，晕卧四小时，以后即一路舒适。一月一日午前八时到香港，由友人翁君来导至英皇酒店早餐，餐毕游港公园，乘登山电车，略事游览，四时即返舟向西贡开驶。一月四日上午十时半抵西贡，西贡为法领安南之首邑，抵岸时即有法人来查验护照，盖印后交还。西贡天气甚热，我等到时已是阴历十二月，然仅可穿单衣，等于上海六月气候。此处每日十一时起，各店即关门休息，由此时起渐热，至午后三时半渐凉，各店始复开门营业，气候所迫，不得不尔。全贡法人约一万，中国人约三十万。有中国街，全系粤人，粤人在该地颇占势力，办有小学中学，但无工会，倘有五人相聚会议，被侦探知悉，报告该地法政府，即须驱逐出境。在贡停三日，四日晚十二时续行。一月十日午前八时抵新加坡，十五日上午十一时抵印度南面之锡兰岛，舟舶其西南部一城曰哥仑坡。该地天气炎热一如西贡，全市皆印人，负笨重物件均以头代肩，初视令人发噱。所见印度妇女，鼻尖上均戴有首饰，穿过鼻孔，如寻常妇女之穿耳然，耳之周围，金饰宝石琅珰戴满，自以为美丽无以复加，但吾人观之，不知美在何处！二十一日午前九时抵阿拉伯西南海岸之亚丁，天气酷热，因近沙漠，树草绝少，全埠皆为要塞区域，除炮台飞机外，只见少数土人，景象殊萧条。继经红海，苏彝士，乘车过阿拉伯沙漠，抵埃及参观其京城开罗，见金字塔，人首狮身，及博物院中种种古代石雕刻物，香料验尸等等。埃及虽称欧战后新兴国家，然国王仅拥虚名，英国驻兵于其国内共达四万人，首都一万八千，外省二万二千，各部署均有英国顾问，财政之权全在英人手。一月二十七日午前至地中海，经意大利，过其西面小岛名厄尔巴岛者，拿破仑第一次被幽之岛也。又见其更西之哥尔塞牙岛，拿破仑诞生处也。意大利火山甚多，地中海为火山区，故风浪殊奇特，数小时风平浪静，数小时又忽然波涛汹涌。

二月二日上午八时抵马赛，乃入法境，当夜由马赛乘火车，翌日午前八时到巴黎，久闻大名之巴黎，今始相遇，共住十六日，纵目饱览，请追述其所见之一二。

恤终院（Invalides），近世史上震动寰宇之怪杰拿破仑坟墓所在之处也，令观者俯仰今古，不胜沧桑之感。按拿氏本死于圣赫勒拿岛（St. Helena），（按：此岛属英国，在太平洋南部，距非洲西岸1200英里。）死后即葬于该岛之野，十九年后，为其最得力之陆军大将蒙托隆（Montholon）及海军大将麻向（Marchand）由该岛运回巴黎营葬。此两大将为拿氏生平最信任者，拿氏被拘，彼等即随侍赫岛，死后守墓至十九年之久，终将拿棺运回，葬于巴黎之恤终院。拿棺系用意大利之大理石凿成，棺后立有上述两将之铜像，像下即为该二人之棺木，彼等盖可谓生死相处者矣。

罗浮博物院（Museum Louvre）为法国最大之博物院，为旧宫殿所改者，其石刻物有古埃及时代，罗马时代，路易十四时代，拿破仑时代之种种神像，碑石，棺椁，城砖，及帝皇之大石像等等，多雄奇不可名状。所列路易十四及拿破仑时代所用之器具，尤精致美绝。油画品甚多，美不胜收，中有一女像，名贵异常，其优点乃在双眸含笑，在任何一方向之，皆觉美人之视线是对我微笑，有画如此，众乃觉其可贵，诚有美人如此，则或有病其用情之不专者矣！

游先贤社（Pantheon），则见法国革命时代为国牺牲者之墓在焉，不限军人，凡科学家有所发明以贡献于祖国者，其墓亦在焉。门前有额，题曰："祖国对尔表示谢意"，此其唤起游者景仰先贤之心为何如乎？呜呼！为人而有所贡献于其群，不惜牺牲自我以益其群，受此哀荣，宜也！

游凡尔赛（Versailles），法国帝王旧宫殿之一也。欧战后著名之《凡尔赛和约》即在此处签字。此宫为法国革命时路易十五，十六，十七之所居，极奢华靡丽之致，惟路易十七由此处出奔后即牵上断头台，则尽全国以奉一人，有可为而不可为者矣！

又游马尔美爽（Malmaison），拿破仑所居之宫殿也。拿氏与其第一夫人约瑟芬即同居于此九年，后与约瑟芬离婚，始离此而任约瑟芬独居，约死后拿氏复来寓此，后彼由滑铁卢大败而归，又居于此，即由此被迫迁至圣赫勒拿岛，故此宫内有一间书房，即拿氏离法最后之处，盖由彼书房出宫门，即上马车转上轮船而至赫岛以终其生也。拿氏所得各种战利品，其亲笔之书翰，日常应用之器具，所用之图画（大部分移置图书馆，少数仍在此），以及死时身上脱下之衣服衫裤手巾等等由赫岛运回者，行军时随身用具，战败时最后一分钟所用之地图等等，均赫然在焉。书房中有一桌，为拿氏败后联军逼其在此桌上签字于退位诏。拿氏于挫败之余，吞声签字，然仍不禁怒发冲冠，拔其佩刀，狠命在桌面猛戳一下，致有深痕凹下。今此桌尚在，深痕亦尚在，吾人想见当时之拿氏，盖与吾国垓下之项羽同其悲慨也。

十八年三月五日。

满城狂欢庆共和

秦子野

七月十三日晚为法国国庆日（如吾国之双十节）之前一夜（七月十四日为国庆节），庆祝之举，即于是时发其端，欣逢其会，颇有足述以报告诸君者。晚膳时，客寓女主人欣然馈我以红烧牛肉，味绝美，大嚼之下，助我游兴不浅。饭后稍息，九时由寓所至先贤祠（法国各种大学问家国葬之地，如卢梭，嚣俄等皆在其列），顿见市中大异，行人皆面有喜色，童子辈尤欣喜逾恒。祠前咖啡馆，几座四陈，内有音乐台，台上奏乐者高踞而坐，吹打歌唱，声震瓦屋，台前无数红男绿女，环抱而舞。我不久即折赴“公告场”，是场平时皆万盏明灯，亮光四射，俨如白昼，而是晚尤奇，特设临时电灯厂，（即电机装于大汽车上，随时移动应用，如在荒僻之地开会及临时需要时，皆用此法。）增加无数仰射大电灯，电光上射空中，使甚高之方尖碑（此为拿破仑远征埃及时所移来之物）上各种雕刻物，皆得反映于远近游客眼帘上。由此西望，则有高耸矗立之凯旋门，东望则有八百年之故宫，贯以宏阔大道，两旁杂植花木，布置园亭，饰以美术物及历史上纪念物，如塑像雕刻物等，备极美丽，平时游人众多，是晚更加以点缀，备极奇丽动人，是以游客多集中于此地。此场前后为总统府，国务院，各部署，及议院夹立，乃法国政治之中心地，每逢大典，举行庆祝阅兵之地即在此场，锦绣河山，繁华世界，此地足以当之。我在法为外人，尚顾盼愉乐，不忍遽去，设吾为法人，亦当牺牲个人之幸福，以护卫其地也。追念欧战时法人忠勇过人，力退强敌，以发扬其国辉，为时有限而荣境无穷，未尝不兴祖国之思。翌晨为七月十四日，即真正之法国国庆日，午前举行阅兵及祝贺式。是晚九时半后出看放烟火，市中狂欢如昨，十时全城二十区皆大放烟火，巴黎城上的天空尽为烟火所充，可谓烟火世界了。我顿念法国逢此佳节，其劳动阶级之平民不知作何状，乃趋至工人居住区一观，则见街巷中数线横穿两旁市屋，上悬电灯，旁有音乐台，上有奏乐者数人，亦即临时之跳舞场矣，仕女跳舞于街巷中，车马不能通行，不顾也；警察旁立助兴，亦不加干涉。车者行者，皆让道以过，以免妨其欢兴。不但男与男跳，女与女跳，男女互跳，即许多小孩子们亦加入跳舞，有小儿高仅及其父母之膝者，用两手抱其父母之膝而狂跳，其父母依音节而移动其足，小儿亦能举步合节而跳，我们一方面可见法国歌舞之普及于民间，又可见其国庆盛典欢乐之能普及于一般平民老幼。回想我国国庆日，黄包车夫仍须弯着背脊骨在街上喘着气死跑，初不觉其国庆之可庆可乐，不禁嗒然若丧。

次日晚（七月十五日）复出环游市中，其他之举动皆止，而歌舞一仍旧状，且有许多男女老幼，头戴彩色纸帽，千形万状，坐饮于咖啡馆中，欢舞为乐。惟欢乐尽欢乐，市中及咖啡馆中仍无大声喧扰之事，偶有一二青年男子，头戴红帽，肩上坐一男子，杂跳于众人中以为乐，口中虽自言自语，但不作大声呼喊。偶有二三女子，游行于街巷中，乐而歌，其声亦低微。故于举国庆祝之时，社会上秩序仍极宁静而不纷乱。吾于此游观三晚一日，感触滋多，限于时间，只得举一二事言之，即法国的共和政体，是否值得纪念？试观其国训为自由平等博爱数字，是否能做到，即可下断语了。平等与博爱之精神，吾当另文述之，即举自由二字言之，巴黎城中有各党派之机关报，各是其是，各非其非，政府从无钳制或摧残舆论之举。又如最近巴黎增加房租，（此间房屋成本甚高，而房租甚低，远贱于上海。）国会为之制定法律，只准加百分之十五，此一小事也，亦经国会通过，其维护国民福利之精神为如何？法人之狂欢庆祝，理所宜然。革命是为全国民众谋幸福的，不是为少数争富贵作威作福的。

一九二九，七，二七，巴黎。

优美之环境

秦国猷

余原定民国十七年六月三十日由沪赴法京求学，以宁垣总理葬事筹备处事，未能即行结束，迟至七月十四日始行。十七到香港，是地繁盛，人所素知，唯我深觉痛心者，国人有此广土，不自治理，凡荒僻之地，一由外人经营管理，便致发达，港地本多山，崎岖不平，自环山铁道成后，交通极便，满山皆屋，乃因是繁盛。闻初办时亦经几次失败，几多损失，几多改造，始有今日，可知缔造之艰难，苟非有长时期之安定局面，则缔造者见而却步。继起者少，欲事业之兴盛难矣。是晚船离香港，两岸灯火万家，星罗棋布，高者在山，低者在海，远数十里，近则数丈，如此夜景，生平未见，吾立甲板上，默念香港过去之历史，及与我国之关系，百感丛生，惘然久之。八月十八日到马赛，海行告终，足登法境矣。屈指计时三十五日，旅途三万余里，经三洲十余国，环地球之大半，见各民族之习尚文物制度之大概，增我知识，广我见闻，颇以自慰。自到巴黎后，凡所见闻，可为国人言者甚多，但为时间所限，请撮述其感想所及，以告国人。

公园　此间公园甚多，分布尤匀，各街居民均易享园游之乐，许多男女老幼在公园内阅报读书，或做手工，或散步，分文不收，其乐无穷，文明国家之人民，真能享受升平之幸福！园内最可注意者，为许多名人塑像，或为艺术家，或为音乐家，或为戏曲家，不一其类。市街中亦多名人塑像。法人能处处崇敬有功，其兴也有自。公园内幼儿游戏用具特多，体育场亦不少，各校学生多在其中体操或游戏。

市政　市政真能艺术化，不愧为美的巴黎。法人性格之养成，有实赖于此优美之环境，诚以优美环境，可以有助于高尚纯洁和善爱美及好自然等等精神之养成也。

交通　交通极便，车夫无欺生慢客之事，盖因：

（一）曾受相当教育；（二）车价由公家规定，有表（若电度表然，能自动）表明车价，按表给价，非汽车夫所能操纵，故无争多嫌少之事，可见科学发达实有助于人类道德之维持也。地下电车可通全城，车费二等五分，一等八分，其行程或百步，或数十里，听人之便，换车续进并不加费，其利民为何如！民纳税于国，国之所以待民者不薄，各尽其道，此政府与人民所以能相安也。

图书馆　图书馆林立。有国立，有市立；有普通，有专门。此外学术机关又各有其图书馆，使研究学术者极感便利。无图书馆之国家，其学术何由发达？或有其名而无其实，则亦何益？

森林　巴黎四郊都有大森林，为居民游息之所，布置精美，游者踵接，此亦优美环境之一，有功于法人性格之养成者也。若社会无高尚娱乐游息之所，则人民易趋于堕落之途而缺乏振作之气。社会如此，学校亦然，若学校生活能丰富美满，则其学生之性格亦可获潜移默化之功。

公共秩序　西人甚重公共秩序。如购票，先到者在前，后来者在后，队伍整齐，静候票门之启，循序购票，无警察在旁监视，而无争先恐后之事。即在咖啡馆及饭店公共娱乐场所，或会场，其谈话亦极轻微；即在旅馆中，亦未闻有大声呼叫之声，致妨碍他人之安宁。吾初见之以为异，询诸吾友，何以能如此，据云在学校中自幼养成之。可见学校教育不仅在知识之传授，尤当注重品性之陶冶与公共秩序之养成。就表面上观之，此类事似无关重要，其实社会一切纠纷之源，大都由于各人只知自己利益，不顾他人利益；不重秩序，亦即自私自利心表现之一端，不可忽也。

勤　勤字此间几人人做到，无论贫贵富贱皆勤。凡家内一切事务，皆自己为之，不用仆人，用仆人之家极少极少。即旅馆中有四五十个房间，侍者亦仅二三人，供打扫之用，主人亦加入工作。客人有事，多自己为之，不呼唤仆人。旅馆主人之子弟放学回家时，亦一同工作。吾寓之女主人，毕业于女子师范，通数国文字，曾任大商店主任管事十年，亦躬自操作。盖皆视劳动为神圣，其观念与吾国人迥异。若读书人以工作为下贱而不屑为，则教育愈进而游民愈多，乱之源也。欧洲教育发达，工作能力亦随之而发达，故无惰散之象，而能谋经济上之发展。我国今日亦宜改正观念，视劳工为神圣，视不能工作者为可耻，视坐食者为游民，视生产者为良民。

十八年一月四日寄自巴黎。

诧　异

秦国献

记者到法以来，有一事深觉诧异者，即此间一般人对于诚实二字在实际上之重视与普遍是已，彼等视诚实盖若第二生命，若有人以不诚实批评之者，无不勃然怒，意以不诚实者即贼也。凡与人言事，可则可，否则否，总不敷衍，若用函询，总不置之不复。市上售报之店铺，其报置门外，另有一盘，购者纳资于盘，取报去，无欺者，店员亦不管也。在咖啡馆吃早点心，点心置于框内，听客取食，食后自报数目，给资而去，无欺者，主人亦不管也。咖啡馆食物，价值几何者，盘上注明，苟偶有错误，倘侍者见之，必换置注明相当价值之盘，不相欺也。旅馆中五方杂处，但各人之门上钥匙，出门时则挂于旅馆门口板上，未闻有窃取之事。此其社会上安宁之景象，吾国人初见之，盖未有不奇异者。此殆诚实之一德性已普及于一般国民欤？若学校中训练学生品性，只在“修身教科书”或“公民教科书”上做纸上谈兵之功夫，并不注意于行为上之陶冶与训练，则学校中尚无成效可言，推之于社会上更难矣。如此则国家何贵有教育，而人民又何贵入学校？故即谓彼等社会之安宁景象，由于教育之比较的普及，其教育之内容亦必非敷衍从事者可比，此殊足供吾人深长思者矣。

路不拾遗，在我国视为美谈，据吾在法所见，则竟视为寻常。吾第一日到巴黎，竟大作一次“阿木林”，盖吾初抵此，固未知此种情形。第一日移居一旅馆后，出门时，将门锁好，即将钥匙带在身边，此在吾视之，固极寻常之行为也，乃归时旅馆主人大惊异，即谓吾曰：“你为什么拿钥匙带在身边？应挂在门口板上。”吾只得答曰：“吾偶忘了。”其实吾新到法，深恐衣服被窃也。其后吾以此事询吾友，吾友曰：“你还是把国内的那个样子印在脑际！此处谁要你的东西？你没有看见里昂那处有个大屋子，尽是堆的电车上乘客遗失物，路上遗失的东西都不要，还要到你房间里来偷你的东西么？”吾

此为凡尔赛王宫（The Palace of Versailes），为法国名胜之一，欧战后著名之《凡尔赛和约》，即在此签字。

闻之赧赧然深愧自己所见之不广。此种情形，倘非吾目睹，盖亦难于置信也。若学校内时常失窃，而窃者又为学生，则其可痛为何如！故吾深觉办教育者不要以为学生能上课能读书，便以为满足，尤其为中小学教育者，须在训育上多用工夫。吾人当知知识不过人生需要之一部分而已，知识少差犹可，品性虚伪则遗害实大。中国教育，自古相传，亦重在为人之道，今须一扫纸上空谈，而重实际感化，是所望于热心改造教育及社会之人士，为立国之良好基础努力。

十八，五，一，寄自巴黎。

真正学者

秦国献

我国之大学，往往初由大学毕业而即俨然以大学教授自居者，此虽为过渡时代人才缺乏所致之一种现象，然若不求改进，永以肤浅自满，使人感觉大学教授几于人人可做，无足重轻，则于吾国学风前途，关系綦巨。据愚所见，法国大学为各科专家讲学之地，教授程度甚高，不凭原有资格，须经考试后始可任教授。考取之人，少有在五十岁以下者，故各教授对其专学均有数十年之研究，乃一国之真正学者。高等教育好，故中小学教师亦良。入高师者，较入其他同级之校，其程度约高三年云。若一国之高等教育不良，中小学之良师无从出，亦断不能优良也。

此间大学中初级功课则循序教授，至高级功课，则所讲者，多为教授自己研究所得，及世界上最新发明之学说，讲时不知其所自来，讲后亦不易参考，盖所讲者虽来自各书，但已经彼组织变化，非原形物矣。讲时甚快，所讲材料甚多，一切应用仪器图表标本等，早已预备齐全，有助教在旁襄助试验，即无图表，而教师对于各种表解公式图表皆烂熟胸中，可以随时画出，甚精确而敏捷。教师有带讲稿者，有不带讲稿者，教材内容，均已熟悉，讲出时，透彻精当，毫无错乱陈芜之弊。教材切近其国情，而对各国情形亦常加批评，语多中肯，有时助以幻灯片，片摄自各方，我国亦有被摄者，故在国内所不能见者，到此反能见之。

法国学校，自十六岁以上之学生，不用教科书而用笔记，故大学及专门学校均用笔记。苟学生法文不好，或预修之基本学科不熟，不能笔记，不易得益。

大学中有许多功课，系公开演讲，任人去听，不收费，是亦大学推广教育之一端也。

十八年，五月。

说专家

秦国献

专家对于所专研之学问博学多能，一国所仰望，人类之导师，其新学说足以轰动世界，其事业之成功，足以惊人，对于自己所专之一门，世上既知事项，莫不知之，所不知者，惟未发明之新事项而已，其研究一事也，能自己独立研究，常有所发明，以贡献于人类，同时指导他人研究新事项。例如有人欲研究某问题，请其答复，此问题曾否有人研究过，他能辨别，明白答复，并能知道研究者所用之方法是否适当，所得之结果是否正确。具此能力者，即专家也。

试举一二例以明之。吾友张君研究鱼类于巴黎博物院，其师在二十年前，美国所著动物学书上已推崇其人，名已早传于世矣。他本人发现新鱼类计四百种，而张君发现新鱼类三四种。又如巴黎国立农业大学院农具学教授拉柔门先生，年已七十余。吾受其课，见他上课时只带粉笔数条，间有几张挂图模型等。他先讲农具史，将过去所用农具变迁之迹，说得淋漓尽致；继讲近世农具，每讲一题，必将世界各国所用者加以比较，话虽不多，却极精到。好像世界各国农具工厂，农具陈列所，农具试验场，农具图籍，皆在其脑中。口讲指画，纯熟精到，有时他批评中国农具，自愧我是中国人，所知者真不如他的多。然而我曾担任此教课于国内一农，今昔相较，觉昔日所拿的薪金，要加几分愧色。吾友吴君出国时，某老师曾嘱其到国外后，研究某问题，及到国外后，以此问题示其师，师说此问题已有人研究过。可知世上事项，什么是新？什么是旧？真不易辨别。许多人以为新者，不知已陈腐不堪；许多人正在试验中者，不知已有人试验过，其利弊得失，彰然已明，无须重复，徒多损失。新旧之别，惟专家能知之。

仅得有学位者，去专家尚远，不可不辨。世界有一派专家固有由博士硕士学士而来者，但不尽如此。如生物学家达尔文，在大学读书时，教师以其日日在教室内玩弄动物，欲加斥退，遑论学位？其他出身贫苦，力不能受大学教育，而由其自己之努力，以成专家者，不一其例。

在法国，其地仅等于我国两省之大，而有国立大学十七所，此外尚有最高学院甚多，在校生徒，就巴黎大学一校言，已有三万人。每年毕业生，真可车载斗量。而能成专家在世界上著有声誉者，亦是凤毛麟角，不可多得，可见成专家之不易矣。而社会上各项事业，有非专家不能解决者，故专家实为一国之宝物，欲社会事业之发达，当力求专家之养成。养成之道，即在多植人才，许多人才中将来必有成专家者。犹有一点亦甚重要：非专家者不必以专家目之，不是专家者，不必以专家自许，大家应趋向于诚实之一途。

十九年，一月。

巴斯德学院

秦国献

法国巴黎的巴斯德学院（Institut Pasteur）成立于一八八八年，建筑费系各国所捐助，因法国化学家巴斯德先生于一八八五年发明抗治疯犬伤人病的方法，有功于世，故捐款建院，以酬其劳。至一九〇〇年，更有慈善家捐款建筑生物化学研究所及传染病医院于其旁，此院益加扩大充实。

此院为世界上最著名研究科学中心地之一。院内有讲堂，为教授高深学术之用；有诊病室，为医病之所；有痘苗及医用血清制造室；有病理研究室，以求医学上之进步与发明。在一八八七年六月四日，公布为公众研究使用之地，院务管理有董事会，人数为十二，院长及副院长由董事会任命。

其科学上之研究，分为三部十组。第一部为微生物研究所，内分五组：第一组专研人与动物应用之痘苗；第二组专研究疯犬伤人病；第三组专研人与动物由微生物所致之病，注重在细胞生理上之研究；第四组研究微生物时应需之技术，每年在正月至三月开课讲授百次关于研究微生物所需之知识及技能，任何人皆可去听讲，不收学费，惟实验者则需缴六百法郎实验费（合华币约六十元）；第五组专研微生物学及热带寄生病学。

第二部为血清制造所，内有研究室及制造室，并有试验场，以研究动物抵抗传染病之能力。

第三部为生物化学研究所。内分五组：第一组为生物化学研究室，巴黎大学理科生物化学，亦应用此室；第二组专研究发酵作用，兼研以科学知识应用于实业上之制造；第三组专研究农艺化学，重在植物生理及病理上之研究；第四组注重生物化学之教授及实验；第五组重在药用化学之研究。

有图书馆，收藏极富，定期刊物如杂志等即有五百种，举世界各国著名之医学，细菌学，生理学，生物化学及农学等杂志莫不具备。

有工厂及医院，研究所得之结果即可应用于实地。科学上之设备莫不应有尽有，温室及饲养动物所用之房屋亦皆齐全。

院外事业亦广，如镭学院即与巴黎大学所合设者。

此院早有名于世，其对于人类之贡献，稍有常识者类能道之。此院与我曾有数月之因缘，略知其内容，故述之以告读者。我在巴黎国立农业大学院所习之牛乳制造学，即在此院上课，教授即此院农艺化学研究主任，受其教育，用其器物，以资练习，最后更由其导观全院，深觉斯院名不虚传，真为研究学术最适宜之地：（一）此院专家多，指导得人；（二）设备好，研究便；（三）分组多，于是学得专精；（四）有工厂及医院，理论与实际可互相印证，无须外求。我日夕默祷国内亦有一研究高深学术之地如巴斯德学院者。学问为终身事业，不进则退，苟无相当之设备，实令有志深造者感觉异常之苦痛，而况一国学术欲求能与世界各国平衡，使中国学术亦有其相当之地位，非如此努力上进不可。此院并有各国已有声誉之专门学者在此研究，我国则有赵石民先生（昔为东大教授，今由北平协和医院派来），我深愿国内有人源源而来也。

一九，一，二。

农业教育

秦国献

法国今日的农业已经科学化，即应用科学原理，以经营新式农业。而且农业是工业化，商业化，即农产品之制造，农业工程之设施，多是农民自己为之，而不假手于他人。农业上之经营，多应用商业原理，不独图生产上之增加，且取有利可图者始为之，无利可图者即不为，最近更是电气化，即各种耕作多用电力，而少用人力及畜力。此种趋势，欧战后尤著，因人口减少，工价昂贵，为图成本之减轻，而图生产之增加，不得不多用机械力以替代人力及畜力，故就农业制度言，昔为小农制，今已变为大农制，此则欧洲各国皆如此，不独法国为然，我国人每多以美国为大农制，欧洲为小农制，今则与昔异矣。

法国农业教育，高等为造就农业领袖人才，及大农之经营者；中等造就中等农场之经营者；初等造就小农之经营者及大农之雇工，皆有一定之目的，造就一人得一人之用，绝无赋闲之人为社会累者。农业上的研究人才与应用人才皆分别造就：研究人才注意学理，养成新农业之创造者，教室内功课较多而田间工作较少；应用人才则注意技能，以养成农事之经营者，课堂内功课较少而田间工作较多，毕业后各得其所。在法国农校毕业后，其初仍在专家领导下做练习员，非独当一面，故遇事有所禀承，致不误事，待其经验丰富确可自立，以后始任其独自经营，徐图发展。各国教材皆切其国情，决无拿一本外国教科书到本国课堂上来做教本，是以所学者即能出而应用，农学原理东西各国相同，而事实上之应用则各不同，整个抄袭，未见其可。今后中国农业教育之改进，当自厘定教材始。法国农业教育由农部主办，是以农业改良与人才之培养互相呼应，能收指臂之效。中国农业教育与农事改良划而为二，供求不应，且事实上教育部主管之事太多，难以兼顾到农业教育，且亦无相当农业教育专家兼顾到农业教育，是以农业教育颇难改进。今后中国农业教育主管问题宜划归农部直辖，至少亦宜办到农教两部合管。法国农校专造就人才，试验推广之事则由农部主持。各区有农业指导员，受农业局之管辖，直接指导农业改良事宜。初设之时仅有数处，其后成效卓著，各处争请添设，今则已遍设于全国矣。此则因有专门人才主持专门事业，于实际确有成效可见，故设一职即能得一职之用，否则虽设无益，人将望望然而去之，更何有争请添设之事发生？

一九，四，十九。

巴黎植物园

秦国献

植物园位于巴黎第五区，塞因河流过其侧，地势空旷，风景绝佳，此园成立已有三百余年，在一六二六年法王路易第八下谕设皇家植物园，以研究药草及教授医科学生之用，故是园又名药草园。至一七三九年，由大生物家坡丰（Buffon）继续主持，此园遂成为研究科学之中心，人才辈出，如杜奔洞（Daubenton），居威欧（Cuvier），拉马克（Lamark），拉生背得（Lasepede）等著名科学家，皆成学于此。至一七九三年，此园遂名为博物苑，专研究地质，矿物，动物，植物等如何应用于农商工艺等，使其利用厚生，此地遂成为世界有名研究科学中心地之一。

现在此园设专家讲座十九席，担任指导研究发明之责，凡世界各国学者来此研究，有名师可以秉承，不致有暗中摸索之苦。年设高级课程数十种，讲授最新最高深之学说，以启导后学。苑有图书馆，藏书约三十万册，另有手抄本二千五百册，图表称是，内多名著，且多绝版，真为精神财产之宝库。入览者可向苑长请给入览证，便可入览。有研究实验室二十余所，设备完善。又有苑友会，成立于一九〇七年，其目的在充实陈列馆动物园及实验室，奖励科学上之研究，凡入会者，至少每年纳费十法郎，得苑友证者，可参加各种展览会，讲演会，博物家月会，此外有各种讲演会及专为苑友举行之郊叙。

此外共分四大部：一为花园，终年开放，任人游览；二为动物园；三为陈列馆；四为温室，则定时启闭。星期日各部开放，任人游观，概不收费。

（一）花园计分为：（a）植物分类部，植物有一万一千品种，专为研究植物学者而设；（b）观赏植物部，其中玫瑰花即有八百种，其他可以想见；（c）花卉部，内多世界名花，我国之牡丹芍药等收集极多；（d）药用植物部；（e）工业用植物部；（f）风景林部，内多松柏科植物，地势盘旋，布置极佳，有名人墓及科学家手植之树木。园中多名人肖像，有功于此园之名科学家，铜像巍峨，永垂不朽。

（二）动物园：举世界各国所有之奇禽异兽，皆饲养于此园，且各种动物，饲养均有专家指导，夫役奉侍，惟恐有失。

（三）陈列馆：（a）为动物陈列馆，房屋建筑宏大壮丽而合度，占地极大，层楼高耸，俨如皇宫，各种动物分类陈列，中有大动物骨骼，如鲸鱼等，长十余丈；（b）地质陈列馆，对于地壳构造之岩石，搜集尤为完备，另有两极地形图等；（c）矿物陈列馆，内多宝石，且各国矿物，多分类陈列；（d）植物陈列馆内，多植物化石标本，并有古代种子，如小麦有三千年前者，系自埃及坟墓内所掘得；（e）比较解剖陈列馆，内有许多动物，现已失传，人由猿类进化之各时期骨骼，脊椎及牙齿进化标本，人类及其他各种动物发育标本及各种器官，搜集颇为丰富。马之解剖骨骼，即有一千四百匹之多；（f）古生物陈列馆，内多化石，化石陈列以年代而分类，可知人与动物互相生存之关系，此中有一部分化石骨骼，现在此种动物，已不复生存，颇为贵重；（g）人类学陈列馆，搜集极为宏富而完备，举世各民族骨骼皆具，我国人骨骼陈列于此者亦多。另有一室，专陈列异常人类之头骨。

此文不过聊示有志博物者研究之地点，并示研究学问与设备之关系，至于详细情形，另有专书，非兹篇所及。

二十，二，二十六。

巴黎见闻

一 石

作者与巴黎别，忽忽已七年矣，今旧地重游，觉所见所闻，一如往昔，盖都市之生活，数年中不能发生重大之变化也。今将所见所闻之略有异同者，列举数端，以告读者：

（一）生活程度之增高。巴黎现时之生活程度与七年前较，已增高两三倍；前此每日一二元房金之旅馆，今则非三四元不可。上等旅馆，每日除房金外，尚须纳国税及地方税百分之十七，其他如饮食衣服等，亦昂贵异常。街上可随时雇用之汽车，则尚觉价廉物美。作者现居之处，与拉丁区之距离，徒步约需一小时，若坐汽车，须国币五角，若四人合坐一车，每人只一角二分五，上海人力车之代价也。吾国学生在巴黎者有数百人，女生亦甚众，每月学费最省俭者，须国币一百五十元至二百元之谱。

（二）无妻政府。法国现任总统为杜默尔（Doumerque）氏，国务总理为达迪（Tardieu）氏，外交总长为白里安（Briand）氏，皆年事已老，尚未娶妻者也。故法国现时之政府一无妻政府也。吾国人喜做官之心理，数千年如一日，往往平素以科学家自命者，一变而总长次长矣，或驻外公使矣。又喜举外国学者之执政者以自喻，言外人固如是如是，有例可援也；今法国政府诸公之以身许国，不事婚娶，吾国学而优则仕之诸公，尚未闻有起而仿行之者！（编者按：我们并不是要提倡什么无妻主义，作者之意亦在痛斥假借新面具以实行其自私自利者之流耳。）

（三）百货商店。巴黎百货商店最大者有五六家，其中又以 Galeries Lafayette 为最著名，生意亦最盛。据个中人言，年终每日之收入，平均百万法郎，合国币十万元。各商店门首，年终皆以五彩电光，缀成各种花卉鸟兽，皆能动作，栩栩如生，环而观者人山人海。有一联合商店者，肆中设一模型之人力车，一人坐于上，一人挽于前，以电气动作，终日疾驰。外人驻足而观者，多忍俊不禁。吾国人尚有以此谋生者，外人则以此为玩笑之具！

（四）欧洲小姐。今欧洲各国皆选一年轻而貌美之女子，以代表其本国之美人。选定后，即以其国名名之，如法国小姐，英国小姐之类。主其事者，为欧洲各国之报馆，及研究曲线美之画家。选定美女者已有二十国，今此二十国之美人已群集巴黎，将于本月五号作最后之赛美，即就二十美女中，再选最美之一人，为欧洲小姐。中选者可得巨额之奖金，约百万法郎，惟确数已不能记忆矣。此种举动，虽为各国歌舞升平之风流韵事，惟对于妇女须注重体育之观念，可发生重大之影响。盖此次获选之美女，皆系体格强壮，胸部发达。非仅若我国之以貌取人也。

一九三〇，二，三，巴黎。

法国女子中学的学生

陈令仪

法国的中学分为两种：一为国立中学（ly-cee），一为州立中学（college），国立中学程度要比州立中学高深一些。法国从一八八三年才有国立女子中学，到现在不过四十六年。但是女子中学仍旧不如男子中学那样多。我在未出国以前，总以为自由浪漫的法兰西，他们中学生的学校生活，不知怎样的自由活泼，现在才知道完全想错了。法国教育保守而且闭固，现在把法国女子中学生的学校生活情形，大略说一说。

她们大多数是住宿生，她们的寝室是一间很大的房子，里面放了许多床，每人的床面前有一个布幔，可以启闭。寝室只是睡觉用的，日里总是锁着。就寝的时候，有一个小监学也睡在她们一块儿监督一切。（校中监学只有一个，其余都是小监学。）在她们上床换衣服的时候，可以把布幔拉上，但她们睡好以后，每人就得把布幔拉开，使得小监学看见她们确是睡在床上。不论冬天夏天，她们总是早晨五时半起身，晚间八时就寝。就是夏天下午八时，太阳还照耀天空，（法国在北纬四十二度至五十度，夏日三时半天亮，晚十时后始黑。）她们也得爬上床去睡，睡不着也只有睁着眼睛去研究天花板的构造。寝室门每晚是要锁的，除小监学在她们中间监督着，校长每晚还要带着钥匙来察看一周，比监狱官对于罪犯，还要尽职！

她们的信件，不但是要经过学校拆看，通信人也有一定限制。会客的限制更严，不是家属不得来校会晤。新闻纸固然是看不到，连看小说的权，都被学校剥夺去了。常常看见校长从她们的教室里，搜了许多小说书而去。

我们中国女中学生真自由：我们星期固然可以随意出入，平日也只要一纸假条；出得校门，就可任你到那里，她们却没有这样自由解放的福气。她们寄宿生平日是绝对不可以出校的，到了星期六下午，必须有家属来接，才得回家。远地的要回家一次，除由家中具函，得学校允许外，还有监学送上火车，家属在那边车站相待。监学并且看着火车开了才回校，仿佛是严防临阵脱逃！

她们的受骂，已经成了家常便饭，常常因为很小的事，要受监学的大骂，狗呀，猪呀，都可以从小监学口里骂出来。她们无论怎样的受骂，总不敢稍稍辩驳，只有暗中去哭罢了。她们虽受了这样呆板严厉的待遇，但是她们仍活泼异常。只要小监学面不向她们，就做出各种鬼脸顽皮。她们学校没有什么运动器具，她们的运动，就是跳舞和厮打，一遇着小监学离开她们，她们就相打起来了。往往初时是玩，后来却真打了，墨水瓶哪，书哪，厚的字典哪，都是她们的兵器，打得衣服撕破，流血啼哭，但是过了两三分钟，彼此又笑起来了。

她们的服装很朴素，在校里没有人穿艳丽的衣服的。风气已经养成，自然都俭朴起来，华丽衣服，不但是学校不准穿，家属不给穿，而她们自己也不愿意穿，因为她们那样顽皮，不肯因为衣服限制了她们的活泼啊。像国内有些学校，那样奢华，那样装饰，在法国学校内是看不见的。

女子中学教室里的状况，和男子中学差不多，极注重笔记的，而且要背诵笔记的紧要部分，背诵得不对，就要受责；并要再三复习，必到不错为止。考试的严厉，也和男学校一样，是由官厅主试的，一点不容作弊，一点没有人情，不用功的休想侥幸通过。好在平日教师考核很严，不能通过的总是极少数。

校长是一校绝对的威权者，不但学生见了如小老鼠见了猫儿，即职员对于校长，也是极端的恭敬和服从。校长不兼教课，专理一切校务，管理学生除一个监学以外，（监学的地位，仅次于校长，她有做校长的资格。）就是许多小监学。小监学的职务就是专门管理学生，学生的一动一举，她都跟着监督，甚至于到厕所，她也跟着。充任小监学的都是大的中学毕业生，她们有些一方面做小监学，一方面还在巴黎大学读书。小监学的年龄虽和学生相仿，但一做了小监学，面孔就不同了。学校是没有成文的规则，校长和监学说的话，就是校规，就是金科玉律，就是没有理由的命令，学生也得遵从。例如有一条走道，本是素来走惯的，有一天监学站在那儿忽说："这条路不能走。"小监学马上执行这个命令，学生们也只有不走，那里有申辩的余地?

但是她们的学校生活，并不因管理呆板而枯燥无味，仍旧有她们天机活泼的流露；社会上恶习惯因之不传入学校之中，这也许是闭门教育的一些好处。不过我以为法国都会生活恣意放纵，而学校教育呆板过分，终觉得有些不能相应。

十八年，十月。

法国妇女

陈令仪

巴黎的繁华，早已为全世界的人们所艳羡。巴黎的时装，巴黎的脂粉，尤其是巴黎的肉艳，使得全世界人们想像到法国妇女的婀娜，娇柔，奢侈，浪漫。换句话说，法国的妇女所注意的是装饰，所研究的是交际，所狂醉的是跳舞：沉迷于流浪的恋爱的生活之中。诚然，巴黎有本国和外国贵族和资本家的浪荡公子，巴黎有许多歌楼戏院，巴黎有许多 musigue halles，（此种剧场为巴黎所特有，以裸体跳舞为主要表演，尚无适当之译名。）巴黎有大大小小的跳舞场，妓院，咖啡店，自然有一部分妇女来应这种需要，来点缀巴黎的艳丽。但是我们观察一国的社会真实情形，绝不能以它的一部分的表面现象作例证。同样，我们要认识法国妇女的生活，也不能以巴黎一部分妇女做全国的代表。

巴黎一部分妇女虽这样的奢侈浪漫，但法国全国妇女却俭朴勤苦而且能干。她们不是仰给男子的寄生虫，并且是法国家庭和社会的主要分子；她们不但服务家庭，并且担任社会上的责任；虽然她们没有参政权，但早已完全具有公民的资格！

法国教育是早已普及了，女孩子七岁就入学校，至少要到十三岁，通过了考试才能辍学。所以我还没有遇到过一个不识字的妇女。我们房东老婆子，看她的老态龙钟，几乎逼真和我国乡下老婆子一样，但她写给我们的收条，却字迹非常漂亮，简直想像不到是出于她的手笔。还有附近一位靠洗衣服为生的老婆子，也能讲解一些历史和经济学的书籍。这不过随笔举两个例子。总之，法国全国的妇女都是受过国民教育的。

她们生活怎样维持呢？大多数都是靠自己力作。在田间的和我们农家妇女差不多，与男子共同耕作；在城市的就做商店的店员，工厂的女工。都市的妇女在国民教育完毕之后，就开始她的工作生涯，每天早晨六七点钟起身，匆匆装束好了就去赶火车或电车，到工厂或商店上工，下午七时再回到家里。在冬季的时候，天色微明就冒风雪而出，直到黑夜才踏冻归来，不能说是不辛苦！若是婚姻不能成就，或是结了婚仍旧穷困，这样生活差不多一辈子没有改变。

普通家庭妇女所任家务也非常的繁重。除去少数很富有之家而外，大多数的妇女每日在家整理家务也很忙。她们的烹调确比我国的烧锅做饭来得简易，倒不必花费许多时间。但儿童的养护，屋宇的扫除，园囿的经营，家具的整理，衣着的补缀及其他一切杂事，真是从早到晚，难得休息。我们要知道法国人工昂贵，不是中上人家不能雇佣仆役，那里像我国的中人之家就可以呼奴使婢呢？至于我们苏浙等处小都会里，每月收入四五十元的小职员，或是每年收入千元上下的小绅士的妻女，常常口里衔一支长烟袋，就逛到邻家去打纸牌，叉麻雀，和法国中人之家的妇女相比，真是清福不浅！惟其他们的妇女能如此，所以家庭才能清洁优美，男子才能安心研究或服务，儿童才能健康发育。

当我们到总警厅注册的时候，就看见在公事房里办事的，大多数是妇女。这不仅是总警厅如此，邮局，医院，教堂，以及各种机关，都差不多一样。当我们乘电车的时候，就看见戴制帽的女卖票员。当我们到银行取钱的时候，就看见女打字员。当我们到学校报名的时候，就看见女职员。尤其是一切商业，如大百货公司，大商店，小商店，菜市场……无处不以妇女为主要角色，虽是牛肉铺也有一位女掌柜司账。她们应付顾客很和悦，处理事务很敏捷，确不愧为经营商业的长才。我们只要看每天清晨巴黎的各火车站以及地道电车的出口处，万头攒聚如潮涌而出的时候，亭亭倩影比莽大汉还要多些，就知妇女对于社会所尽的力有多大！假使法国妇女有一天总罢工，全个社会生命都受了阻碍，立刻不能进行了。在这种情形之下，法国的议院还是大多数反对妇女参政，真不能不说是守旧之至！

普通人家很少终日闲游的少女，工余回家，父母仍旧负有管教的责任。少女们没有不喜欢跳舞的，但公开跳舞场，大致要和母亲同去；所谓有旧家风范的简直不准去，仅仅赴亲友的跳舞会以满足少女的跳舞豪兴而已。欧战以后，少女出嫁很难，（因为供过于求的缘故，男子自高身价，选择极苛，而且装奁不丰的，简直无人问津。）所以做父母的势不得不稍为放纵，让她们自寻机缘；但是她们所负生活责任，绝不丝毫懈惰，父兄们那里有许多金钱供她挥霍？像我们中国大都会有许多大小姐，少奶奶，姨太太们擦了香粉，穿了绸衣，带了金刚钻首饰，专门以游戏场，跳舞场，轮盘赌场为日常生活的，在法国有正当职业的家庭里，却看不见这种现象。

信笔写来，已经将法国妇女生活的各方面都略略说到了。从这里边我们可以看出她们在家庭的地位，在社会的地位是何等的重要！她们可以自维生活，不倚靠男子；她们辛勤的整理家务，使成为社会的良好原子；她们劳力于工商业，增加全国的财赋；她们投身公共机关，直接服务于社会；她们虽是好修饰，好谈话，好笑，好玩，但不妨害于她们正常的业务。至于专度浪漫生活的那班歌姬舞女，不过是花都（巴黎有世界花都之称）的一种特殊状态，并不是法国妇女生活的普通现象。

一个乡村的各方面

陈令仪

我写信回国告诉朋友们说我住在一个巴黎附近的乡村，他们听着乡村两字，都以为是一个凿井而饮，伐薪而炊的环境；谁知他们所享受的物质生活幸福，是我国通都大邑的人们所享受不到的！我们全国各地，除去几个外人势力范围的租界以外，就是旧都的北京，新都的南京，也望尘莫及！它的道路的整洁，公用设施的完善，交通的便利等等，都是我国从事改造村政所应当注意的。现在把它各方面略说一说。

这村距离巴黎九基罗米达，名玫瑰村（Fontenay-aux-Roses），村人爱植玫瑰，几至家家都有数十盆，村名玫瑰或者就因这个缘故吧。村中有一个市政府管理全村的市政，市长是由全村选民公举的，此外还有一个村参事会。这村虽是位于小山的上面，但高高低低的山路，早已变成一条一条的两丈多宽的平坦柏油大道，两边并有三四尺宽的人行道，植有葱茏的大树，道路中间翦如穹窿，两边则如刀切的齐整。每日有清道夫打扫街衢，从街旁放出自来水冲洗马路，人行道则归居民自己收拾；早晨出去，常见一个妇人用扫帚扫她门前一段人行道。他们街上没有垃圾箱，各家所有的垃圾，由市政府用大汽车倒去，运往空旷场所焚烧。倒垃圾的办法是每星期三次，当那条街倒垃圾的日期，人们早晨就把垃圾桶放在门外，等垃圾车来倒它。这样一来便可免去街旁垃圾箱臭气满街，苍蝇满眼了！道路两边的路灯，前几个月还都是煤气灯——煤气灯也比南京的电灯亮几倍——现在也有一部分改用最新式的电灯了，可以说他们一切事业，总是天天在那儿进步的。

据说三五年前这里人家大半还是用煤气灯，自来火，或煤油灯，现在大家小户都有光明灿烂的电灯了。他们不需要从井里汲水，从塘里挑水，他们有自来水，每一个住宅都有几个水龙头，无论四层楼五层楼都可以把水引上去用。他们已不用柴和煤作烹调燃料了，都是用煤气或电气。煤气炉放在厨房里，只要占据一张桌子二尺长八寸宽的面积，而火力的大小，更较烧柴如意。厨房里有用不尽的水火，做起饭来何等的方便啊。村中有一个邮政局兼作电报局，并设有公共电话，供给一般家中没有电话的人们去用，打一次电话收费五十生丁。你看他们政府对于人民生活的便利，是何等的注意！那像我国只知争权夺利，只知征收捐税，不为人民谋幸福；甚而至于土匪遍地，哀鸿满野，也毫不顾问！

有餐馆，有旅舍，有咖啡店，有洗衣作，以及生活所需要的各种用品与食物的商店，村中无不应有尽有。新闻纸，面包和牛奶固然可以每天有人送来，就是肉类也可以每天送来，杂货店也有车子在外边送货，他经过主顾的门前，常常去问需要不需要东西，如需要什么，开一张单子给他，他次日就送来了。他们普通的人家，固以人工太贵，不能用仆役，但生活既如此便利，却也不需要再雇用仆人了。

法国乡村人家很少有一浴室的，他们多是到浴堂去淴浴。村中有一个公共浴堂，是市政府办的，它分盆浴和冲澡两种，都是隔成一个一个小房间；它的价目是盆浴两法郎五十生丁，冲澡一法郎（编者按：照目前市价，一法郎仅值我国大洋一角弱）。其中只有一个管理的人，卖票而兼收拾浴室，客人买了票以后，他就去把浴盆洗涤干干净净，放满了一盆水，然后请人入内淴浴。浴盆的上面有冷热两水管，自己可以随时调节水的温度。浴堂只有一条手巾，肥皂是没有的，但是人们大都恐它不洁，自己带了毛巾去用。乡村的浴堂，规模虽不宏大，倒也清洁而合卫生。

天主教的势力，在法国还是占有很重要的位置，不论大都会小乡村，无一处没有一个庄严伟大的教堂，这儿当然不能例外，并且教会还办有一个女子小学校和一个育婴堂。除教会学校以外，本市也办了一个公立男子小学校和一个女子小学校。此外有一所女子高等师范，在境内还有一所男子中学距离也不远。此间教会学校与公立学校是同属于巴黎大学区的统辖，所用的课本固然一样，学生并要同经大学区的毕业考试的，不似在我国的教会学校是另树一帜专为他们教会造就顺民。

在乡村空旷的地方，绝对看不见土馒头似的坟墓。原来每村都有一个公墓，凡本村居民每家都有一方地可以埋葬棺柩。法国的追念先人的情绪也非常浓厚。我们的一位法文女教师，新死了姊姊，她对我们说她每星期要到公墓去三次，常带些鲜花去贡献给亡灵。玫瑰村的公墓位于较为冷僻而交通便利的地方，面积虽不甚大，但收拾得整齐幽美，每日定时开门，供亲族和朋友们的省视，献花，追念。这样的办法虽不如火葬的干净，但也算善于安置。回看我国讲风水，造坟圹，既不美观，又碍卫生，而且占去许多有用之地，间接影响人民生计，不早为设法改进，将来必成为严重的问题。

此间离巴黎虽有九基罗米达之远，但有一路火车三路电车直达巴黎繁华的中心，交通可说便利极了。车子不但早晚特为工人加班，火车并有廉价的长期票和来回票；电车虽没有长期票，但每日在早晨七时四十分钟以前有来回票卖。它的价钱只比普通单趟多十二分之一，他们政府是何等的顾及工人们的利益啊！

我们于此可以知道要考察一个国家强盛的原因，不要单观察他们的都会状况，常看他们每个乡村如何，因为小单位的乡村乃是真正的强国原素。法国把乡村的基础建筑得如此稳固，无怪他能称强世界，唉！我们拿什么相比呢？

十八，九，廿三，于巴黎。

一个安静的菜市

陈令仪

观察一个人的品性，要从他日常举动上看，才能认识他真实的人格。观察一个社会真象也是这样。从这样一个小小的菜市看来，我们就知道我们群众的教育程度确是比他们相差很远。

这一个村子的菜市就在市政局对面一块空场上，每星期逢两次市——星期二及星期六上午七时许至十二时许。在逢市前一天下午，由市政局工人将漆布篷搭起，案子搁好，于是成了一行一行的临时市面。买菜的人们可以两边观看，选择所要买的东西。菜市收后，市政局工人随将案子及布篷拆下，收入局内，那片市场又复为很清洁的空地。

菜市的布置和物品的种类没有什么特别可以记载的

地方。布置是简单的，每人占他固定的地位，在他那张大案子上，安放他们所卖的物品，卖牛肉的陈列着牛肉，卖猪肉的陈列着猪肉，卖蔬菜的陈列着蔬菜。所卖的物品，也不过鱼肉蔬果之类，间或有些厨房应用零件，及衣服鞋袜针线等杂物。但是每一个案子上面物品的陈列都很整齐清楚。譬如一个卖蔬菜商，他们把洋葱，白菜，青豆，豌豆，胡萝卜，白萝卜等等，用木条子隔开，依次摆着，并且每堆上插个牌子，标明卖价，令人一望而知货物的品质和价目。肉类也是如此，一个猪肉摊子，你可以看到各个部分的肉，如胸前肉，腿子，咸肉，火腿，腰子，肝，肉糜，香肠等等，一堆一堆或一盘一盘的摆着，每一类上面都插了价目，在鲜红的肉上插着雪白的假象牙的牌子，不但明显，并且有几分美感。

菜市场上的一切东西的价目都低廉些，所以购买的人很多。尤其是因为每一星期只有两次，每次只有五个钟头，自然不免拥挤的现象。但是，拥挤虽然拥挤，安静仍然安静；只要离开了市场十几步远，竟可听不见市场内的声音。

这难道个个人都是“谦谦君子”，如同《镜花缘》

里的“君子国”？不是，一点儿不是。这不过是他们的社会组织和团体习惯的表现罢了。单就菜市这个环境上说，他的安静是由于“三不争”。

第一不争先：谁先来的谁先买，别人不能抢先交易，每每一个摊子上聚集了十几个人，卖者自然应付不及，买的人只好静静地候着。我们初来的时候，话也不会说，有时卖者不留神，把我们遗下了，别人一定要说：“这位太太先来的！”或者那人直接对我们说：“太太，是您先来的吧？请您先买！”虽然也有些粗人抢了先去，但总是极少数，而且为大众所看不起的。走路也是一样，菜市场中路并不宽，有许多太太们推着小孩子的车子来买菜，路越发狭窄起来，但是大众都能各守秩序，所以没有困难发生。我们观察了将近一年，因为争先而高声的事情一次都没有，更不必说吵闹打架了。

第二是不争价：一切价目都标明在牌子上，一分价一分货，中意的就买，不中意的走开，所以从来没有讲价还钱等等麻烦事情。而且还要进一步，不单是不讲价，并且也不拣选。货色分明放着，买者随卖者给，不能动手去拣选。肉骨头的多寡，梨子的大小，都不成为问题。好在货物的品质，商人早已分出等第了，贵贱就依优劣而定，购者尽可随心择定一类，更不必去争论大小好坏。——有几种东西习惯上是容许选的，但各人都依次交易，也不致引起争吵。

第三不争秤：一切鱼肉蔬菜果品都用天平称其重量。天平是全国一律的法定标准，大致都很准确。若有特制不依标准的天平便是犯法，要受法律的处分，所以没有人敢做这种违反法纪的事。一般人民深信天平没有欺诈，便不发生分量不足的问题。商人也深知购者的心理，总是略多给一点，于是大家都满意而去。因为没有分量的问题，免去了许多无谓的争论。购者接到一包蔬菜向商人说一声："谢谢！"商人收受购者的钱也说一声："谢谢太太！"很客气地做成了一桩交易。

从菜市场的比较，我们就感觉到我国社会目前的几个大问题：第一是团体生活的习惯。团体生活比从前加多——尤其是都市生活——而团体生活习惯却没有养成，像这种守秩序的习惯，就是其中的一个。现在的教育就应当切切实实的养成这些团体生活的习惯，使得守时刻和守秩序也和道德法律一样的严重，不守的人就为众所共弃！其实，这些习惯如果养成，不但一切公共事业易于整理，即群众自身也受到不少的利益。乘轮船乘火车时候的匆忙，拥挤，惶急，都是“争先”心理所造成。假使乘客都能各守秩序，不仅可以省去这些无谓的苦恼，而且脚夫也不能无故敲竹杠，小偷儿也不能乘机偷窃了。

第二是度量衡标准的确定。我们常常自夸四千余年的文明古国，但度量衡的标准至今还没有确定，真是一种羞耻。同是一种秤，有的一斤等于十四两，有的十五两五钱，有的十八两，甚而至于二十两！什么曹发，苏发，刀口等等别名，几乎是乡各为制，人各为制！其他如升斗的大小，尺度的长短，也不一律。社会有许多欺诈作伪是由于此，有许多争端苦恼也是由于此！

十八，十一。

法国的丧仪

陈令仪

我以遭失所天的不幸，无意中知道法国人对死者的尊敬，与丧中的礼节。他们死了人，即去市政厅报告，一切丧事的手续，都由市政厅所属的一个专理丧事机关去办，死者的家属只要按照条例纳费好了。死者经市政厅派医生察验证明病死，才能入殓，葬服的美劣，棺木的好坏，都看各人的经济情形了。当棺柩停在家里的时候，它的前面是挂着白边的黑幔，陈设着雪白的蜡烛，鲜美的花圈。大门的前面，也是挂着白边的黑幔，好像我们门头的丧球，门上的白纸，使人家一望而知是有新丧，但出殡以后就都拿去了。他们棺柩停在家里，最多不过两三天，所以人刚死去，就有亲友们前来致吊，国人是携着纸钱，他们是握着鲜花，但眼泪却不分中西，同样的要为死者哀痛而流。

出殡时用马车载柩，这种马车是特制的丧车，车罩也是黑布白边。亲友们所送的花圈都放在丧车的上面。送殡者或步行，或乘马车，汽车，那要看路的远近和经济状况了。棺柩要运到教堂做个礼拜以后，才入公墓安葬。教堂做丧事礼拜的时候，门前也是挂着白边的黑幔。棺柩运到公墓，随时安葬，家属与亲友们向新坟献花礼毕，亲友与家属握手告别。

法国现在举行火葬的很多，尤其是旅法的外侨，火葬既合卫生，而搬运起来也较方便，但是天主教反对火葬，举行火葬的不得到教堂受牧师的祝福，而天主教徒也不去送葬的。他们火化是用电气，不到两小时骨已成灰，较之我国僧人用木柴焚烧，臭气四溢者不同。火化以后，遗灰并不随便弃去，仍就用小的棺材盛着，放在一个专置火葬的房子墙中。据说法国从前火葬的遗灰，是由亲属分取以为纪念，现在政府以这种办法不合卫生禁止了。

当丧车在街上走的时候，无论那种车辆都要让道，行路的人们，男的要脱帽致敬，女的要为他祈祷。就是坐在电车中的乘客，亦复如是。他们对于死者竟有如此的尊敬，颇出我们意料之外。

现在再谈一谈他们丧中的服制。子女戴父母的孝是两年，夫妇兄弟姊妹都是互相戴孝一年，这一点他们的男女确是平等。他们以黑色为丧服，是我们所知道的，但其中还有许多花样。普通不戴孝的人们虽亦有穿黑色衣服的，但不用黑手套和黑领带，因这两件东西是他们戴孝的标记。西俗妇女无论在那季出门，有礼貌的都要戴手套和帽子。男子更以肩上黑纱的褶子疏密，表示孝的轻重，细密褶子是用以代表重丧，妇女是帽子上披大块黑纱，在制的一半期内，用粗的黑纱向后披，过后换细的黑纱向后披几个月，再移到旁边。在制的一半期内，不可穿皮的东西，手套是纱的，鞋子是绒的——男子还是穿皮鞋——全身除黑以外，不能有第二种颜色。在这个时期是不赴喜庆的宴会，不入歌舞的场所，如遇新年，亲友们有贺片寄来，也不回复的。过此以后，黑的服装上可以杂一点别的颜色，但红色，青莲色，栗壳色，仍旧是不能穿的。他们不但服装如此严重，连所用的黑边信纸信封，也不是随随便便，它分有阔狭黑边三种，新丧时期用最阔的黑边，我最初不知这种礼节，以为狭边比阔边美观，就买了狭边的来用，谁知寄了一封信给一位同学，竟引起她房东诧异。入国问俗，只好把它暂时搁起不用了。

不但法国丧仪如此隆重，问一问英德的女友也是这样，他们都注重在严肃静默，从未见有大擂大鼓的闹着。

十九，四，十，于巴黎。

法国妇女参政运动概况

陈令仪

妇女享有参政权，在欧战以前，只有北美几邦，和英国的属地奥大利亚（Australia），新西兰（Nouvelle-Zélande）而已。但自一九一八年休战以后，允许妇女参政的国家就渐渐的多了，如革命后的德奥，新兴的国家匈牙利，波兰，捷克斯拉夫，他们的妇女都享有参政权。美国于一九二〇年八月，英国于一九二二年五月，也都规定妇女有一切选举权和被选举权的法律。即妇女社会地位最低的日本，于去年秋间也通过了妇女有市乡议会的选举权和被选举权，却不想共和的先进，素称平等自由的法国，对于这一点政治的改革，倒反落伍。

允许妇女参政，在现在的法国成为政治上一个争论的大问题，我把他们反对和赞成妇女有参政权的两派意见分述如下：

反对者的理由：（一）允许妇女参政，是推翻有史以来各种事业的秩序，因为向来社会的组织，是男治外，女治内，而女子的天性，更是适宜治理家政，假设妇女抛弃家务去参政，那家庭的幸福必受极大的损失；（二）妇女只知爱装饰，没有事业心，不能托以国家的重任。例如几个学政治的男女在那儿自修，有一个人拿了一套新的男服，一套新的女服进来，男子是掉首不顾，仍自研究，女的必不惜抛弃她们的业务，群起竞观；（三）富庶阶级和中产之家的妇女，是不愿抛弃她们家庭的事务和享乐，来奔走于选举的投票，结果是立在票匭前的，都是些无知识的女工，受她们丈夫的指令而选人，这样徒使议会里面扩充些缺乏知识，少受教育的分子而已；（四）政治是污秽的东西，妇女是天赋的雅致，使妇女加入污秽的政治漩涡，简直是摧残她们的天赋的丽质；（五）妇女所担负金钱的纳税义务，固然是和男子相同，但是她们脱免了最重大的纳血的税的义务——换言之就是没有负当兵，为国家流血的义务——所以她们不能与男子们享同等的政治权利。

赞成者的理由：（一）在一个民主政体的国家，妇女没有参政权，这是最不公正的一件事。因为妇女占国民中二分之一，二分之一的国民没有参政权，那还是什么普选？那还是什么民主政体？（二）妇女富于良知的正义的性质，她们可以物色最高尚的人而投票，不像男子们常醉醺醺地在咖啡店，酒排间里决定他们所选举的人；（三）普通的妇女皆较男子朴实，由她们规定方针，处理国家的行政，在重大的经济意见上，一定比男子更为经济；（四）更可以欧战的时期，来证明妇女是勇武的，克己的，热心的。当男子都去打仗，妇女们完全代替她丈夫的位置，负担一切家庭的对内对外的责任，这样把选举权给她们，是属于正义的行为；（五）选举是一件很简单的事，只要把票子投入票匭就完了，并不要化费许多时间，那也没有什么妨碍妇女的业务，中产阶级以上的妇女有什么不能来投票？

法国的下议院对于妇女参政，是很热心的赞助，在一九一九年五月曾决议“规定法律和条款于选举权及被选举权，给予所有一切的议会选举，应用于法国全体的公民，没有所谓性别”。但这个议案在一九二二年十一月被上议院以一五六票对一三四票否决了。以后下议院议员戈达儿特（Godard）再从新提议，在一九二三年三月又被上议院否决了。下议院对于这个妇女参政案虽经上议院两度否决，但他们仍努力不懈为妇女们争正义，在一九二五年四月又以三九○票对一八三票通过法国妇女有选举权及市乡被选举权的原则，而上议院至今尚未讨论此案，虽经法国各妇女参政运动机关再三的要求，上议院仍置之不理。

下议院议员巴太来米（Banthilmy）在议会里做报告，其中有一段说得很好："票匦之前，凡是最落后的劳工，最糊涂的牧人，最无识的苦力，最无知识的渔夫，和最负名望的学者，最著名的政治家，是完全平等。这当然是很对，但是为什么某某女教授，女商业家，女实业家，倒不能和这一班劳工牧人苦力渔夫立在平等的地位呢？"

二十，一，十六，草于都鲁斯大学图书馆中。

赴法游程

黄子雄

民国八年秋，予方肄业于北大预科，校长蔡先生等提倡勤工俭学，组织里昂中法大学，将以谋中法文化之沟通。同学报名者甚众，予见猎心喜，意为所动，以是请于先严，先严谕曰："本国犹未毕业，何贵乎留学？且汝未尝为本国社会服务，将安知己之短与人之长？倘徒学皮毛，则又何益？既蓄此志，宜俟他日。"予敬谨受命，乃专心致志于国内求学，不复侈谈出国。及去岁，任职省立苏州农校，回溯前事，已逾十年，励行节俭，膏薪所入，辄储蓄以备学费，二易寒暑，微有成数，会校中有津贴教员游学之美举，予幸膺其选。去欧之计已决，奋斗数载，初愿勉酬，而先严已弃养多年，不得复领庭训矣，偶一思此，曷胜怆然。

十九年十月十一日，乘法国邮船安德来朋（Audre Lebon）由沪放洋。此船载重二万二千吨，三等票每张四十金镑，约合国币七百元，航程共需三十五日，饮食供给，日必西餐四次。十一时许，与上海别，即至食堂用膳，同桌皆系国人，乃得逐一通问，谈笑甚欢。航行速度，每小时约十二海哩，至十四日清晨，舟抵香港，泊于九龙西岸。推窗遥望，即见对岸屋宇整洁，绿荫浓郁，商肆罗列，依山成市。乃与董君刘君王君等，相将偕游，雇小轮渡港，乘汽车周游全市，见商务之盛，较之沪上实无多让。旋复直上山顶，道路平坦，林木幽胜，山水花圃，蔚为奇观，若与东邻之日光较，彼则以奇，此则以险。俯首作鸟瞰，则香港九龙两埠，皆在足底，其形势四面皆山，而南北二方，均有天然之航线，港面辽阔，吃水尤深，昔日国人称为“粤之荒岛”，今不特为东亚商业之咽喉，且扼远东军事之枢纽。居民十九华人，而海权全归英国，盖鸦片战后，割于英人，亦即我国初次割让之地也。噫，予不忍言！

午后回轮，新来搭客甚形拥挤，尤以烟棚为最。烟棚为货舱上之余地，票价更廉于四等，待遇之恶劣可知。

船中管事西人对之倍加凶横，甚或随意鞭挞，而莫之敢抗，在彼等眼中，此辈烟棚乘客，实等牛马犬豖。昔闻有所谓“猪仔”者，今始目睹，闻多系前往西贡或南洋群岛经商，因其能耐劳苦，往往十数年后，成为巨富，若某公司主人等，均出身于此中。然则我国人经商能力，实属伟大，惜无强固之政府，保障而奖励之，忍令同胞栉风沐雨，受尽异族之欺侮，无可伸诉，曷胜慨叹！

开船南行，折入南海，十七日上午至西贡（Saigou），安南首镇也，向系我国藩属，光绪九年，中法之战，我国海军虽败于闽，而刘永福之陆军在安南叠获胜利，清廷梦梦，只知败耗，未得捷音，竟将安南割隶于法。凡属国人，莅斯故土，能无感喟？乍登陆，即见法将古拔之铜像，高耸要道中，盖即中法之役，战死于福建马江者，法人尊之如此，可羞亦复可恨。径至《民国日报》馆，总编辑方君岳昭出而招待，并派人导予等游，参观苏城学校，系小学程度，学生千余人，过半免费。校长语予，年需经费四万余金，均出自广帮侨商，顾西贡居民十九我侨，其子弟乃仅得小学教育，中等学校可谓绝无，有之，法人设立之中法学校而已，是则法政府之限制使然，寄人篱下之侨胞，处处受人牵掣，观于教育而益信。

旋驱车至国民党安南总支部，值中央党部特派员徐君，缘该地党部前曾发生意见，工作棘手，故中央派徐君前来整理，现已大致就绪，谈次，知西贡侨胞多至二十余万，而我国迄无领事之设置，因之侨胞不能得法律上应得之保障。弱国人民，有如丧家之犬，到处被侮，可叹孰甚。

偕游公园，面积颇广，布置亦整洁，内设动物园，多热带产，植物如橡树，棕树，香蕉，仙人边，莫不伟大异常，高至四五丈，奇花异木，触目皆是。

西贡农产品极盛，棉花，蚕桑均发达，尤以米为出品大宗，每年有春秋二熟。去岁我国稻作歉收，进口籼米，至数十万石，籼米大多来自西贡。我国向称以农立国，乃反向西贡市米。西贡之富饶，法人以“东方宝石”名之，有自来也。

闻诸侨胞，西贡自法人治理后，即行世所仅见之“人头税”，无论男女，入其境者，平均每人须年纳人头税三十余元，我侨占居民十之九，其成数殊足惊人。

西贡装卸货物最多，靠岸至四日，十月二十一日清晨始启碇南行。二十三日，至新加坡（Singapore），名为英属，而我侨居民占十之八，生活程度，高于沪港几倍蓰，今春金贵潮后，新币且值沪币两倍以上，贫者苦之。我国侨民生活近况，有足述者。

约五十年前，新加坡华侨始种橡树，时世界需要橡胶，每磅值价可十二先令，时合华币七元余，获利者不少，业此而拥资数十百万者不一而足，因此大事竞种，至一九二二年，橡田面积增至十余倍，价乃大落，时英镑换华币又低，我侨乃大苦，然出品总不患无销路也。英人恃其政府之保护，强国之优势，我侨出品，悉经其手，彼乃一方剥削我侨，一方操纵世界之橡市，获利殊丰。欧战以后，世界需要橡胶激增，美国首以英之操纵，而在南美等处，广种橡树；法意德荷等国，相继在属地遍植。各国橡树出胶之时，即橡胶价格跌落之日，故连年大跌特跌，我侨出品几至无人过问，昔之拥有数十百万者，今乃濒于破产，循至橡园华工，流为游民，饥寒交迫，贫不聊生，此予等游至陈嘉庚橡皮公司，访其经理谈话得之。询以橡园既已无利可图，盍不改种他树，乃知良田之经橡树繁殖者，不能复植他树，即种植亦难茂盛，几等废地，且橡树成园，须历若干年之经营，不忍遽弃也。

继至商务印书馆，经理毛君传贤，董君之旧雨也，出而招待，情至殷勤，谈知新埠市面，已远不如昔，金贵风潮以来，华侨生活益形穷窘，而物价有继涨增高之势，例如商务市房，为一楼一底，每月租金七百元，合华币竟至千四五百元，故此处开销，为商务各分馆之冠，至营业则以我侨购买力薄弱，数极微细，似此情形，实难维持云云。其他我侨所办之大规模实业，有南洋兄弟烟草公司，马玉山糖果公司，皆已先后倒闭，若陈嘉庚公司，本已不能支持，英政府因其容纳工人数万，一旦任其停歇，恐有碍地方治安，故贷以巨资，美其名为援助，虽然，我甚惧结果将我侨实业拱手让人耳。

予等嗣复乘汽车浏览全埠，市容尚整，风景绝丽，远至郊外，见物产丰富，交通称便，参观植物园，规模宏大，品类繁多。回轮已三时，无何，即西航印度洋，先经苏门答腊海峡，向锡兰岛进发，过港口，见木屋无数，皆构造简陋，难避风雨，沿海滩而筑，自成村落，知为马来土人之居室。马来人种，知识浅陋，迄未开化，而于游泳术，莫不自幼精习，船过港口，室中居民，纷纷驾小舟来，喃喃求乞，客有投银币于水中者，彼等立刻跃水，攫取银复出水面，百不失一，又能于水中为种种游戏，以娱船客，借以丐钱，予戏谓为水栖族。

新加坡上船之乘客殊少，仅华侨刘君伍君等之数人，盖新加坡为英殖民地，英人居民非不得已时，咸不愿乘非英属之轮船，是足见外人一船票之微，犹处心积虑，保留其利权，不任外溢，我人即欲效法，奈我国迄无外洋轮船何？在我国虽建立于大陆，国民散居海外，足迹遍全球，如安南，新加坡，及其他南洋群岛，名为属法属英属荷，一履其地，所见者中国人也，所闻者中国话也，今必须谓为非中国地，谁其能信，割据云者，无他，强抢政治权而已矣，故予意我国欲能收回属地必自海上始。

二十八日午抵可伦坡（Colombo），锡兰岛之首埠也。离马赛尚有五千余里，予自上海至马赛，到此适为全程之半。该地多果园，产椰子香蕉等品，尤以茶叶为夥。茶叶本我国出口大宗，自锡兰之红茶畅销欧美，于是我国茶业乃日渐衰落，晚近彼又经英政府之提倡，改良种植，不遗余力，实早夺我之首位矣。此地昔希腊人喻为宝石之国，英人得之，加以经营，俨然富庶地。有动物园，其大无比，四周数十里，障以铁栏，一任动物自然孳生其间。有植物园，又有佛寺，相传佛入涅槃后，人得其一齿，奉于印王，后因宗教之争，他教人拟毁此齿，置诸铁板，以锤碎之，讵锤下而齿入铁中，嗣为王女所得，持奔锡兰，遂筑室藏之，故锡兰为佛教圣地，犹耶教之于耶路撒冷也。

可伦坡自昔隶印度，居民大都为印度族，英帝国主义侵略至此，因其地势之重要，在印度洋中，实握欧亚非三洲航线之总枢，乃别设总督以管辖之，锐意建设，而荒岛成为巨埠。又因印度洋中终岁风涛险恶，船只难于停泊，乃以敏司土筑堤，深及海底，周围长三十余里，无异人造之军港，于是商轮军舰，毕集于此，绝不为风浪所侵。我观此而深佩英人之经营，无远勿届，无艰不遂，反观其地主印度人又如何？见其受英帝国主义之凌辱，直无微不至，上焉者，贩卖水果，以博微利；下焉者，为英人作牛马，终日劳力所入，不堪一饱，故多形容憔悴，较之在沪地习见既高且壮之印捕，不可同日而语。其居处类极卑湿，设吾人处之，恐不能一日居，而英人高楼华厦，美奂美轮，同时映入眼帘，感慨曷极！

帝国主义之亡人家国，其步骤各异，有足供我人殷鉴者，英国以一东印度公司亡印度，是谓经济政策，故印度人民多陷于经济破产，几至无以为生，终日碌碌于果腹之资犹不足。法国得安南，以教育之力，渐渐灭其国民性，是谓文化侵略，结果其人民咸甘作家奴，潜移默化而不自觉。此次舟过西贡，有安南青年十数人登舟，无不法语流利，苟非面部之色黄，将与法人无异，甚至彼安南之土话，已不复能说。

自可伦坡西行，由印度洋折入阿拉伯海，须历七昼夜，可抵亚丁港，此七日中，水天一色，海景辽阔，舟次中流，四顾无际，直等空谷足音。日间作伴者，为云，为日，为呼呼之风，为潺潺之浪，时或飞鱼竞跃，鸥鸟成群，差供玩赏。夜间所见，则星与月而已矣，偶值他船，彼此遥为欢呼以示欣慰，幸风神未曾肆虐，海水平如织锦，虽促处舱中，尚无所苦。

十一月三日午夜，至阿拉伯西南海岸扼红海之口之亚丁（Aden），时已昏黑，而舟停仅四小时，不能登陆一游，乃凭栏遥瞩逾时，见亚丁为一小镇，背山面水，形势天成，山上有塔，颇似西湖之保叔，两旁耸起者，宛如南北高峰，水面灯塔隐现，则肖三潭印月，而镇上电矩参差，堤岸屈曲，几疑置身三竺六桥间。

天微曙，即西航，仅历十小时，即至吉布的（Djibouti），此系非洲东北岸之一港，属于法。亚丁为亚洲西南岸之一港，属于英。两方遥遥相对，形势之险要可知。予等各乘小轮登陆，足履非洲之土，而寻泥格罗族之居，离岸约一里之遥，黑族乞儿已泅水而来，及登陆，黑儿又数十，紧随乞钱，挥之不去，反恶声相向，甚且有动武者。盖若辈纯系未开化民族，既无知识，又憨不畏法，故至其地者，辄具戒心，兹所见者，已属较为高等，如更入内地，犹能见野人同类相食之惨剧，是真世界最劣等之民族矣。

予等嗣游附近黑人之巢穴，见其居室之构造，简陋可哂，土墙高尺许，屋内偶以木板间隔，绝无条理，无街无巷，其民簇聚广地，与骆驼牛羊为伍，男女均赤身露体，隐处围以巾，理想中之太古人民，与此想必相去不远。闻此处万事皆未进化，而独有妓寮，世多好奇者，往往入内参观，其情状如何，不堪究诘矣。

黑人之野蛮，有如上述，然若辈非无一二特长，盖对于歌舞之道，具有天才，乞儿年才七八龄，给以法郎令歌一曲，颇合节拍。考“查而斯登”式跳舞，最初原系非洲土人之舞，后为白人采取，此地儿童多娴习之，近白人又教以“华尔芝”式舞，姿态复活泼逾恒。有土人之跳舞场，布置异常粗劣，乃乘客之前去领教于黑女者，颇不乏人，尤以安南青年，最为兴高彩烈，黑女目为贵客，争相罗致，彼辈乐乃无艺，甚至晚餐之后，犹黑夜渡水前去，其狂热可想。“越儿不知亡国恨，隔江犹舞华尔芝”，可为若曹咏。

四日夜半，船复开行，转为北向，航于红海，东西距离甚近，舟行海中，举目所见，沙漠横亘，赤地千里，时或一二孤岛，徒见牛山濯濯，焦石壁立而已，气候闷热，乃因处大沙漠中，常经年不雨，故干热如是云。

航海行程，乘客例必举行游艺会一二次，以消永昼，此次先由主人邀头二三等客各推代表，集议筹备，决定于五六七三日分别举行，其秩序五日为跑狗会及化装跳舞会，六日为摇彩会，七日为竞技会及音乐会，无论头二等乘客，均可参加，尚觉平等。

八日下午五时许，抵苏彝士城，即苏彝士运河之进口处，船停仅二小时，未及登陆。有愿搭火车赴埃及首都开罗观光并参观尼罗河金字塔等胜迹者，需费八百余法郎，邮船公司并任招待引导之责，翌日仍可至波赛附原船北上。予惜未多备路资，不然，确有一去之价值也。

亚非两洲，原系相连，自苏彝士运河开后，乃有一水之隔，而红海与地中海，则反相通，河山改造，能夺天工，其影响于世界军事商业之大，固人所习知。船自南口进，左属非洲，右属亚洲，自南至北，历十一小时，翌晨而至波赛港（Portsaid），此港成于运河凿通之后，近年商务渐繁，居民日增，今已称为大商埠矣。予等相将渡港登陆，坐马车周游全市，市上所见者，有白人，有黄人，有黑人，阿拉伯族，土耳其族，埃及族，印度族，杂居同处，不啻人种之标本地。有公园，虽时值深秋，千红万紫，美艳绝伦。复参观市立博物院，有埃及古皇帝及皇后之遗体，已历三千余年之久，其保存法之佳如是！他若古佛像古战器古用具多种，类皆开凿运河时所发现者。

九日午后，自波赛航行地中海，地中海素以多风浪著，果然，当晚怒潮大作，睡不能起，晕船无异患病，直至十二日始渐平静。

过哥斯岛，而回想当年拿破仑之雄风，此岛乃拿翁生产地，可谓地以人传，然先是本属意大利，因战败于法而割让。次年，拿翁生，故为法籍，其轰轰烈烈之战绩，乃属法国。设拿翁先二年生而为意籍，其功绩岂非属意，则英雄造时势，欧洲大局，或得异于今日乎？

十四晨抵马赛，整理行装，舍轮登陆，检验行李，尚不留难。该埠为法国第一海港，工商汇集，因之空气混浊，民风奸诈，较之沪地，殆又过之，是则通商口岸无不如是。予等访至我国驻马赛领事馆，岂料中华民国之驻外领事，乃系黄发碧眼之美国人，非我族类！乃与领馆秘书黄君略谈，悉所以然者，缘我国政府经济困难，无力设置领馆，故任外人为此名誉职，外人居斯职者，虽无中国政府之经费，颇可借此生财，故亦乐为之。呜乎！斯诚外交界之怪现象矣！

晚饭值从弟曰騵，盖渠自巴黎来迎，至轮埠而予等已离船，乃至领馆探得行踪，候于领馆也。大喜过望，各道别后情形，当晚搭火车北上，翌日，十五晨九时而至巴黎。

此次旅行，统计舟车，共约一万四千余哩，所到口岸凡八，计日为三十六，参观所至，学校公园森林道路博物院等等，无不接于目而惊于心，甚至一禽一兽，一草一木，均足以资吾启发，其足以增见识，拓心胸，固也。惟旅行需要学问，每至一地，仅见外表，而于军政史地之关系，丝毫未加研究，则走马看花，了无所得，徒见空耗资斧，斯则予甚内惭耳。

十九，十二，九。

每天离不开的报纸

征　言

法国人每天开门三件事，一是买面包，二是买牛奶，三是买报纸，这三件事看得一样重，饭既然不能一天不吃，报纸也不能一天不看。无论他是做什么的，这三件事总是一样要办的，于是大街上，车站里，随处都有卖报的小摊；电车也罢，火车也罢，里边的乘客多半都是手擎着报纸来看。早五点以前有晨报，十二点有午报，晚四点有晚报，这样川流不息的出版，使人们时时有报可看，时时得着新的消息，这些记载便成为一日二十四小时宇宙间的总记录。巴黎最初的报纸，出版在一六三一年五月三十日，每星期出一次，以后才渐渐有每日出版的新闻纸，其内容类多关于文学和美术的作品，此外的新闻，也不外国内和国外的大事，不过当时的交通不方便，所谓新闻之登在报纸上，已经不新了。以后到了一七八九年法国大革命，报纸的效用才渐渐的大起来，除去登载关于文学美术的稿件外，并且注重到评政方面。巴黎现存的报纸，总数不下四五十种，现在特检最重要的来说一下，以便和我国的新闻业做一比较。各报性质不同，很难叙述，姑且按他们的论调，分为右，中，左三派：

（甲）右派：（一）《法兰西行动派日报》（*L'action Francaise*）。这是"法兰西行动派"的宣传机关报。该派主张王政主义，主张可分做两派：一是宗教主义，一是民族主义。总之，是极狭的国家主义，并且要恢复王政。现在该报的首领是杜德（Leon Daudet），他是法国文学家 Alphonse Daudet 的儿子。前曾因政治关系被逐到比国，去年冬季才准回国。他是保皇党的健将，所以该报的论调，都是极右的，然因该报所主张的理论能自成系统，所以保皇党和一些守旧的家庭，还是要看的。（二）*Figaro*。这个报是巴黎老报之一，出版到现在，已经一百零四年；他的主张也是极保守，新闻多偏重巴黎，稿件则关乎文学，这个报里的论说和附刊，皆以文笔佳茂著名。（三）《民友报》（*L'ami du peuple*）。这个报是法国香水工业的大资本家所办，有晨晚两版。他的主张是拥护资产阶级，反对共产和社会主义，时常有反对共产主义的理论和调查发表。他的售价，特别便宜，并且派有专人售卖。他的目的在宣传，不在牟利，每年都要贴出若干万，这报出世不久，现在才第三年。（四）《巴黎回声报》（*L'echo de paris*）。他的性质趋向保守，但反对天主教。巴黎市的新闻很详尽，老年人多爱看。

（乙）中派：（一）《时报》（*Le Temps*）。他是巴黎半官式的报纸，论调则赞成共和，新闻除去本国政治经济的新闻而外，并注重国际新闻，世界各地都分国排列，他的言论，很得社会人的注意，而其国际问题的论文更能左右世界的舆论。里边的稿件，中国报纸也有时转译过去，法报登中国新闻该报要算最详尽，有的也有关于中国问题的论著，持论还称公允。此外还有经济财政副刊，每星期出版一次。关于小说的附刊，则每天都有。他是晚报，每天午后五时出版，现在已出至六十二年。（二）《晨报》（*Le Matin*）。无党派，主张公允，趋向共和，赞成联立内阁，该报销路很广。时常登载中国新闻，然往往多不利语。该报出版到现在共有四十七年。（三）《新闻报》（*Le Journal*）。无党派，主张公允，政治上则拥护政府，出版至今已四十九年，销路很广，该报以插画著名，深得社会人士的欢迎。（四）《小新闻报》（*Le Petit Journal*）。无党派，主张公允，趋向共和，是半官式的报纸，销路甚广，以工人为多，该报出版至今将及七十年。也常载有中国新闻，前几年曾有该报记者到中国去。业主为现任劳工部总长 Louis Loncheur。（五）《小巴黎人报》（*Le Petit Parisien*）。无党派，主张公允，拥护政府，新闻中多载社会琐闻，读者多为劳工阶级，故有门房，厨房，小贩等人所读报纸之称，因其通俗故也。亦常有中国新闻。出版已有五十四年。业主 Madaurl Dupuy 是前国会议员的夫人。（六）*Encelsior* 报。无党派，他和《小巴黎人》是同一业主，所以这两个报的论调，如出一辙。不过这个报的特点在照片多，是拿照片来解释新闻，只要有重要新闻，无论国内国外，马上就把照片登出来，所以这样雅俗共赏，销路很广，因为照片多，新闻便少了。每星期出有"时装"副刊，为妇女所欢迎，这都是该报的特色。本报出版已经廿年。（七）《巴黎午报》(*Parismidi*)。无党派，主张公允，该报每日正午出版，把当天早晨报纸所载的重要新闻，和对某问题重要的言论都撮要系统的写出来，使读者买了这一份报等于读几种报，而且该报出版适当正午下工的时候，所以无不人手一篇，因此销路很广，该报出版，将及廿载。(八)*L'artransi Geant*。无党派，主张公允，虽趋向共和然略带保守，每日午后四时出版，新闻多偏重商业，小广告很多，有时因广告过多，增加篇幅至五大张，成为巴黎张数最多的报纸。销路很广，每日晚六时以后普通人所看的报，差不多都是这种。当天国际和国内的重要新闻，该报出版时都有刊载，自午后三时到六时共出三版，新闻随时更换。该报出版至今将及五十一年。(九)《论辩报》(*Journal des D'ébats*)。主张共和进步，自由，无党派，评论公允，也视为半官式的报纸，新闻多注意文学和政治，他的性质和《时报》相仿佛，不过《时报》偏重国外，他偏重国内。他在法国报纸中资格算最老，出版到现在已足一百四十二年了。(十)*L'information*。这个报纸可以称做“经济日报”，因为里边所载的论文和新闻，差不多都是些市场的报告和商业的统计，这个报性质较专门，售价也贵，读者不甚普遍，购读的也只是一部分人。（十一）*L'auto*。这个报可以称做“运动日报”，里边所载论文和新闻都是关于球类，自行车，打拳等等各项的比赛，每天都有很多的照片插入。青年人很多爱读的，销路也便在他们身上。该报现已出至三十一年。

（丙）左派：（一）《巴黎晚报》（*Paris-soir*）。这个报的论调趋向社会急进派。对于各方面的新闻也很注意，特别是关于赛马的新闻，最为详尽，销路也还很好。这报资格很浅，至今不过八年。每晚四时出版。（二）《晚报》（*Le Soir*）。他是社会党左派的机关报，每晚四时出版。言论新闻，当然要本着该党的主张，销路不甚普遍，大半限于党人。现在已经出到四十五年。（三）《工作报》（*L'oeuvre*）。这报是急进社会党的机关报，专替本党来说话，销路不普遍，大半限于党人，该报出版十余年。（四）《人道报》（*L'humanite*）。这是共产党的机关报，当然一切论说和新闻，都是共产党有关，不过有时他的国际评论也很精当。

以上不过是巴黎几家最普遍的报纸，其余不一一的说了。最可注意者是各报有各报的特色，殊非自己缺乏创造力而专在表面上作无意识之模仿或甚至存心影射者所能同日而语。

巴黎是法国文化，政治，经济的中心，所以上述的各种新闻纸，可以代表法国的舆论界。论内容和设备，自然不能比英，美，不过法国的“言论自由”可以说做到了，保皇党的*L'action Francaise*和共产党的*L'humanite*能同时出版，便是个明证。至于报纸上有空白，新闻记者被捕，更是没有的事，报纸销路广大，经济自能独立。我国新闻界的内容与设备和法国相比还不多落后，只是缺乏“言论自由”和“国际新闻机关的组织”：言论不自由，便不能领导社会的舆论；没有国际新闻机关的组织，便事事受人挟制。这是我国舆论界的大缺点，也是业新闻者应该努力的地方。

六月五日，巴黎。

法国的社会里

征　言

如果以空间来论人类的生活，可以分做两类：一是精神的，一是物质的。前一种的感觉和享受，因个人的不同，所以各有各的人生观，不同的思想，各别的信仰，很难勉强划为一致的来说。后一种虽似比较简单，只要物质的供给丰富，享受便也舒裕，其实这也不尽然。有的身居高楼大厦，食的是山珍海错，还觉不舒服；有的虽然是居可容身，食仅温饱，便已知足。这固然因为主观的看法不同，不过主要的还是要看生活的方法实用与否，据记者在法的观察，觉得他们的生活很能实用化。

法国的社会里，像美国那样的资本家，如同中国那样无衣无食的穷苦贫民，都没有的，他们多是些“中产阶级”，他们在经济能力上，彼此没有什么差别。他们都有一定的职业，除去太幼和年老的以外，其余青年的男女，都有相当的职业。即是因战事受伤，少了一只臂，或是缺了一只腿的人，也有那不费大力气的事件让他们去干，社会之中，可以说没有“吃白饭”的。所以最近世界各工业国家都闹着“失业问题”，法国失业者只有一千六百人，在全国四千余万人口之中，只此少数，不能算多了。人人都有饭吃，生活安定，社会国家便都在轨道上前进了。

至于普通人的生活，可以说不太奢侈，也不过刻薄，衣其当衣，食其当食，恰好适中。谈到他们的“衣”呢，普通每人只有二三套衣服（女人比较的多几件），平常做工的时候，总是那一身又旧又破的衣服，但是到了星期日或是去交际场，都是很整整齐齐的，一个饭馆的伙计，汽车夫，和一个部长，商店的总理，站在一起，看不出差异的。说到“食”呢，普通虽是一日三餐，但是注重的还是晚饭，因为下工而后，不再出去，可以舒服的吃一顿。早点多是在咖啡店里，站着就吃了，吃的当然也是很简单。至于午饭，因为午后还要出去做工，或是因住处太远，有些人多是在饭馆食用，还有些人，在铺子里买好了面包，牛油，牛酪，熟肉，便在公园里，车站里，或是马路边的椅子上，简单的吃完。直到晚工下后，都回到家去，把晚饭细吃。普通他们家庭吃晚饭，都在七点半，一直吃到九点，饭后喝水，或是喝咖啡，同时还随便的谈笑，一直到十点就去睡了。至于“住”呢，非常简单，住在城市的，多是住单间，或是楼房的一层，绝没有一家住一所楼房的。简单如此，不过卫生上很讲究，床一定要很舒服的，因为一日二十四小时，三分之一的时间便花在上面。厨房里也是干干净净，并且有的人家房屋不多，还可以在里边吃饭。其余的东西，也都是用放有一定的地方，常常保持清洁的状态。（至于沐浴一层，法国人家中，像英美人都带洗澡用具的不多。）星期日大多数都不做工，出去游玩，来恢复精神，以备来周再去做工。

他们在社会里，职业只有种类的差异，没有大小的分别。彼此没有阶级之分，只有知识的深浅。一国的总统，和一国小工人，都是在做工，不过所代表的和所做的不同罢了。他们彼此间，无论穷富，都是以“先生（Monsieur）”，“太太（Madame）”相称呼。在一个咖啡店里，会见到一个政治的权要，同一个汽车夫会坐在一起，也是不足怪的事。

商店所卖的货物，都把货价标在外边，使买主看中意便去购买，省去讨价还价的麻烦，并且可以少去敲诈的弊病。至于商店对于顾主，更无慢客的事情，无论买多买少，给钱的时候，总要说“谢谢”，临走的时候说声“再见”。法国人一天开门三件事，便是：（一）买牛奶，（二）买面包，（三）买报纸。所以凡是一村或是一镇，面包铺，牛奶房，报纸摊是不能少的。其余如药房，澡堂等等的设备，当然也是不可少的。总之，只要是每日生活上必需的物品或是设备，在一个区域，总会找到的。至于普通人无论是做什么去，都是亲手操做，很少有雇用仆役的。

六，五，巴黎。

巴黎的大学城

征　言

巴黎大学是世界最高学府之一，因此吸引了很多的外国留学生。当一九〇〇年，该校学生总数约有一万一千人，其中外国学生占了一千一百。到了一九二五年又有猛烈的增加，比较廿五年前，约增一倍，总数两万二千，外国学生，占去三千三百。最近一九二九年的统计是总数有二万七千，外国学生有七千人。历来学校对于这些学生，没有一个宿舍来收容，本国学生多住在家庭里，外国学生则散住在旅馆或人家里，这样非常不便，但是也没办法。一九二〇年时，法国正当战后创巨痛深，普通人家经济状况极其衰落，很多青年无力受高等教育，因有法人名杜雪者（Dr. Emile Deutsch de la meurthe）有鉴于此，遂慨然捐助巴黎大学一千万法郎，为这些穷苦有志的青年建造宿舍。一九二一年曾由政府议决购买巴黎市南空地二十八亩，专备此用。后经参议员安诺拉（Andre Hounorat）君的建议，把这块地分赠友邦，叫他们自己出资，为他们在巴黎的留学生建造宿舍，借以联络国际感情，而“大学城”（Cite Universitaire）之名，于是产生。在一九二三年五月九日，巴黎大学区学长和几个外国代表举行法国城的基石典礼，而“大学城”遂由此实现。

现在已经建好的楼房如下：

国别	房间数目	开幕年代
法兰西	340	1925
坎拿大	45	1926
比利时	220	1927
阿根庭	75	1928
农业学会	150	1928
日本	60	1929
安南	100	1930
美利坚	260	1930

正在建筑的各国：

国别	房间数目
英吉利	300
瑞典	40
荷兰	100
西班牙	150
亚美尼亚	58
丹麦	40
法国各省	320
蒙那哥	55
希腊	60

拟建楼房的各国，内有挪威，瑞士，捷克斯拉夫，罗马尼亚，哥伦比亚，秘鲁，巴西和委纳瑞辣（Venezuela，系南美一共和国）等国。中国在几年前也在该地得到一块赠地，但是中国的地方至今依然是荒芜着，为了这事，虽然也运动了几年，但是至今那有踪影！前者虽然有人说已由法国退还庚款项下拨给，但是

现在又没半点消息。不过我们还是希望有办法，赶快的造起，不然，难道东方的民族，只有让东邻日本在那里出风头吗？

现在已成的各国楼房，当然以法国的占地最广，美比次之。至于式样，一按其本国形式，日本和安南都是东方形式。至于租价普通都是从一百五十方到二百方，日本特别贵，要四百方，因为他的楼房建筑的特别讲究，房间宽敞，装璜华丽。至于管理，在大学城没有完全成立之先，暂由大学城委员会委派熟悉各该国情形的法国人，负管理的责任，一俟大学城正式成立，再由各该国派人。在各国楼房里，并有留一部分房间，来容许各国学生彼此交换着居住。

关于大学城的筹划机关，共有两个：一是执行委员会，二是评议委员会，里边委员都是些法国和各国的知名之士。大学城公共的场所，计划中有：可容一千五百人的大会堂，一千多人的食堂，图书馆，游艺室，田径赛和球类运动场等等。将来大学城正式成立而后，成为法国的一郡（Conunune），并由政府派郡长一人，管理本区事务，有特设的邮局，有特设的警察等。这种计划的实现，非要有钱不可，巴黎大学是没有钱的，所以不能不恃诸捐助，最近美国煤油大王 John Rockefeller 已允许捐助美金三百五十万元，做为发展“大学城”之用，这便是于他添了很大的助力。

十九，六，十六，巴黎。

康健愉快的星期日

征　言

西洋人是动里寻快乐，中国人是静里寻快乐，这种现象，拿他们放假的生活做一比较，便可证明。西洋人到了星期日或是节日，都要外出，城里的到乡间去，城外的到城里来，而尤以到城外去的为多。星期日这天，差不多各工场都停工，各商店都停业，大街上的行人，比平时几乎少了好几倍。他们或到郊外做野餐，或游览风景，整整的出去一天，直到深夜才回来。这种风气在英美最普遍，在法国虽然不是一致，还有一些小本营业，照常开门，不过也至少休息半天，以下便是巴黎人的星期日生活。

巴黎的四郊都是些大树林，东郊有万山林（Bois de Vincennes）；南郊有鲁滨孙林（Bois de Robinson）；西郊有泼罗尼林（Bois de Boulogne）；西北郊有哥仑布林（Bois de Colombes）。各树林中，都是一丛一丛蔽住阳光的大树，中间多是些曲屈如羊肠回旋的小路，可以在里面散步。在树林之间，夹杂了一块一块绿如茵蓐的草地，可以在上边休息。有的如同万山林和泼罗尼林，还有一道一道澄平的溪水，可以坐在小艇上游来游去。除了植物而外，又加了许多动物，树上的鸟鸣，游人的犬吠，以及池子里的白鸭在水中的游荡，都给游人加了不少的兴致。树林中有柏油的马路，有油漆的木椅，作为公用，有咖啡店，有饭馆，有跳舞场，来供游人的享受，大抵这些地方，用费都较贵，到里边去的，是另一种阶级。

星期日早晨，约摸七点左右，到郊外去的大道已经满了车辆，有的自己驾着汽车，里边坐着家人；有的骑着自动摩托车，多是夫妇两人；有的骑着脚踏车。一排一排的车辆都如电掣般的飞奔郊外树林而去，呜呜的声音不断，而天空中也充满了煤气。车到了树林附近停住，里边的人，一齐下来，有的是夫妇带着子女，有的是儿女带着父母，也有夫妇同行，或是戚友相伴，普通多是两个人到七八个人。下车后选了一块草地，作为临时的住所，把东西先运下车来，安置妥当，起始预备午饭。大半都是女性做厨子，男性做侍役，都脚手不停的忙着各人的工作，一些男女小孩，只好在玩着，静候饭熟后分配。菜好了，于是把面包，酒，牛油，盘，刀，叉之属，全都摆出来，各人就坐，开始吃。他们的厨房是设在草地上，饭厅也设在草地上，一切的一切，都把草地做了大本营。他们在吃喝之际，有说有笑，虽然把草地做了餐台，自己侍候自己，但是他们觉得比在极阔的饭馆里，有穿很洁白整齐的侍者侍候着，还要好吃，舒服。无论什么，在自然的环境中，自己服侍自己，总比像机器似的叫人服侍着好得多。

饭吃过了，一切都已安置妥当，于是无男女之分，无老幼之别，有的横躺，有的竖卧，远看好像有一群兽在伏着。父亲看着爱儿高兴极了，于是抱着他在草地上滚来滚去，大人小孩一齐乐，母亲在旁鼓掌助兴。一群天真烂漫的小天使，也结了集团，男的和男的聚在一起，或是用铁铲挖土，或是用玩具游嬉，跑跑跳跳，精神倍见活泼。女的和女的聚在一起，她们的举止安闲多了，说话的声音也低多了，只见彼此撅着嘴，但是并没有打闹哭骂，女性是安静多了。一些青年的夫妇，双双的睡在地上，彼此身靠身的，陶醉在情海中，对于过路的人，丝毫无所顾忌，好像天地间只有他们两人似的。只有年老的夫妇最苦了，手足既已呆笨，不能东跑西奔，而躺在草地上，又觉不适，所以只好坐在木椅上，手拿一份报纸在看，或是在路上慢慢的行着，以消磨这人家快乐自己无聊的时光。他们对一些正在情海陶醉中的青年男女，一睬也不睬，好像是说，这个时期本身也照样的过过，现在看来，不独无味，反觉讨厌，还不如到小孩堆里，去看他们玩着倒有意思，有时候他们争打了，还以老人家的身分，不断的教训。

雅兴总算不小，有些人，手持着精制的钓鱼竿，坐在小河的岸旁，一动不动好像如来佛似的眼睛虚闭，但是他并未睡去，因为只要绳儿一动，他就会把竿一提，就可以看见一条小鱼，因为贪一口食，而误上了钩。这种生活，要有耐性，要得着其中趣乐，才不觉坐着钓不上鱼的无聊。

一轮红日，已经失去他的光芒，一半已向西方落去，大地上渐渐发暗，人们于是把所带的物件，都收拾妥帖，和那一天相处的草地告别。这时红日只剩了一半，夹花郁绿的林中，寻食的小鸟，飞来飞去，时时在鸣着；小溪的流水，成年不息的东流，对人们的来去，并没什么迎来送往，总是淡淡的。人们在归程中，还不断的回过头来痴视着夕阳西下的晚景，颇有临行不胜依依的意致。

一时马路上的车辆又排满了，车中的游客，都有了倦容饥意，恨不得立刻就到家里休息。车始终慢慢的起行了，这时万家都已上了灯火，马路上的车辆总是这样的，直到夜深。游人回家，饭后就睡，以预备明天早起，好努力下一星期的工作。

八月四日于巴黎。

幽静舒适的田园市

征 言

自从工业革命而后，城市更被视为物质文明的中心，寻快乐满欲望的目的地。一般乡下人也都纷纷的舍田野而趋城市，大都市的人口因之增加，结果以致地狭人稠，空气污浊，许多工人因为房价高贵，为经济所限，不得不寄居在极小极脏的住房里，日久很容易发生传染的疾病，于是大都市里便发生了居住和卫生的问题。同时因为一些乡下人都趋往城市，田野之间也有荒芜的景象。很多理想家因此时时想方法找出两全之策，好来解决这个问题，结果遂有“田园市”（garden city）制度的产生，经过将及百年的酝酿，一九〇三年，第一个正式的田园市在英国的 Letchworth 实现。直到今日，田园市的设计已成市政学的一部分，大家公认是居住的理想制度。田园市的组成有以下几个要点：（一）预先要有全部的设计；（二）大小有一定限制；（三）周围须有农地环绕和公园的设备；（四）土地须完全为公有。现在欧美各国都有类似的设置，即日本和我国近来所叫的“新村市”的名称，也是田园市的意义。以下是法国的一个田园市，记者曾去参观过，现在把它大概的情形，略说一下。

在巴黎之北，有一个地方叫德尼（Tergnier），坐火车要两小时可以直达，她是法国北铁路公司的一站。在车站附近的地方，当欧战的时候，完全被毁，成了一片荒丘。一九一九年大战停止，由公司备价收买了一千五百亩的荒地，按照田园市的设计，建造了很多所住宅，以极廉的房价，专租给本公司的职工住用。经过历年的添造，现在计有铁筋洋灰料的住宅九百四十所，木料的住宅三百所。全市分成三个大中心，所有的建筑，都围绕在它们的左右。里边的走路，分成干路和次要路，马路中间都用碎石砂土铺砌而成，两旁便道，都栽有树木，马路之下设有暗沟，路树的中间夹杂了些路灯，这样虽然没有像大城市沥青马路的光润美观，但是因为车马的

德尼田园市住宅之外观。

稀少，没有尘埃，所以走起来，还觉整齐简素。因为市廛距离不远，多以脚踏车代步，很少看见汽车的来往。在市之北，有公园一处，树木虽不很多，但是满地丛草青青，陪衬着几条小溪，一个茅亭和几个石桌石凳，也足以做散步之用。市之西，有空场一块，里边陈设运动器械，和各类球场，做为居民游戏之用。市之东，临火车站，是本市居民，每日去做工所必经之路。

市内的住宅，多是两所，三所，以至四所成为一组，各有大门一个，周围界以铁丝，种以短树，当做围墙。每所住宅，多是四间，三间做寝房，一间做公用（客厅，食堂等），其他如厕所，厨房等小间，也应有尽有。至于人口较多的家庭，也有五间至六间的。公司里一些较高职员的住宅，除去寝房之外，多添了一间客厅，一间食堂，一间澡房。每所住宅供给有电灯，自来水，地沟，以及厨房的用具。屋子的外边，都有一块空地，周围有几棵较高的树，中间种着些颜色不同的花草，或是一些精致的蔬菜，来点缀这小小的住宅，使它更多些生气。当着风和日暖的时候，阳光射在大的玻璃窗上，顿使室内益发的温和舒适。每所住宅的建筑费用，从二万五千法郎到三万法郎，租金每月不过六十七法郎（以现在市价合成中国银圆只十一元），可谓便宜之至。全市的人口约有四千余人。

德尼田园市之全市的行政大权，完全操诸一个行政委员会，委员会的组织，由公司委派三个人为当然委员，另外由居民中每五十家选出委员一人合组。凡关乎本市的一切设施，应兴应革，都由这个委员会议决并执行。行政费之来源，由每家每年缴纳会费六十法郎，做为办理本市公益之用。本市教育机关，计有幼稚园两班，家事学校一所，初等小学十二班，共有学龄儿童八百多人。此外有公共浴堂，育婴堂，药房，大会堂（每星期演电影一次，有时也演戏剧），图书馆，邮政局，书店，理发店，运动场，儿童游戏场，以及水塔各一处。此外关于日用物件，食品中如面包肉类，及其他杂货用品中如针，线，布，纸等类，也有各百货店来出卖。总之，每日无论物质和精神两方面的需要，都有相当的设备和供给。

德尼田园市的居民，大多数是铁路上的工人，工作竟日，神疲力尽，得不到充分的休息，更谈不到相当的

德尼田园市住宅之外观。

娱乐，假若他们是住在城里极污浊拥挤的小房里，他们下工之后，不是一头睡去，便是吃酒，或是找工友来赌钱做消遣，种种举动，都是有戕身的行为。现在好了，他们都住在乐园里，虽然每天吃了很多煤灰，满脸满手弄得污黑，但是当他们走进他们所住的田园市的时候，一切似乎都在那静静的不闻声息，不再听见车轮和机械嘈杂的声音，路旁的花香，树间的鸟语，都像是些清凉剂。一轮红日，渐渐西坠，街上的路灯，重放光明，这时一群一群的工人，或是一人独行唱着小调，或是几个人合伙说着笑谈，缓步慢行，他们的太太都候在门外，彼此相见，说话时先接一个吻，来做一日分离的安慰，他们的子或女，也向前招呼“爸爸”，彼此吻了一回，然后一同进去。开灯之后，开始吃饭，有说有笑，所谈不外是一天的新闻所见，再不然论论张家长，李家短一类的故事。遇到星期日或是假日，他们出去散步，或是在晚间去看电影，对于他们一星期的疲劳，总有些回复。

他们的一些子女，自落生而后，倘若母亲是有工做的，只须送到市内的育婴堂里，一切饮食保养，便有专人来招应，到了学龄，有各级的学校可入，里边的设备都很完善。他们有优美的环境，有完善的供养，使他们无论在身体或是心思上，都有充分健全的机会。以他们父母的经济情况而论，假使住在城里，因为环境的不良，和供养的欠优，必致终日嬉戏，不知所事，恐怕未至成年，便早有市井流氓的习气了。同是一个工人，住在城里和住在田园市里就有这样大的差异，所以田园市制度的受人称赞，也就在此。虽然公司里每年要贴出很多款项，但是为全体国民设想，也是值得的工作。德尼田园市，举办后的结果，据办事人说最显著的有三项：（一）市内居民，全部平等，绝无贫富之分；（二）市内所有卫生设置皆极新式完备；（三）生产增高，死亡率减低。

二十，三，二十，巴黎。

巴黎殖民地展览会参观记

征　言

巴黎五月至十一月举行的国际殖民地展览会，曾有中国人拖拉洋车的决定，后经极力交涉的结果，才得取消，未致当场献丑，也算不幸中之幸。不过我们的一喜一惧，都要仰承洋大人的鼻息，也未免太可怜了！殖民地的形形色色，在一般白种人的眼光里，自然觉得新奇多趣，所以在他们看完之后，偶尔发现了一个有色人种，立刻便发出一种轻笑，在这微笑中，好像似表示着说，看见你们污浊的真象了。展览会里的陈设，处处表示着白种人的文明，有色人种的野蛮，以及白种人对有色人种提携的功绩。不错，中国是地广物博的大国，有五千年文化的古邦，但是现在如何？他们不能管那么许多，所以关于远东各殖民地的陈列，时时看到关于中国

展览会进门的外览。

的东西在内，不过就是名义上不好意思把中国立个专馆罢了。

展览会经过三年的筹备，总算在本年五月五日开会。在以往拥有多量殖民地的西班牙，和现在殖民地遍五洲的英吉利都没参加。在西班牙因为大多数的殖民地，多已非己有，而且国内政局混乱，也未暇及此。至于英吉利，则因现在各处殖民地正闹独立的运动，如果展览会中再立专馆陈列，更易引起反感，反不如不加入为妥。至于德意志，当欧战之后，所有殖民地，几乎全为他国瓜分，当然也没有加入的资格。这次陈列的主要国家除了法国而外，更有比利时，意大利，葡萄牙，荷兰，丹麦等国。美国没什么殖民地，本不预备加入，但是经不住法国极力的牵拉，所以迟到一九三〇年才决定参加。里边的陈列，也很简单。

展览会场，位置在巴黎东南万山林的邻近，占地有一百一十顷，中间有一个道美斯尼湖，水中毗连着两个小岛，其余的地方，也散碎着很多树林，各国的陈列馆分筑其中，红红绿绿，遥相映观，颇觉美丽，这样才把整个的会场，点缀得湿润润的不觉干燥。在这里边能看到殖民地的风景，他们的建筑，他们的生活，更有许多殖民地的土著，穿着本地服装走来走去，以及许多卖土产的小亭，随处可见。一般游客，散步其中，俨然置身殖民地了。会场每天由早晨十点（星期日和节日九点）开门，直到夜间十二点关门。门票每次三法郎，星期五加三倍。其余在会场的岛上，还有各种游艺，都要进门买票。由巴黎直达会场，交通的便利，自不成问题，围着会场另有小火车以及公共汽车，可任游客乘坐，以便周览会场全景。除此而外，还有卖吃食的饭馆，卖饮料的咖啡馆，也遍布了各处，他们或是把一些土著的黑人做了侍者，或是摆了些黑人做音乐，总之不外引动游客们的好奇心理，才好“以广招徕”。其余什么邮局，电报，电话，救护，消防等等设置，更是应有尽有。这样的布置已经把广大的会场占得几无隙地，再加上成万的游人熙熙攘攘的来来往往，真是所谓“山阴道上”。如果我们坐在飞机上望下来个“鸟瞰”，会场中的游客俨然像蚂蚁之类，在那里蠢动。

各国的陈列馆的建筑，都带了十足的“本地风光”，甚或把本地的建筑一模一样的仿建着。工程最大的要算

安高宫全景。

“安高宫”（Palais d’angkor）。他是安南有名的古迹，这次依样的把他仿建了来。颜色苍老，远望巍然，和真的惟妙惟肖。里边陈设多关乎安南的历史，风俗，习惯，人物，出产等。安南的陈列馆，是展览会陈列的主要部分，除去“安高宫”而外，还有“南圻”等五部分陈列馆，各馆的建筑，大都类似中国庙宇式，不过没有中国的庄严华丽。至于陈列各品，也不外乎各该本地的服装，生活等等的模型。其余法国在非洲的殖民地，也都有专馆陈列。建筑上很浓厚的充满了本地的土色，陈列品也都以出产品为大宗，另外加上土人生活以及各地风景的模型，其余关于殖民地各项工作的统计和教育与卫生两项的说明，也占去一大部分。我们看了殖民地的丰富的物品，才明白了用尽心血去争殖民地的用意所在；看了殖民国的人民在殖民地“养尊处优”的威风，愈显出土人所得待遇的不平等。

这次展览会外国参加者，建筑最宏丽而陈列品最多的，首推荷兰陈列馆。该馆的建筑是混合各殖民地建筑的形式而成，中有高塔两个，各高五十米达。建筑的颜色，略带淡红色，由远望去，也颇庄肃典雅。入内四壁

未被火毁前荷兰陈列馆的外观。

和地板，多用上等楠木装修，并且点缀了很多的壁画。陈列品除去关于各殖民地生活，出产，教育，卫生种种情况而外，另有关于荷兰殖民史的资料，还有很多珍品的收藏，这些物品，都是荷兰国家博物馆，或是私人家收藏凑拢来的。后来展览会开了没多久，在六月二十八那天早晨，因为走电的关系，救济不及，结果把这偌大的陈列馆，化归乌有，仅仅留了一个角。这次损失据估计约值八万万法郎。

其次是比利时陈列馆，所占面积很大，主要建筑，计有三处，建筑的形式，概照她的非洲殖民地式样，屋顶铺满了干草，迎面的柱子，和周围的墙壁，都布满了非洲的装饰，或是奇奇怪怪的黑人雕像，或是五光十色的野景图画。比利时唯一的殖民地，便是非洲的刚果，所占面积，和比利时本国相较要大七十八倍，以这样小的国家，却从事了这偌大地方的殖民事业，能不令人惊奇白人的能力的确比黑人大了好几倍。陈列馆里所摆各物，多是刚果土人的生活，出产等项，或是有模型来说明，或是有实物来解释，更有非洲一带的风景，使参观者得以了然刚果的地理经济，以及比国对该地的功绩。

意大利陈列馆的外部，并没有带着很浓厚殖民地的味道，建筑是罗马式，从远处望去，则见很多的石柱，耸然直立，可谓整齐严肃，不过稍嫌单调，少了穿插变换的趣味。展览会中的各种建筑，多是临时性质，将来皆要拆去，所以材料大半都是木料和洋灰。所仿各物都能像真，我们从外表看来，绝不疑这是假做的。

在欧洲人民最早远去海外从事探险殖民事业的国家里，葡萄牙也算一个，所以在葡萄牙陈列馆便特别设了关于以往殖民历史的一部，里边迎面一张大地图，说明从一四八〇到一六六〇葡萄牙人所经过的地方，上边并有各色路线，说明历次所经的道路，几乎走遍全球。旁边另有葡人所经各处和土人相遇的情况，都有很精巧的模型来说明，其余所陈各物都是殖民地出产之类。另外在历史上葡萄牙几个著名的探险家，也有很大的造像，与历史有关的文件，也都摆在里边。

美国陈列馆，是几所小房子凑成的，都是平房，并不高大，外面一概做白色，由远方一望，倒也很简素雅淡。外面的空场，做成一个小小的花园，正面的一所建筑，是美国第一任总统华盛顿住过的房子，美国的独立，

非洲法属殖民地陈列馆的一部。

便是华氏在这小屋里计划的，因为有历史上的价值，所以整个的照样重新造了一所，里边的布置和所用器具，俱和原物相似。其余的几个房间，是菲律宾，夏威夷，Porto-Rico，以及美国西北部领土 Alaska 等处的陈列馆，所陈物品尽是当地名产和特有风俗的写真。

会场里除去很多建筑和很多陈列而外，还有一处是动物园，其中满贮殖民地所产各种禽兽，如象，如虎，如狮之类，把它们都放在人工造成的自然环境里，使它们易于生存，这些动物也给游客们加了不少的兴趣，进门要另外买票，价为三法郎。在湖中的两个岛上更有各种消遣的杂艺，类如电影，黑人戏剧，跳舞，音乐等，使得会场中更能尽饱游客眼福的能事。

这次巴黎殖民地展览会里，中国虽然没有被列为殖民地之一，设立专馆来陈列，不过中国事物的蛛丝马迹，随处都可以发现一点，特别是帝国主义者在远东殖民地的陈列品中，更有触目皆是的景象。安南地方原本是中国的领土，该地土人的风俗习尚，都和我们相似。不过她现在的主权已经属于法国了。关于安南部分的各陈列馆所陈物品，当然都和中国的一样。那里有各样美丽绣

安南陈列馆的一部分。

花的服装，有极精致的器皿，如漆制木制之类。内中还有很多关于安南人生活情况的写真模型，也都和中国人一样。总而言之，所陈列的物品，所说明的事件，使我们看到，只想这是我们国土的一部，绝不会疑到她是已属于他国。别国崇拜我国文化，来陈列我们的东西，并不反对，不过我们认为把我们的东西，放在殖民地名义下而陈列，这不是一种光荣而是一种耻辱！

殖民地博物馆里，零碎的也发现了不少关于中国的物品，例如自一八四〇年鸦片战争而后，历次和英德各国的战事，关于法国一部，都有描写战事的图画，一幅一幅的镶在镜框里悬着，当时一些出力军官的肖像，也放在旁边，表示纪念之意。还有关于拳匪之乱北京各国使馆被围的资料，也有许多。最难堪的便是把安南国王和法国签订条约愿做保护国的情景，都做出了很精致的模型，把法国军官气焰万丈和安南臣民摇尾乞怜的情景，都描写得淋漓尽致。

葡萄牙陈列馆里，有一部分东西是来自澳门，其中有中国的对联，有福建漆的用具，并有很多精致的装饰品和各种零碎用件，都是道地的中国物品。

帝国主义者从事殖民事业有两个先锋队，一是探险家，一是传教士，而后者的工作尤为繁多。所以这次展览会里，教会特筑一个专馆，里边也可以零星的找出点关于中国的东西来。法国的天主教在中国内地，也很有势力。在不久有一个新从中国回来的法国军官，在巴黎大学讲演中国问题，并附有描写中国人民生活的照片，多是关于西北灾民困苦的情形，其中有一张是一个教士在中国地方，竟悬起了法国国旗，一些土人都表示欢欣之意，讲者因说，这是法兰西文化感化的结果！

帝国主义者想把黑人的野蛮，白人的文明，以及殖民者对被殖民者地方的功绩，来形容得尽致起见，于是除了把他们的生活，做成模型加以证明而外，并且将各殖民地的土著运了许多，分布在会场里，从事各种工作，他们的服装，他们的居处，全和平时一样。各地来的土人，谈到他们的肤色，装束，都各自不同，类如法属北非各殖民地的土人，身体都在中材，面貌并不太黑，不过胡须稍多，有的带一顶红呢帽，有的缠了红白好几层布，做了帽子，身上多是穿了一个白绒披袍，腰间围上一块红呢裙，赤足穿着皮拖鞋。至于南非的土著，便又不同了。面部黧黑，嘴唇向外翻着，头发曲卷，身上穿的服装，颇为简单，只不过把腰间盖住就是了。其余如印度安南的土人，都较文明，印度人多是用布缠了头，身上披了布，腰间系了裙。安南人则无论男女，多是过膝的黑色大褂，散腿裤子，头上戴了黑色缠布做成的帽子，身材不高，面部黄瘦，牙齿乌黑，一望而知都有几口鸦片瘾。至于各地挑选来的年青舞女，年岁都不大，身体很小，肤色浅黑，但是因为外部擦了粉，搽了胭脂，所以都变成土灰色。

他们这些土著的工作也各不同。有的穿了军服看守各处的陈列馆；有的托了茶盘在各饭馆，咖啡馆里做侍者；有的拿了乐器做琴师；还有些在各土货店铺里做买卖；或是赶骆驼和小驴，供游客来骑坐，他们在后边跟着跑。在各陈列馆之旁，有时起了几间草房子，很低很陋，光线不足，陈设也没有，一些土著，就在这里做工，来往游客都停住往里看，还不时的拿食物招引里边黑面的小孩，让他们出来吃，正好像在动物园里引动物一样，这些黑人也都无识无知的在那里说笑。黑人脑筋简单，浑浑噩噩的，倒也罢了，最可怜的便是和我们面孔相似

殖民地土人化装跳舞的情况。

的安南同胞，也被圈在木制房屋底下的地窖内，一家人有男有女，在那里工作，表示十足被压迫民族的弱态。还有一些土著的舞女，也是被强迫的去玩把戏，面部发出了很不自然的表情，不知是在哭还是在笑。另外有一个建筑是军事上“纪功堂”的性质，中间陈列着历年战死殖民地一些军官的造像，和法国出征各地的年月，是帝国主义者炫功的表示。最可笑的便是那个看门的黑脸兵士，不断向进去参观的游客，大声喝着“脱帽”，以示对死者的敬意，他确不能了解这些军官，都是为征服他的乡土和他的同胞而死的，由此可见黑人脑筋的简单。

但是在这些殖民地的人民，并不是天赋太差，也并不都是劣等民族，所以依然是处于半开化的状态，受人指使摆弄而不自知的，便是因为他们的知识太差。我们觉得一切的不平等都是暂时的，只有知识的不平等是最严重的。帝国主义的压迫是应该要打倒，但这不是空话，要有相当实力，才好和他对抗，所以必须全部人民有了知识，帝国主义才有打倒的希望。近来帝国主义者所属的殖民地都谋反抗独立，这便是他们大多数的知识在那里蠕动。我们不是也喊了打倒帝国主义的口号吗？但是这并不使帝国主义者十分惊心，因为我们的人民，大多数还是无识无知。所以看了这次展览会之后，使我们更明白有色人种和无色人种待遇的不平等，不过要想法打倒这个不平，却先要充足一般人民的知识，这才是我们努力的重要方向。

八，七，三一，于巴黎。

法国的国民性

征 言

认识一个地方不是很容易的事，要有长时间的居留，深刻的观察，才能有相当的了解，绝不像一般游历的过客，每到一个地方，只须逛逛风景，看看名胜，便算认识了一个地方。至于认识一个地方的民性，则较前者尤难。以下所论，是根据作者个人较长时期观察的结果，分以下几点来说。

（一）自由平等博爱 “自由，平等，博爱”的口号，很早见于卢梭所著《民约论》（J. J. Rousseau：*Le Contract Social*）的名著里，因他的影响引起了法兰西大革命，以后的无数革命，几乎全把他做了总口号，影响之大，于此可见。再看他的效力，在他发祥地的法兰西，究竟如何呢？自从这三句口号在法兰西叫起，迄今将及一百几十年，在法兰西本国，经过历次的革命流血，结果这三句口号的意义，总算差强人意的做到。讲到“自由”呢，在现在的法国，如果不犯法，绝对没人侵犯你的自由，所谓言论自由，信教自由，集会结社自由，只要在法律范围以内做，别人绝不会用政治的力量来侵犯你。无论是正面或是反面的意见，都有机会来发表，全凭大多数人民的喜恶来做最后的决定。讲到“平等”，以中产阶级为中心的社会里，无大富大贫的特殊阶级，差不多人人有工做，人人有饭吃。职业只有种类的分别，绝没有高低的差异，无论贫富贵贱，见面都以“先生”，“太太”相称。一个汽车夫，也会同一个政界要人相安在一处吃咖啡，社会中之无阶级讲平等，一般人都认为是当然，而非偶然。讲到“博爱”，在法国平民中对待外人也随处可见。

（二）权利义务心重　法治国家的公民，一定要把权利义务两者分别清楚，此不独法国国民为然，其他各国，也莫不如此。认清了权利，才知道国家是民有，民治，民享，自己是国民一分子，对于政府随时取监督的态度。认清了义务，才能奉公守法，同心合力，促进国家的进行。国事如此，私人间也是如此。所以父母的养育子女到成年，认为是自己的责任，绝没希望到老年能得子女的奉养，仍保存他们自立的精神。至于朋友间的权利和义务，也分得很清楚，谈到银钱的通融，那更很少，虽然一杯咖啡，一块点心之微，同在一处吃，如果没有人请吃，由一人付钱，马上那人便须分清，这种精神看起来虽然似乎不合人情，不过事实上则颇实用。像我国人朋友间那样让让夺夺的抢会钞，其实又有几个是真心愿会钞。诸如此类的例证，不一而足，总而言之，都是把权利义务的心，分得清晰，有以致之。应当享权利的时候享权利，应当尽义务的时候尽义务，两者之间，不容有丝毫的含混。

（三）感情丰富　法国人感情的丰富，只从他们言语和行动上，就可以表现无遗了。当说话时候，带了十足的表情，高声不算，两手不停的左指右画，眼嘴时常的一张一闭，肩膀向上一拥，活像舞台上的演员。若遇微醉之后，在马路上有时个人说笑，有时自己高唱，甚至还有时自己演说。至于女子当走路时，总是骚首弄姿，顾影自怜，希望别人看她，说她美丽，有时她们也目不转睛的直视她们所要看的男人。一些青年的女子有时对人笑视着，直到对方也笑了，她才转视他处。她这举动，并未怀其他更深的意思，不过弄着好玩罢了。男女相聚，总是有说有笑，若是夫妇在一起，那更不拘形迹，无论在什么地方，接吻的机会总是有的。这是平时，若是遇到节日，在大街上，则无论男女老幼，都可以任意的开玩笑，甚至不相识的男女，也可以接吻，这种现象，尤以每年七月十四日法国国庆日为最甚。大街上人山人海的在跳舞着，欢呼着，可以任所欲为，感情的活跃，达于极点，绝不是英美以绅士自尊的国民所能做出来的。

因为感情的丰富，行为不拘，所以就有人批评法国人民性情淫荡。此说也未必尽是，因为淫荡与否，要先看他的动机，然后再看他的行为。有很多人虽然没有轻薄的行为表现于外，但是里边的淫欲也许很强烈。换言之，虽然有轻薄的行为，其实内心并不一定存着甚强烈的淫欲，而且人类是有性欲的动物，能够使性的自由在相当范围内发放，或者也许免去社会间许多污陋不堪的奸淫行为。譬如说法国女子喜欢向不相识的男子说笑，这不能便说她们的行为轻薄。状态骄傲的美国小姐，何等庄重，岂知某年有某大学全体女生经过检验，只有两个是处女，所以我们看了一方面不能就断定那方面，更不应该看了行为，便决定了动机。有的作者说拉丁民族中如法兰西，意大利，西班牙等国国民感情都较丰富，我认为不无相当是处。

因为感情的丰富，所以虚荣心是必不能免的，这种现象，从法国人的著作方面，随处可以看见。至于普通人也都以得个头衔或是得一个奖金，认为无上的尊荣；兵士，警察得的奖牌，在平时也要挂在身上，炫示于人，这都是虚荣心的表现。

（四）爱美性　法兰西是艺术之宫，这为世界所公认的。世界名城的巴黎，便是精华荟萃所在，无论大街小巷，随处都可以见到很精美的雕刻，公园里更是不可胜计，公共建筑的四壁，总可以见到名画家所画的壁画，此外更有富有收藏的如博物院。法人平时薰陶沾染惯了，以致对美术由认识而欣赏，更进而成为一种普遍的民性。所以平民的住宅，房间里除去布置的很整洁外，有时也配置几张名画或是几个雕刻，使室内顿时感到美术的意味。有时屋前虽只有一块小草地，也名之曰花园，中间布置的尽美尽善。至于普通中等人等，也多把有关文学，美术上的遗事，做为谈料，或是批评那件作品，或是谈那个作家个人，都很中肯的。法国每年有很多美术展览会，他们也都去看，因此好美性差不多成为法国国民普遍的民性。

（五）实用精神　实用精神，表现于生活上者最为显著，所以我们要说明法人的实用精神，也须从生活上着手。所谓生活者，简单的说，不外食，衣，住，行四项。谈到食，普通的人，无论是贫是富，吃得都很好，虽然有许多工人，因为午饭后，还须继续做工，有时也许马虎的吃了就完，但是晚饭则无论如何，总须舒舒服服的吃一顿，因为食是筋力的原动力。终日努力去做工，便对吃上不可忽视。谈到衣，普通人多是够穿而已，除去富人而外，很少有人有很多置在一旁而不穿用的衣服。平常人都是两三套衣服，做工的时候总是那一身破旧的衣服，到了星期日，或是节日才换上新衣。平常衣履无论如何破旧，但是到了有事的时候，总是整齐清洁。谈到住，无论是住一所屋，或是一层屋（apartment），甚至一间房，布置的总是整齐清洁，无论是厨房以及厕所总布置的井井有条，秩序不紊。谈到行，则水，陆，空三项都有充分的发展。所以在生活上，可以说二十世纪物质文明的实用精神，应有尽有了。

此外如商店中，把货物的价钱，都标明在外，使顾主少问价还价之繁，更可免去“敲竹杠”的陋习。又如面包，牛奶店，医院，报纸摊，全是我们日常生活物质上和精神上所必不可少的食物和设备，在法国凡是一个小村镇都可以找到很多。普通人家，凡事都是自己操做，很少雇用仆役的。上述种种，不过是法人生活中几种普遍现象，很可以拿来代表法人的实用精神。

（六）矛盾性 （1）散漫的而集中的。法国人因为爱好自由的结果，多走向个人主义方面，个性有充分的发展，所以极为散漫，团体生活远不如英美。即有组织，里边也常因意见纷歧，政见叠出，而精神因之不佳。只看法国最高学府的巴黎大学，学生人数将近三万人，但是一个有组织有强力的学生会都不可得，虽然也有学生会的组织，但是开起会来，除了闹意见外，还有什么具体显著的工作呢？至于关系国家大局的政党，也从来没有过多数的两党出现，议会中少数党辈出，以致各党中一有意见发生，政局即因而动摇，致使政治常处不稳的状态。至于普通人民亲友之间，彼此虽然不是“各人自扫门前雪，休管他家瓦上霜”，社会里人与人间的关系，可谓淡薄之至。

由以上的举例，可见法国社会中，散漫已极，不过以往的历史中，又给我们很多相反的事实。如同一七八九年的全民革命，推翻了专制而改建共和，人民一致激烈的举动，绝不像前述的散漫的法国人可以做得出。一八七〇普法之战，法国大败之后，举国的愤慨和卧薪尝胆的景况，实为罕有。最近更有一九一四到一九一八的世界大战期中，法国国内在政治上，则各政党意见暂归一致，不分友敌，同心协力，共济国难。在民间也都为国拼命，效死疆场。这种现象，都是给上述的法国国民的散漫性，下了个反证。

（2）维新的而守旧的。法国是近代科学的发源地，是民治的先趋者，照理说，无论在物质上或是精神上，不应再有落后现象的遗留。不过事实上乃不尽然。论物质方面，科学的享用，还未能普遍，巴黎是全国的精华，而且法国是中央集权，更不能以巴黎来代表其余各地。

虽然在巴黎，廿世纪最近的物件，都可以看到，但是只要离巴黎不远的内地去看，旧式的建筑，仍照旧存在不算，很多的住户，还在点煤油灯，即是在巴黎前二三十年的车辆，很笨很陋的，依然能够看到他在街上走。这不过是几个显例，其他还不一而足。论精神方面，至今宗教仍在社会中占有很大的势力，年纪老的去做宗教仪式不算，一般天真烂漫的儿童，也要每星期到教堂去，随着大人依样画葫芦的做故事。西方社交公开已久，而在法国更属开放，在此情形之下，甚至还有监视儿女恋爱事体的父母。虽然改民国已久，但是在专制时代所得的头衔，总喜欢放在姓前。至于政治上，在民治先趋的法国中，极端的保守党，似乎不应该有，岂知在法国不独右派的政党很多，而且极保守的保皇党，也同时存在，他虽然在议会中已没有丝毫的势力，但是在民间还有很深厚的潜势力，得很多人的拥护。这岂不为怪吗？凡此种种，都可以证明法国国民的矛盾性。

二〇，六，二十八，巴黎。

德国之部

游德的观察

张近芬

德国是欧战后经济落后的国家，曾由美国供给了外债，整顿财政，改用金马克，金融始入了正轨。现在国家负债既重，人民赋税，自然不轻，生活程度高出于我国多多。然而因政治良善，科学发达的缘故，社会的建设，日进于完美。人民都能安居乐业，毫无颓丧气象；经济的地位，近日凌驾乎法国之上。

彼之普通的国民性，是强毅，耐劳，重权利，守秩序，好勇斗，服从法律，以懦怯为大耻辱。而尤其令人佩服的是“凡事不论大小，总是认真干去”。和我国人的安贫，乐道，怕事，谦让，敷衍，适成反比例。此外他们还有一种特点，就是“会享福，会寻快乐”。

德国国民爱祖国的观念极重，他们和法国结了几世的深仇，处心积虑的天天要图谋报复，一方面又极想伸长手来攫取东方利益。欧战后，所有军舰，商轮，尽为英国没收，但不数年间，军备方面的设制已渐渐恢复，如飞机军舰等等，无不竭力建造，化学上之毒气，及防毒等军用物品，日有发明。

自《凡尔赛和约》限制全国不得超出十万国防军队后，表面上虽不能人人服务兵役，反于警察之训练，以及平日竭力注重于体育之提倡，锻练得人人气概轩昂。全国皆兵，固亦毫无问题也。

德国政府，对于人民的负责任，可说十分尽致的了。事无巨细，都是设置得使人民在有秩序范围内，享受不少的幸福。除对于街市，道路，公园，戏馆等等应有的设施力求讲究外；于儿童有特别的游戏场，公共的育儿处；于贫病的，有抚慰金；年老的有养老费；失业的有职业介绍所种种。使人民尽纳税之义务后，享到无穷的权利。

德国人的礼貌　普通的礼貌，仪容端庄，衣服整洁，举止大方，出言不作高声，行走顺着次序。千百人之会场剧场，无谈笑，无声息；购车票上电车等等，未见拥

德国海港内之帆船。

挤，皆属礼貌中最普通者，简直似成了天生的习惯。

德国人的教育　德国实行强迫教育已久，所以没有一人未受过学校教育的。他们的学制小学八年，中学六年，大学或高专五年。儿童到了学龄不进学校的，父母要受重罚。小学读毕，进中学，或职业学校。中学以上入大学或高等专门学校。中学和职业学校，男女不同校。小学毕业，无力升学者，做店铺或工场学徒，但每天放工以后，有补习学校为之补习。德国全国学校的数量，恐怕不过及上海一处的数量。全国大学共有二十余所，都是国立的。学生数均以数千计，柏林大学则有二万至三万个学生。中学小学较多，亦由国家或地方设立。一切教员须经国家考试审定。大学教授，尤其不必说了，一定要有特别的专长，多年副教授或助手的经验，方有资格。他们做教授的，资望自然很大，人家敬仰他是当然的。在六十五岁告老以前，自己无特别缘故辞职时，不特学生不能闹风潮来驱逐他，就是国家也不能无端的去撤换他们的。

大学生的生活　大学生时代，是最快乐的时代。有了学生证，处处可以占便宜。车票，戏券，都可以得半价的权利；吃饭，剪发，也有特别减价的机会；图书馆可以随便看书，博物院也得任意参观；有了疾病，还可以得到医药的津贴。所以很平常的家庭，栽培子弟入大学，也没有多大的困难。德国学校，都无寄宿的，学生上完了课就散了。大学有各种学生会以资联络；学生会的名目很多，每会有一种特别的会徽颜色，会员的帽子，就用该会徽的本色，所以红黄紫绿各会不同。听说会中规则极严，会员戴着会帽，在外有不轨举动时，有重罚。会中经费充足，多有自建之会所。学生会还有名誉法庭，判决犯过之学生，以在同伴中之信用丧失，为最羞辱之事。大学生还有一种特点，就是面孔上的刀纹。刀纹为有勇气者的表现，由比剑得来。不论剑术好坏，临阵不畏避者，即为勇士。所以比剑者宁愿受伤，不甘受懦怯之讥笑。此种精神，就成为一种以刀痕为荣的风尚了。比剑外尚有比手枪之举。

德国的妇女　欧战以后，全国妇女数超过于男子一两倍，故独身的妇女，及下等社会虽有生了子女，而终身没有固定的丈夫的很不少。职业上的地位除重大的机械工作外，几乎无处没有女子。医院看护及电话接线生等，已成为女子的专职。商店的职员，各机关的书记以及工厂女工，均为妇女重要职业。其余政学报各界，也都有女子的足迹。故她们每人都有经济独立的可能。在上级社会或经济充裕的家庭，如不为家事所累，也总有其相当的职务。她们在法律上的地位，财产的承继等等，本早已与男子平等了。

西洋女子，以体格强健，发育平均，精神活泼为美观的重要条件。她们的衣服，必求其美而适合身体，不妨碍卫生。故缝制衣服，必按各人身体的大小，所谓用衣服凑合人身，衣服因能保全人的天然姿势而更显出美点。和我国女子，穿小背心，束小了身体而去凑合衣服的，恰巧相反。她们走路迅速，举动活泼，固由于身体的发育健康，但衣服之方便，适体，不可不谓是一种大原因。德国女子穿了运动衣，除跳高一项，我尚没有看到外，什么都是同男子一样的。德国妇女虽不及法国之奢华，终以社会上物质的引诱太强，堕落的女子亦不少。这当然是一种复杂的社会问题，非短文内所能详述的。

德国的儿童　德国儿童，注重活泼的训练。他们的父母不讨厌儿童的会顽。他们要儿童个个会跳会跑，会寻快乐，自初生时起，抱在手上的时间很少。无论贫苦人家，总有一辆小卧车，常常推到空气清新之处玩耍。数个月的小孩，往往使之练习手足的运动。稍长学步后，亦有种种适当的方法，使他练习行走，家计稍裕的，往往有一处专给小儿游玩的房子。地方政府往往在公园或别种相当的地方，特辟沙地为幼儿游玩之处。对于稍长的儿童，又有滑雪处，跑冰场，打球场等等的设置。儿童的衣服都取轻薄而便于活动，是一个活泼的重要条件。他们不怕风雪惯了的，所以虽在严寒的天气，不看见小儿的面上拖满了鼻涕的情形。我国的儿童，一到冬天，衣服包裹的厚厚的，动都动不来，怎样再能跑跳活动？所以儿童时的自由，也就在这种不适当的衣服里，轻轻的断送了。

德国人的房屋　起居上的舒服，在欧洲各国要算德国为最了。因为道路的宽旷，清洁，房屋建筑的适合卫生，日用方面种种设置的完备，比较英法便宜而舒服。普通房屋高四五层，小城乡村则二三层。全宅分许多住家，每家房屋四五间，成为一小宅，与邻居不相混杂，够一个普通的小家庭居住。厨房，浴室，厕所等等都是

德国克虏伯厂工人村落中之住宅。

建筑时就做就的。他们器具零物很简单。他们没有像中国老式人家的破零破碎，要另外有空房子去屯积。房子的式样，和空气容积的度量，都经过市政府核定的。街道因房子的整齐，就显出美观了。他们的窗子都用两层玻璃窗，他们造墙壁的砖，当中也制就空洞，所以包含空气，使房子内的温度不易受外界影响，不至过冷或过热。窗内悬挂两层窗帘，以调剂光线及冷暖。差不多每家总是栽些花卉，家具也布置得清净华美，墙壁上也装点得非常好看。虽然穷苦的工人，家里也这样舒服。

德国人的饮食　平常人家每天四次，早上和上午两次咖啡，加一点面包或别种点心。午饭为正餐，普通总是一汤一菜（肉类）和以洋山薯，然后再吃水果或别种甜的东西。晚上大半总吃冷食，面包，佐以咖啡或红茶。他们的食物，还不及中国的味美丰盛。但他们吃饭时的台子，总要铺了很干净的白布，刀叉碗碟，擦得十分洁净。

德国人的家庭　主妇的责任很重，普通人家因佣仆工资太贵，无力雇佣，一切均须主妇自己操作，佣仆除工价外还要供给食住，并须代他纳税。别种职业的路很多，人家也不很愿意受人雇用。好在物质文明发达的国家，一切都很方便；主妇费数小时的时间，整理杂务的问题就统统解决了。职业女子以未嫁者为多，做了主妇的，有丈夫担负了家庭经济，往往多在家操作和教育子女。丈夫除每天在外八小时工作，将所得代价，供给全家生活外，对于家庭工作的责任，负得很少。主妇整理杂务，总在上午，丈夫子女出去工作读书的时候。待他们回家，已弄得很整齐恬适，于是一同吃午饭。到了傍晚时，他们或是散散步，或是弄弄音乐，谈谈笑笑。小小的家庭，充满着愉快的空气，这都是主妇一人做其中心。星期日是各人家最快乐的一天，一切工作机关，商店等等，都是停工的。他们虽是穷苦人家，每人至少总有一套新的比较讲究的衣服。到了这一天，穿得很清洁漂亮，夫妇子女出去，望一伙儿朋友，吃咖啡，听音乐，或到郊外游览等种种娱乐。他们平日很节俭的，到了这一天，也总得要用些钱。一星期的劳苦，这样一来，也就忘却了。富贵人家的家庭，豪阔得很，和平常人不很来往；他们的生活，当然更要舒服了。

农村的家庭，往往也像中国的小村落，他们因用马耕田的，所以农家的院子里，每有马厩，牛栏，（牛不耕田，专取牛乳，或供屠杀。）柴房等种种，比不上城市的清洁。但他们的住宅内，还是布置得干干净净的。

农人种田有机器，收割也有机器，所以一个人能种许多田。肥料是根据科学的。收成的统计，常常有增进。近来氮气肥田法发明后，听说田土上很有利益。他们的地土以黄沙地为多，气候不很好，因为竭力种植森林以后，地土改良了，气候也渐好了。

农人都会看报，农业方面一有新发明的方法，他们用报纸宣传，各农家也就依法改良。

农家妇女，往往与丈夫一同至田间操作。他们忙的时候，早上带了些面包出去，午饭时就在田间吃了充饥。晚上回家，才烧一顿热的饭吃。但他们星期日也往往出去跳舞娱乐的。

国家对于娱乐的提倡　德国政府对于娱乐事项，竭力的提倡，如浴场，戏院，跳舞厅，跑冰场等等，有很多是国家或地方政府设立的，每年国家的收入大有可观。而这种锻炼身体或陶冶性情的地方，其对于国家的兴盛，影响也很大。

德国城市中之道路（在德兰诗顿）。

音乐　自从一二百年内出了几个大音乐家后，德国的音乐很有名，而且他们的确也很有研究兴味的。普通人家，虽衣食各项很节俭，而家里置有一架钢琴的很多，女儿在十岁左右开始学琴，成了普通的例子了。

影戏　所映影片，大概都是本国出品，总是国族思想很深的历史戏为多。爱情，滑稽等片当然也有。

演戏　戏院种类很多，有的注重于唱，有的注重表演或说白。剧本取古今有名的文学家作品，因为他们政府认定是文化的表演，提倡甚力。记得我入学的一天，听柏林大学校长的训话中，有“希望你们外国学生，也要常常去看看戏剧，把德国的文化，宣传到你们的祖国”。

浴场　迎海风景优美的地方，辟的浴场很多。海边浅滩旁经人工的改造，在多少距离以内，划定为洗海澡的地方。滩上用白沙铺盖，厚可数尺。海水在摄氏二十度以上，可以洗澡。沙滩经日光的晒射，很温暖。洗澡既毕，憩卧其上，柔软而和暖，颇舒适。沙上有藤制小屋，形似轿子而较大，浴者往往租之以供憩坐。浴场所在地，别墅，旅馆，咖啡馆极多，房屋之建筑以小巧华

德国萨克逊王之离宫（在德兰诗顿）。

丽为尚，所以更能点缀风景。地方政府又有一种限制，房屋式样，不许雷同；不若城市之必须整齐划一。

夏秋间，至浴场避暑之人，快乐异常。每天除在海水或沙滩上嬉戏外，傍晚则盛装华服，闲步沿滩马路上，或坐咖啡店，听音乐。晚间各咖啡店，酒店，都有跳舞。

冬天的娱乐如滑冰，滑雪，都是很重要的游戏。再有多处的改装或用假面具的跳舞，青年以上的男女，都是高兴得如醉似狂的。

德人的寻快乐，都是欢喜亲自动作的。有几种我们视为只足供儿童玩弄的，他们上了年纪的人，还是玩得津津有味。像我们的游山要坐坐轿子，或坐划子要请人打桨，在他们看来就毫无快乐意味了。

公益　德国人民纳税极重，按照入款多少由国家扣去百分之几，为倡办一切公共事业之用。公园，图书馆，博物院，医院，疗养院，失业工人介绍所等等以外，有医药金储蓄处，患病者可收领医药费的津贴，工人的保障，产妇的优待，都是办得好的。私生儿归国家养育，所以不致有许多不人道的事发生。

对于外国学生的待遇　在德留学的外国学生甚多，

他们所给予的待遇，应享的权利，和本国学生无大差别。外国学生每年化用给他们的经费，当然也是国家的一项大收入，于他们本来有益无损的。

对我国商人的待遇　我国游商小贩在欧洲谋生的很多，多浙江青田籍，间或也有几个广东人。他们在德营业的有数百人，无资本，专贩茶叶，瓷器，纸花等物，提着皮包各处贩卖。他们不谙德语，中国字也不很识。国家对他们没有丝毫保护，德国人又是私利不堪的，小小权利都不愿人家染指的；所以这一班同胞，十分被他们压迫。常有被警察拘捕殴打，甚至有杀戮的事情，公使馆的交涉，不过具文，没有一次得好结果的。国家贫弱，侨民生命之危险，令人痛心无已！

外交方面的一班　德国人重私利，而且欺软怕硬。他们最佩服的，是美国，其次日本。对中国的贫弱无用，自然不在他们眼里。画报，电影上，常有讥笑的材料。惟有一次，当汉口收回英租界时，他们曾有几句好舆论，画报上也登过一次模范监狱义务学校的照片，略快人意。此次阿富汗王来欧游历，德国自总统以下极尽殷勤之能事。（按：阿富汗系一小国，昔为我国藩属，今阿王竭力整顿，国家办得很好，各国莫不尊而敬之。）我中国自己不争气，内政外交，都是糟得不堪，致被外人嗤笑，可耻孰甚？

十七年，五月。

参观德国兵器陈列所

寸 草

德国兵器陈列所，原名为 Zeughaus，在柏林城内一条最热闹的街道林荫路（Unter den linden）附近。这里面所陈列的尽是一些杀人的战器；自十五六世纪以后及二十世纪以前的德国军用品以及掠自外国的战利品，五光十色，都陈列在里面，供人参观。所以里面也有不少的东西是从我国掠去的，尤其令人触目的，就在天井上面的四周，遍植满清时代所用的军旗，什么“张”,“李”，什么“旗开得胜”，什么“三军司令”，很教人发生无限的感慨。不知道当欧战以后我国从德国取回天文台仪器的时候，何不连这些东西一起带回，免得留在外国出丑。于此可见我国的外交官实在是疏忽得可怕了。

自然，如高可及人的炮弹，长及数丈的大炮，以及蔽空的飞机，还有庞大的战车，甚至如近古时代的刀，矛，甲，胄，都可以在这陈列所里看见。还有些大人物如腓力，威廉等著名的德王，以及毛奇等著名的德将，都有他们的战器陈列在里面，以供游人的浏览。从十五六世纪的军用品看到十九世纪的军用品，笼统说一句，都不外是设法杀人杀得快，死人死得多，这就是军用品的进化。可惜二十世纪最新式的军用品还不在里面，但是这种军用品杀人程度的利害，更就可想而知了。

最滑稽的是，在这个陈列所里面，却竖了不少和平女神的塑像，好像使得这一座满布杀气的陈列所，就要“兵器销为日月光”的样子。其实像这样滑稽的把戏，在现在的国际上正在大演而特演，所以一方面会高唱凯洛格的和平条约，一方面却另会赶造大批的杀人利器，准备用在战场上厮杀。和平不可不唱，战器不可不备，这或者就是现在列强的拿手好戏罢！

十二月二十一日，柏林。

侨德国的青田小贩

周仕醒

前天接到一位德友的信，知道东部勃雷斯劳城（Breslau）有一青田小贩被警察枪毙。据说青田小贩没有公使馆的护照，又没有当地官厅给予的售物证书，所贩物件又多赝制，更因言语不通，不谙当地法律，与警察冲突，乃致牺牲生命。作者于是对于在德之青田小贩作进一步之调查，今将各方所得情形述之如下。

青田是浙江省的一个属县，该处土语与杭州语完全不通，青田商人与此间留学生谈话，鲜能互相明了。在德之青田人约二百余，闻彼等于数年前由故乡徒步经西伯利亚来欧。他们不畏艰难劳苦的长途跋涉于国外，其耐苦坚忍的精神殊可佩服，惟想起他们在国外所受的残酷待遇，则大可痛心。在欧青田人约有千余，散居各国，出国时不带护照，仅携土货数件贩卖度日。在德之青田人大概贩卖瓷器，珠宝，及各种饰物，闻有人设总机关于汉堡，批发物件，来往各城，挨户销售。所有物件，大都赝造，即以瓷器而论，均系德国北海附近瓷器厂出品，伪用华文印记，冒充中国瓷器，由青田小贩供人利用，代为贩卖，因不得当地警察之许可，故此类小贩之被警察拘禁者，时见报端。彼等因饥寒交迫，为勉图生存计，铤而走险，不顾一切而为此，吾人无力助之使成良好的商人，正悲其惨况，何忍有何批评？但我念及此类小贩与祖国在国体上及商业上的名誉实有很大的关系，所以又不能已于言。国人无护照者失所在国之保护，今青田人无护照，虽失保护，然不失其为中国人；故青田人之在外流离失所，外人均目为中国人，并不管他们有无护照。无护照者原应遣送回国，然我国公使馆无此巨款，故公使馆对此无法可想，毫无举动，一任其在德流荡。此种人大都未受过教育，不懂法律，不识习俗，一仍其在乡之故态，在欧显然作陋塞华人之宣传员，于中国人面子甚有关系。华人之经商有讨价还价，因此被人视为不诚实的商人，又加以贩卖赝货，使外人养成绝对不信任华商的观念，并使真正的华货销路迟滞，对于华货外销，华商名誉，都有十二分的影响。在此的青田人吃官司不算一回事，打死几个，公使馆无法应付，使外人以为华人懦弱至于极点，印有“打死华人好像打死一狗”的观念，种种有碍国家体面，真是一言难尽。切望我国政府，尤其是外交当局，从速设法，使已在国外者安返故乡，欲再来者倘无各种保障，禁止出境，庶几此间警察时常枪毙中国小贩之事不再见于德报。

十八，十一，十九，德国勃郎许物希。

德国的大学男生

周仕醒

战前德国的大学教育是贵族式的，穷苦人家的子弟是没有受高等教育的希望，一面当然是受经济的压迫，一面也是学校招生非常势利，没有钱的即不收，即学问超出常人，亦为学校所摈弃。自改为共和国以来，情形大变，贵族富户受战后经济的混乱以致损失全部分或大部分资产者比比皆是，百万富翁如今竟成赤贫，前为贵族而现在吃面包皮者大有人在，大学教育亦较前大为开放，然因大学生之倏增，大学生的“市价”为之大跌。我国留学生回国后每得骤居要职，德国大学生毕业生新毕业者每月能得一百五十马克已心满意足，其实用以充衣食住尚不敷用。德之擦玻璃工人每月平均至少亦有二百余马克的收入，而德国大学生的出路乃不过尔尔。据此间教育机关预计，一九四〇年将有五万失业的大学毕业生，这当然也是他们前途的一个难问题。

德国大学生里的贫苦子弟大半用功，从前为贵族而现在贫穷的子弟亦多用心者，家里有钱的大学生便多乱来的，狂饮狂嫖，无所不为。有许多大学生喜欢比剑，在表面上看来似乎是尚武精神，但他们的举动照我们外国人看来实在不免野蛮。他们所用的剑，长三尺余，锋利如剃刀，比时全身虽然都有东西保护，眼睛亦有东西护着，可以无危险，但头盖，耳朵，鼻子，都有割去的危险。比时有医生在旁，鼻子或他处割破，即由医生马上缝上，然痛苦已甚，好处何在，我们门外汉简直莫名其妙！德国女子却以男子脸上有刀疤视为勇气的表示，非常爱慕，大学生亦以脸上有刀疤自豪，虽因比剑而伤死者不无先例，但他们仍乐此不疲。同学中遇有口角或斗气（如争气吃醋等）而无法解决时即相约比剑，剑术精者胜，其实谁为有理无理，则一概不管。所以有许多人简直整天的在那里练习剑术。（我国同济大学工科的德人教授，有许多脸上也有刀疤，就是他们在做大学生时代留下的成绩，如不信，可去看看。）

德国大学平日多取放任主义，教授和学生与朋友一样，可是考的时候，教授板起面孔，任何爱徒均不留情。德人大都不讲情面，所以学生能够毕业，大概也须有相当的功夫。

我国在德的留学生有一部分成绩很好，用功好学，颇可自豪，惟身体大抵欠健。德国学生对于运动大都十分注意，所以虽到了大学生时代，仍是行为如猪如牛！

一九三〇，二，二十八。

德国的大学女生

周仕醒

德国是重男轻女的国家，无论知识阶级或普通阶级的男子，你若和他谈起女子，往往总有这样片面的武断："女子的体格是专适于生育的，女子的天性是宜于管理家事抚育小孩的。她们的智慧远不如男子，她们的能力也不堪与男子相比；有史以来，女子在学术上能有贡献者可谓绝无仅有。她们的妖形怪状，奇装艳服，她们的媚笑昵语，她们的能歌善舞，不过欲博男子的欢心。女子的求学，也不过是借此可抬高资格，觅得如意的丈夫，她们对于学问本身决无研究的兴趣与恒心的。她们不过是男子的一种附属品而已！"以上所引的一段论调，记者不过用纪实的态度老实的写下来，并非就和他们表同情，希望读者里面的女同志不要动气，横竖这是德国男子对德国女子的态度，我们中国现在的男子对女子决不会这样的。德国所以有这样的现象，一方面固然是男子之过于自傲，一方面也是女子自己有些不争气，不然，德国女子的地位也不至低到这样田地。

德国人民在战后的经济状况非常窘困。当战事尚在进行的时候，男子都受迫当兵，于是有许多女子出来代做男子的职务。战后女子仍继续做她们的职务，退伍的男子还无事可做，且因女子工资比较的低廉，各私人企业机关在需要紧缩政策的时期，均乐用女子。德国男子失业者现在已达到二百万人以上，他们的失业固有别的许多原因，但是女子和他们抢面包吃，也确是一件无可讳的事实。所以男子对于女子有意訾议，也许是含有酸素的作用。

德国女子虽享有自由选择婚姻之权，但德国女子多于男子，物希者贵，货少价昂，于是德国男子乃大抬其身价，非有钱的女子不娶，非美貌而有职业的女子不娶，因此欲恋而不得恋的女子不计其数，大学女生也是这种恋爱落伍队中的分子。德国女子发育甚早，十六岁即可出嫁，德国大学章程规定至少十八岁方许入学，故大学女生至少都已十八岁。

德国大学均男女兼收，在工科大学内女生为数很少，有的都不过学些物理化学算术等科，其他大学内各科都有若干女生点缀点缀，学医科或化学科者居多。但总计女生亦不多，因多数年青女子中之家贫者多入艺术学校或已有职业，家富者多已出嫁，入大学者都是少数不得意者走的路！

德人娶妻对于貌之美丽尚在其次，第一着最紧要的是询问对方有资产若干。报纸上时有广告明说要娶一有钱之妻，简直是明目张胆老实不客气的赤裸裸的公开的这样说，所以有钱的女子都没有工夫入大学——忙着出嫁——而大学女生则多窘困而有志好学的女青年。

德国女生大多数面貌不扬，而贫苦好学，与外界少接触，男生与女生均无感情，上课时虽聚在一起，亦不过“打棚”而已。（编者按：上海话称“开玩笑”为“打棚”。）男生中有许多每日饮酒击剑找姑娘跳舞（这些姑娘均有职业的女子，与大学男生友好，所谓倒贴者也），而女生则几于无一不努力用功，故大学女生的用功程度超过男生，在大学内的学业成绩平均亦以女生为最优秀。但德国人既重男轻女，女生在大学毕业后谋事却也不见得比男生容易，有的仍不能不谋嫁人之计，是亦德国女子之劫运也！

一九，三，三十。

参观国际卫生展览会

周仕醒

德国西南部得兰斯登（Dresden）城建筑仿效柏林，街路宽敞而清洁，为德国最美丽之城市。记者七月间赴该城参观工厂，适值国际卫生会展览期内，得往一游。会场占地数百亩，架天桥以越大街。全场设有小火车，并有邮局，旅行部，俱乐部，酒排间，游泳池，体育场等之设备。陈列厅凡数十处，式样新颖，建筑合卫生之目的，墙面涂白色，远睹之俨然一白色小城也。附图二幅：（一）为卫生展览会会场一部之鸟瞰图；（二）为德国卫生博物馆之全影。会场内除各国设有专馆外，余均德国所陈列。德国以医药卫生著于世，该会有新式医院之布置，卫生设备之陈列，琳琅满目，美不胜收。各陈列馆均利用表格，图案，标本，照相，模型，电影以说

第一图　卫生展览会会场一部之鸟瞰图。

第二图　卫生博物馆之全影。

明陈列品，务使游客无不理会。德人之设是会，用心已久，欲借此发展卫生工业品之世界市场，及唤醒人民自强的精神。

此会中之最使余不解者，为药厂中之刺激性药品大作其广告，而卫生会则处处攻击刺激性药品广告，殆因欲得大宗广告费而亦罗置之，自相矛盾，一至于此！

最使余伤心者，我国无陈列专馆，而鸦片馆中独多我国材料，一榻横陈，吞云吐雾之同胞照片，高高悬挂，各报上之中国鸦片新闻遍贴壁上，我国在该会中成绩仅此而已！卫生事业我国政府设有专部尽力提倡，而民众方面仍鲜加注意。参观该会，感慨良多，恨不得将此会搬往中国，促同胞之觉悟。兹再附带杂记所感数事如后。

德国关于医药方面之尤值得吾人注意者，德国医生均经国家考试，医学博士不过大学毕业，须经数年实习后，方得应国家考试，待国家考试及格，方得悬壶救世。至于专家更须经过专家考试。学医时间至少十年方能称学成。我国留学生在德五年得博士后，即行回国营业。故我国医生之检定，实为当务之急。又外国医生在我国营业者不在少数，其中庸医亦杂其间。又我国不乏野鸡医科大学，毕业生茫然售世，同胞之牺牲性命者不知若干。

疾病为人所不免，病期内本人不能工作，又须求医服药，倘无积蓄，一旦遇病，不死于病，亦死于贫，一人尚无虑，其奈家室何？故欧美文明国家多有“疾病合作社”之组织。我国缺乏社会组织之习惯，此种机关尚付阙如。其实此种合作社并不难办，范围可大可小，普通方法即每月付月费若干于合作社内，由合作社与医士药房直接交涉廉价条件，与本人无涉，倘有病时，除每月得该社津贴若干外（多寡视所付月费而定），并不必另行交费，延医服药，均极便利。

国人之不爱公众卫生，说不尽许多，随意吐痰尤其显例。旅馆内戏剧场之公用面巾亦为传染病极好之媒介。家庭卫生半因生活困苦而不加注意，半因主妇缺乏知识所致，是故讲到爱护清洁，一方面须有相当之教育程度，一方面须有生活比较的充足之条件。提倡卫生尤须自小学教育始。然我国小学教员对于卫生恐亦未必都能注意（或许不知道），愚意须有卫生指导所之设立，务使小学教员先受卫生教育之训练。再有自鸣清高之所谓名士派，行迹不拘，随意涕唾，此种怪物亦为提倡卫生事业中之障物，应群起摈除之。

自德国勃明斯威城寄。八月三日。

到德后的观察

顾海陵

我们这一次同来的人共有六七位，到了德京柏林才各自东西。柏林生活较贵，大学人数太多，一个黄脸的中国人想得一实习的位置当然是不容易，并且我们学医科的人尤重实习，所以思之再四，决定跑到德国东海滨小城名罗斯笃（Rostock）的地方来读书。德国除都城柏林各国人士杂处外，小城中绝少外国人，中国人当然是少数中之少数。日本人同中国人他们是分不清楚的，所以有许多好奇的德国人见了面，总是问，你是中国人还是日本人？倘使你说是日本人，他一定礼貌有加，绝不敢存轻视之心；若说是中国人，他必定问，你会英文不会？因为全欧洲的一般普通人往往把中国当为英国的殖民地！其次，就是问，你会吃鸦片不会？好像这是中国人应当有的嗜好！每每遇到如此的问话，真叫我耳红面赤，不知如何答复！但是回想上海租界烟馆林立，乡村城镇虽云禁止，结果仍是禁者自禁，吸者自吸。至于英人残暴行为，国内时常发现，祖国同胞所处环境连印度安南人恐亦不如，他们的理想又未见得毫无根据！

德国自大战后处处在被压迫地位，但是最近国家经济以及种种建设几臻原来地位。他们平素的生活极其简单，几片面包，一块牛肉，已足充饥。他们现在全国差不多有几百万失业工人，但是因为有国家接济，丝毫没有恐慌的现象。

他们的教育极其普及，最小的村镇总有几个建筑雄伟的国民小学校，因为他们把小学教育当为国家强盛的基础，倘使年幼的子女不使入学，家长便须依法处罚。

德国为世界科学最昌明的国家，这是大家承认的，他们的发明可算是日新月异。他们的火车轨道真是密如蛛网，极小的村庄，电灯，自来水，邮政局，宽阔的马路，美丽的公园，无不应有尽有。我现在所住的罗斯笃城是德国大学城之一，居民仅有八万多，但是若上海三公司之大商店竟有两处，电车，公共汽车，戏院，旅社皆全，火车站比上海北站尤大。至于公共卫生设备，可算无微不至，国家病院虽上海工部局医院，广慈医院，宝隆医院，也是望尘莫及。

勤俭两字是德国人的特长，所以虽是出身富贵之家，子女绝没有公子及千金小姐的气派。男的长大成人，就脱离家庭，出外谋职业；他们以为一个人没有职业是最可耻的事。至于女子主持家政，无论什么事，总是亲执其劳；商店及其他公共机关，都有许多女子服务。

我记得有一次一位瑞典同学问我们中国人是否有当兵的义务，因为他们的国人个个受过军事训练，在求学时代每逢暑假必须回国受训练。我当时听了，只好说中国人也有这种义务，我将来回国也是要受这种训练。其实中国的人民有几个受过军事训练？现在的军队他们何尝知道国家是个什么东西！他们只不过为军阀争地盘的工具罢了！

自欧战后，德国的西境莱因河一带差不多都被法人占领。他们对于这种国耻，无时不记在心头，虽在娱乐场所，如影戏院中在开映以前，总要写几个大字，就是“不要忘记德国的莱因流域”。

德国现在为协约国条约所限，不能练兵，但他们的警察比战前增加不少，并且每一省总有所谓自卫团，机关枪大炮俱全，名为防匪，实则练兵。第二次的世界大战当然是我们所不愿意看见的，但是你无论问那一个德国人对法国感情若何，总是咬牙切齿的回答：他是我们的世仇，大有灭此朝食之慨。

总之德人没有一个不是在卧薪尝胆之中。其实他们所受的压迫比较我们中国也不知道好多少倍！他们国内何尝有租界？他们的海关税务何尝由外国人把持？他们的内海内河何尝任外国兵船随意来往？他们的国人何尝任人屠杀？

十八，十二，二十六，德国罗斯笃城。

柏林女监狱

欧洲物质文明与时俱进，一般民众的日常饮食起居固无不精益求精，即牢禁之中亦整齐清洁，适合卫生。试观德国柏林女子监狱，决不信犯法之人犹能受如此幸福也。

柏林女子监狱在柏林巴立尔买路，所有各办事人员均为女子，监狱长为赫而勿夫人（Frau Helfer），夫人仁慈非常，每日督率其同事努力工作，对于犯人积极晓以大义，俾将来勿再蹈复辙，为其感化者不在少数。犯人每日晨六时起床，六时至九时为在院中散步时间，上午十二时午餐，系犯人中精于此道者司其事，届时以小车推巨锅入狱，看守人开栅门，犯人各执一小锅守候分派。狱中工厂等俱全，每日均须做工，应用木器以及洗刷地板粉油墙壁，均系犯人自为。除工作外，余时可以

狱中之暮鼓晨钟。

监狱长赫而勿夫人正在演讲植物之形态。

阅书报消遣，每逢纪念日，则齐集礼堂行礼，或更请音乐家奏乐。狱中规定凡工作勤力之犯人有赏，每隔两星期可同外间通信，每隔四星期可以接见外人。犯人房间可随意布置，挂画及插瓶花均不禁止。犯人闲时可至院中培植花木，每星期可至图书室取新书一本，狱中并教授外国语言，大半为意大利语及法语。柔软体操非常重视，凡在三十岁以下之妇女，均须前去。闻彼等均能守公共秩序，虽在囹圄之中，仍得有条不紊云。

十八年十二月三十日，德国罗斯笃城。

柏林谈屑

忠　侬

记者到德专习陆军，到此虽不过两月，但已觉耳目一新，感触万端，兹先就见闻所及，述之聊资谈助。我现在所住的房屋，附近即有图书馆，公园，公共体育场各一。图书馆内藏书丰富，报纸杂志无不齐备；公共体育场内各种运动器具亦甚完善，所以阅书游息，均极便利。记者每日于一定功课时间以外，必往游息一次，或游泳，或打球，或在公园散步，或在图书馆阅书，日常生活，尚称有趣，德国对于社会教育之设备，于此可见一斑。我所住的人家人口简单，夫妇两人，一女儿及一佣人，房东待人和蔼诚挚，绝不因外人而稍存歧视之心，晚间齐集客厅，谈谈彼此风土人情，倒还有趣。其客厅中无线电收音机及其他音乐器具，亦可听我随时使用。

无线电收音机中，除音乐外，常有名人讲演，即于德文研究一层，亦得益不浅。

德国虽受欧战之大伤，然因基础坚固，现在又已完全恢复，其原因固在政治严密之所致，而重要关键尤在国民之坚忍勤劳，力自拯拔。若就物质进步方面与我国相较，则我国地位真不知降到若何地步！其最发达而最显著者尤推电气事业，无论大小各事，无不引用入微，即如用电开门关门，为最小一事，然今日亦已成为最普通之应用矣。此外引用于工业交通及其他事业者，尤不胜举。如无线电一项，已发达至于极端，家家均设有无线电收音机，在德都柏林之名人演讲及各种音乐，可以播传全国，如同一堂，政府之命令在数十分钟以内可以遍达全国。最近又发明一种无线电收话机，不论远近，不但可以听见讲话人的声音，即其神态，亦可同时看见，宛如聚首谈话，此种发明，德国尚视为一国之秘密。记者前月在全德无线电博览会中曾经亲眼看过，但无说明书，真是奇妙万分。

此间航空事业亦异常发达，其工程之精巧，固不待说，其航空技术之精进，尤为可惊。我曾于前月往德国中央水陆航空场参观一次，当时正值水陆飞机演习，前起后继，凡百余只，在空中表演各种高等技术，如所谓木落叶侧滑下横飞倒飞等等，以及落下伞之下落，使用散布烟幕等，无不精巧万分，花样十足，见所未见。又有所谓疯飞者（Crazy flying），尤为特色，飞行时离地不过丈许，表演各种惊人动作，危险万状，偶一不慎，人与机俱尽。记者此日观后，深觉我国航空之幼稚，实有急起直追之必要。

到德后印象最深者，目击他们对于体育积极讲求，故一般人的体格均极健全，因此他们自强不息求进之精神亦随之而俱强。以我的体格，在国内可算是好的，然尚不能与之一较。我来德后，对于游泳特具兴趣，故于闲暇时必往游泳，此间游泳池中不分男女，即不相识的女子亦随便可以交谈，并且可以作种种水中男女游泳动作，所谓时髦游泳，亦为常事。惜我游泳技术不高明，加之水为波水，用机器造波，有如海水，故未敢畅所欲游，不然，尤增兴趣。

记者来德后，物质之享受固已十分满足，然精神上所受刺激，实非笔墨所能尽述。兹仅举一二事言之。我

自欧战后，德国对全国妇女体育尤有积极之促进。此为德妇女在体育场中练习飞行运动之情形。

每与同学在街中行走时，莫不以表现我中国人之精神为注意，但若侧耳倾听，只闻德人说“日本人”，从未听见中国人三字。以吾辈用莫大之注意，所换来之好字，全为日本小鬼夺去，与中国竟若绝无关系！一日我与房东往观全国选手运动大会，开幕时会长所致开会词中有一语最令我受甚深之刺激者，即“全德选手应努力超胜英美法意俄日诸国”，中国二字独无，当时我为一中国人，独坐于千万自豪的德人当中，真觉无颜面以对他人。当会长说到日本二字时，在我左右的许多德人（女学生尤众）都转头集视于我，以为我是日本人，当时尤使我惘然莫知所措。彼等对于体育及国家声誉之关注，于此等处亦尽量流露。

有一夜我与同学萧君往观一关于中国之影片，名曰《中国的时髦》，其中主角即德人所称为中国唯一女明星 Anama Wang 者及一位所谓某男明星者所演，内容全系一部旧社会中鸦片与土娼事实，真丢尽国丑！当时我等真无颜再看，遂中途退出。以中国明星不为祖国争光而助外人诬蔑，我未探悉其地址，不然，决计要去痛斥一番！此种现象深刻于外人脑中，对中国人安得而不轻视？我国对国际间宣传太不注意，甘心做一哑子，一方面日本对国际却大作宣传，从中作鬼，以遂其黄种独秀之野心，因此虽好亦坏，即是亦非，可为浩叹。

十九，十，廿五，柏林。

西洋人与中国戏

王光祈

数年前余闻梅兰芳君有西行献艺之说，曾为文数千言，说明近代中国戏剧衰落，早已丧失世界艺术上之地位云云，以阻其行。此文系寄交沪上好友左舜生君，托其在报上发表。未几，接左君来信，略谓:“梅氏西行之举，仅见之于报纸传闻；吾人不应据此无稽谣传，便将别人非难一顿”云云。因此，我那篇文章遂亦遁迹于左君纸筐之内，不复再与世人相见了。数月前，梅氏在美演习之时，友人姚从吾君尝告余曰:《柏林日报》星期副刊之上，曾有关于梅伶演剧之记载。该报并谓梅氏在美吸食鸦片，为美国政府所干涉云云。但此项副刊，余惜未尝觅得，不能知其详情。但余留德十年以来，既以研究中西音乐历史为职志，关于西洋人对中国戏剧之感想，却知道一二。兹特记述如下，以作近来国内恭贺梅博士声中之小小点缀。

（一）西洋音乐家　我们如欲探知西洋人对于中国戏剧的批评，当然不应在一般贩夫走卒中求之。第一步是应该先问音乐家，尤其是应该询问研究“音乐历史”，“音乐美学”，“比较音乐学”等等之“音乐学者”。因此辈最能以客观态度评其美恶故也。近代西洋音乐学者，因为研究远古音乐，苦于材料缺乏之故，于是他们便将非洲南洋等处的野蛮民族，当作他们上古祖宗看待。由这种未开化民族的音乐，以想像古代原始人类的音乐。此项野蛮民族音乐，其进化程度最低者，只有三四个音。无论调子有好长，篇数有好多，永远只将这三四个音，翻来倒去，有如小孩子呱呱叫唤一样。至于我们中国近代乐器，其音域范围虽然不及现代西洋之广，（譬如西洋钢琴之上，即有八十余音。）但至少亦有十余个音。故西洋人亦不敢大胆称呼我们为“野蛮民族”，而名之曰：“古代文化民族”。这“古代”二字颇有一点尖酸刻薄，似乎直将我们现在四万万个人都算作“行尸走肉”一类，已与“近代人类文化”无关一样！柏林大学关于此项“野蛮民族”及“古代文化民族”之留音片子，搜罗极为宏富，其数已超过一万以外；其中一部分，系各大学教授亲赴各洲野蛮民族巢穴，收音制造而成。现在领其事者，为柏林大学“比较音乐学”教授奥人 Hornbostel 君。此君乃系一位最为崇拜中国文化之人。常在讲堂上，称《老子》为世界上最美之书。但彼每为学生开演中国戏剧留音片子之时，辄先向学生声明：“中国近代戏剧，叫唤得非常厉害，请诸君不要害怕！”（关于叫唤之原因著者当于下文说明。）更有一次余与该教授两个人，在实验室中，试演一张“全武行”的片子，大锣大鼓打得“不亦乐乎”。彼乃急用两手将耳蒙着，连呼“上帝”不已。并谓“彼辈奏乐之人，似将大锣大鼓等器，装在一个箩筐之内，然后再将箩筐大摇一阵，以造成此种震耳乱响”云云。以一个研究“比较音乐学”数十年之人，对于中国戏剧犹有此种印象，其他欧人闻之，当然更是退避三舍，不敢承教！诚然，近代西洋音乐家中，亦有醉心中国乐风者；但彼辈所赏识的，亦只限于中国箫谱笛谱之类。至于二簧梆子，则从未有人惠顾。本来我们中国音乐，大概都是属于“叙情”（lyric）一类，而最不适宜于

“描演”（dramatic），所以有时拿着一枝洞箫，在月明花阴之下吹奏梅花三弄一曲，未尝不娓娓动听。至于大规模的描写全剧各种悲欢情感，则就中国现在音乐进化程度而论，尚未足以语此。因此，意大利歌剧名家Puccini氏所谱歌剧之中，曾有两剧涉及中日材料，并于该两剧之中采用中日音乐若干，但皆系剧中无关重要之处。每到全剧紧重关头，描写悲欢热烈情感之时，则仍用西洋音乐。故中国音乐究竟能否用于“描演”一途，实为今后改造国乐之当头问题。其实不但中国音乐如此，即中国绘画文学两种艺术亦无不如此。不过中国文学之“描演”能力，较之中国绘画之“描演”能力，又较之中国音乐为多而已。然持与西洋绘画文学之“描演”程度相较，则又望尘莫及也。

（二）西洋外交家　西洋人中之最不能了解中国艺术者，殆莫过于在华各国外交家，以及各国新闻记者。盖彼辈脑筋中装满了侵略贪鄙的思想，安有所谓“艺术”？彼辈平时以华人为一种劣等民族，更安有所谓“中国艺术”？然而彼辈一到中国来，往往忽然变为《品花宝鉴》上之名士，强作解人者，亦自有其故。原来西洋“男风”之恋，虽亦时有所闻，但一经告发，则每被法庭处以数年牢狱重刑。我们知道，英国十九世纪大诗人王尔德（Wilde），即因对于美少年Dorian Gray实行同性恋爱，被人告发之故，立从第一流社会之中，一个筋斗栽到牢狱里去，为人所不齿！现在一般西洋外交家，在国内既不能明目张胆，畅其所欲，于是跑到中国来大捧旦角，自侪于风雅之林！此真所谓“醉翁之意不在酒也”，否则何以不捧刘鸿声，杨小楼，王长林，而专捧梅兰芳？诚然，西洋在十七、十八世纪之时，意大利歌剧盛行全欧，其时伶人亦复以男扮女，且自去其“势”，一如吾国宦者所为，以便能唱高音。但是西洋人，向来是有如《红楼梦》所谓：“我们宝玉是一个丈八灯台，常照见人家，照不见自己。”他们于最近一百年来，在正当剧场里，既早已不见此种“男妖”，因此对于中国男扮女装之事，遂不免认为我们东方的特有产物！本来，西洋人最瞧不起中国人之处，即在中国人无“男性”；并以华人所有一切懦弱无能好施小诈情形，皆系一种“女性”的表现。当余十年前，初到德国之时，有一德国女子尝谓余曰：“我常看见你们中国人，狡猾虽然有余，但均未具有男性；故其结果，终为外人所征服。”我当时闻言大怒，恨之入骨；而且此言竟出诸女子之口，我尤恨之入骨髓。其后余闻梅兰芳氏有到外国献艺之说，遂不觉通身发汗，只有日夜祷天祝地，我们梅老板那种媚态横生的情形，千万不要落到这位德国女子眼里，以证其言不虚！将来更要加倍揶揄中国！

十九年八月。

德对失学国民之救济

王光祈

德国基础学制，向分三级：（一）国民学校。凡德国人民年满六岁者，均须一律入国民学校肄业八年，惟有志继续肄业中学者，则只须在国民学校肄业三四年即可。此为欧战以后情形。至于战前，则富家子弟，羞入国民学校，与贫民儿童为伍；自始即入中学肄业。而中学之内又特为彼等设置“预备班”；在该班肄业三四年之后，即可成为正式中学学生。战后，社会民主党人执政，乃将此项不平等制度废除。（二）中学校。德国中学毕业年限，在九年左右。其毕业程度，据余友常道直君言约与美国大学毕业程度相等。常君专习教育，曾留学欧美数年，此言当有所据。（三）大学校。有了中学毕业文凭，便可直接入大学肄业，无所谓入学考试。至于大学毕业年限，无一定；如欲投考博士，则至少必须肄业三年以后方可（指文科而言）。但在德国大学生中，投考“国家考试”（亦须肄业大学数年之后）者，似较投考博士者为多。盖前者系实缺，后者系虚衔故也。“国家考试”，类于吾国所谓文官考试：凡欲任官吏，当教习，作技师，充医生者，皆非经过此一度考试不可。其考试方法，系由政府方面特派专家组织考试委员会，临场会考。所考科目，非常之多，但以熟习了解为限，不必有所发明。外国学生，在原则上，不许投考此项考试。如欲投考，必须先行具结声明“永远不在德国做事”方可。吾友汤君腾汉在柏林大学研究化学，投考“国家考试”之时，即曾经过此项手续者也。（其后汤君于“国家考试”及第之后，续肄业一年，提出论文，考得博士。）至于投考博士，则只由本校教授加以考试。其办法：先由报考者提出论文一种，以对于主科有新发明者为限，由两位主任教授鉴定。（此项教授，由学生自由选定；但其中一位，必须为该科“正教授”方可。）按此项论文，乃系该生在该主任教授指挥之下，费了一二年工夫，修改又修改，所作成者；当然提出之后，大多数系一帆风顺，颇少落第。审查及格之后，再行定期口试。由上述两位主任教授考试主科；其他两位“正教授”，则考试两种副科。此项考试如不及格，博士头衔，当然不能到手。如果口试及格，获得博士头衔；在事实上，亦不过仅仅证明，该生“已能独立从事科学工作”而已。距所谓“学者”地位，尚有万里之遥也。

德国大学中学办理之宽严，殆有如南北极。中学校，平常管理既极严格，考试一事尤为酷辣。每年毕业考试之时，常有若干落第或畏考之人自杀。盖中学毕业一关，若不打过，不但不能进大学，即社会上各种地位较高之职业（如银行职员之类），亦无从问津。因为欲谋此项职业，亦以得有中学毕业证书为其条件故也。但是假如中学毕业一关打过，则全国大学，皆可随意入学，管理及研究，均极自由。假如家里有钱，尽可肄业一二十年，实无人过问。上课与否，亦听学生尊便，（惟研究室略有限制：每次均须点名，每学期均须有研究报告。）故德国大学生生活，向以“醇酒妇人唱歌击剑”著名：自称为“自由少年”。但是韶华易过，转眼即须入世谋生。而德国社会方面，不但要求头衔，而且要求本领。于是此项“自由少年”生活，从此一日一日的“不自由”起来，乃不得不努力奋斗，而德国各项特出人才，亦多在脱离大学之后所造成，辄是故也。

入大学肄业，既要中学毕业文凭；谋高等职业，亦要中等毕业文凭。但有许多青年，童年时虽无力入中学，但颇能自修，具有相当学力；或者因为中学毕业之时，仅有一二科不及格，致遭落第之厄。国家对于此项青年，势将永远屏诸大学肄业或高等职业之外耶？抑尚有其他救济之途耶？

吾人每在德国街头广告柱上，常见许多私立补习学校招生广告，如“补习一年，即可投考中学毕业考试”之类，触目皆是。盖有志向学而又碍于谋生之人，既不能按时到中学，随班听讲，则只好取途于自修。在自修各科之中，如历史，地理，数学之类，尚能在家自行补习；德国书店关于此类自修书籍，亦复多而且善；但如其他实习科学，如物理，化学之类，则非在家自行补习所能为力者。下述各种私立补习学校，即应此项需要而起。倘贫而好学或中学落第之青年，补习若干时日之后，自信已有中学毕业程度，即可呈请国家特设之“中学毕业考试委员会”，准其投考。如能考中，则由此项委员会，给予中学毕业证书，其效力与正式中学毕业者相等。不过在事实上，德国大学生中，由此种委员会考试出身者，终占极少数。此无他，德国中学教育本极发达，此种委员会权宜办法，乃属例外故也。

又德国中学，向分文科实科两种。前者偏重古代希腊文拉丁文，以为将来入文科大学之预备。后者偏重近代英文法文及理化等科，以为将来入理科大学之预备。但小孩子入中学之时，年方十岁左右，只凭父母私意决定；迨到中学毕业之际，难免不因个人兴趣，改变方针。譬如实科中学毕业者，往往自愿投入大学文科肄业。而投考文科中哲学音乐等等博士，又须有曾习拉丁文之证书，始准应考。于是，各大学之内乃专为此项学生附设“拉丁文班”，如习者自信程度已够，亦可呈请国家特设之委员会，准其考试。如及格则给予“拉丁文毕业证书”。但大学生中之为此事而焦头烂额者，盖不知凡几矣。（因在中学时，拉丁文系九年之课程；而在大学中，则须一年学完。）

德国大学，最注重中学毕业文凭。其重要，远在大学毕业文凭之上。故吾国学生来此留学，只持本国大学毕业文凭，而无本国中学毕业文凭者，往往为其所拒。德国对于外国学生之“本国中学毕业文凭”，原则上系承认其效力，但亦分等级，譬如波兰，日本等国之中学毕业文凭，则往往不承认其“具有德国中学毕业”之相等程度。盖波兰中学内容，以其为德国邻居之故，德人知之甚详；而日本中学毕业文凭之上，则又因往往附有英文翻译之故，德人亦可借以察出日本中学程度故也。至于吾国中学毕业文凭之上，只有汉文，向例由吾国驻德使馆翻译；并证明此项文凭实与德国中学毕业程度相当。故中国学生之入德国大学者，只须考试德文一门，尚不感着十分困难。

波兰，日本等国留德学生之被拒者，往往只能在德国大学作一种“准大学生”。盖德国大学生分三种：（1）正式大学生；（2）准大学生；（3）旁听生。所谓准大学生者，其所享权利，所尽义务，与“正式大学生”相同，惟不得投考博士。如欲投考，必须经过特为外国学生而设之“中学毕业考试委员会”考试方可，而且在“准大学生”时代所肄业之学期，在原则上不能算入。

德国中学教育，如彼发达，而国家犹为本国失学青年特设“中学毕业考试委员会”，以谋救济。至于吾国中学教育事业，既如此之衰微，更安可不为失学青年一谋出路？鄙意：凡投考大学者，必须具有“中学毕业文凭”。盖文凭虽不足以代表“本领”，然究属一种“成绩记录”，可以作证。不过国家方面，应为一般具有相当学力而非正式中学之青年，设一取得“中学毕业文凭”之道。至于大学入学考试及格一事，似不宜当作“与中学毕业有同等学力”之证据；以防学校滥收学生之弊。

二十，三，二，自柏林寄。

留学与博士

王光祈

近来国内社会，对于留学归国之博士学士，似乎甚为失望；于是大有“群起贱之”之势，此正与从前之“盲目崇拜”，同一错误。

平心而论，博士头衔，虽彼此相同，而得之难易，却迥然有别。譬如英国之“科学博士”，远较“哲学博士”为难。法国之“国家博士”，又远较“大学博士”为难。其在德国方面，二十三个普通大学之中，其考试宽严，亦复各处不同；有著名易考博士之大学，有著名难考博士之大学。在各种学科之中，又有某种易考，某种难考之区别。在同种学科中，因个人经济情形否泰关系，亦有难考易考之分。譬如经济情形充裕的，可以先期出几百马克，聘请主任教授之助教，担任私人教习。该助教既随主任教授讲学多年，对于主任教授所重视之问题，及该教授之习惯，均知之甚熟，故助教所讲，均极扼要易记，最便于考试之用。此外，口试日期，大都由大学书记支配。有钱的可以向书记孝敬数十马克，该书记便将口试日期，分配在一二星期之内。譬如本星期考某门，下星期再考某门之类；在被考者方面，尚可于其间补行温习一二。倘若无钱为此，则该书记便将各科口试钟点，往往排在一日之中；接二连三，考得头昏眼花，因此而落第者，亦不乏其人。（“钱能通神”，无论古今中外，皆然！）因此之故，若一味的笼统的轻视博士，实使一般从艰难困苦中获得博士头衔之人，十分冤枉。

余自信尚非《儒林外史》传中人物，但向来最喜劝人投考博士。余友朋之在德留学者，亦有十之七八曾应博士考试。盖德国大学系采“自由讲学主义”，对于学生读书，向来不加督促。诚然，德国大学教授对于教学之热心，可谓诚恳已极。譬如我们主任音乐教授，屡向研究室之学生表示：倘遇科学困难问题，无论白日夜间，均可前往询彼云云，可谓尽力鼓励学生求学。但学生自己如不力求上进，则大学教授亦只好听之；肄业一二十年，亦无人过问。至于投考博士，则至少须看过若干书籍，须预备若干时日方可。余友朋之在德赴考者，考后，精神多大为疲惫；此虽对于身体不甚妥当，但由此亦可证明被考者之如何吃力；并非如现在国人所想像，德国博士恰似前清“军功”，可由保荐者在印就之空白内，随意填上姓名可也。

余常见许多“名流学生”，往往表示自己不屑一考博士，而在实际上，乃不欲多卖力气，以遂其颓唐惰气而已。世间“高调”之中，往往藏有不少“暮气”，此一例也。

吾国近日教育机关用人标准，常有以“外国大学毕业或考得博士”为标准之一者，此事在欧人视之，最属可笑。据余所知，德国人之在外国考得博士而归者，必自向本国教育部述明所以投考外国博士之理由，而且非俟部中核准之后，不得使用博士头衔；即或核准之后，亦须于博士之上，冠以某国字样，如“法国博士”，“英国博士”之类，以免与本国博士相混。德人之重视本国名器为何如者！至于此项外国博士，如欲在本国做事者，则非经过德国文官考试不可；实与吾国留学人士，一得外国博士头衔，便成为本国大学之“当然教授”不同也。又德国学者如欲在大学担任教授，必须先向教育部提出一种讲演论文，以作毛遂自荐。此项论文，类皆对于某项学理具有特深研究。教育部审查此项论文，如认为合格，则准其担任大学教授。但讲演题目，必须永远限定教授最初向教育部所提出之“自荐论文”范围内，不得超越。因教育部只承认该教授对于该问题有特深研究；至于其他问题，则未敢轻于相许故也。譬如音乐系中，则最初提出“比较音乐学”论文者，只许永远讲“比较音乐学”；最初提出“乐器学”论文者，只许永远讲“乐器学”之类。只有“正教授”，不受此项限制；凡关于音乐上之各种问题，彼皆可以随意提出演讲。至于“副教授”及“讲师”，则未享有此项权利；而且不若“正教授”之有一定薪水；故当德国大学“副教授”及“讲师”者，生活至为清寒，除“卖文章为活”，或“讨有钱老婆”两法外，只能呈请“学术救济会”，每月津贴若干，以维持其清寒生活。德国大学中“正教授”数目至为有限；故此项“副教授”及“讲师”往往有终身不能脱离其“穷措大生活”者。但吾人却不宜因此误会，遂以为“副教授”及“讲师”之学问必不如“正教授”。盖现在西洋“学术分工”，已到极为精深之境，“副教授”所精者，不必为“正教授”之所长。故在德国大学考博士，照章须由该科“正教授”考试；但学生之从事特殊问题研究者，类多从“副教授”讲习。迨论文草就，若“副教授”既已签名，认为完善，则“正教授”亦只好随之签名认为完善，极少刁难驳斥之举。

吾国留学生之归国充当大学教授者，只须呈验文凭即可；一若“洋大人既已为我们考过，当然绝对可靠，不必再考”也者。至于先期提出讲演论文，请求教育部审查之举，更是闻所未闻。（西洋方面，亦有不须提出讲演论文，即可担任大学教授者，但只限于极为有名之学者而已。）本来，吾国教育部向来纯系官僚所组成，此外又无其他学术团体之辅助。试问：虽欲考试，究竟何人能够主持？至于德国则不然。主持教育行政之人，多系“学者”出身，而“国家学会”等等组织，又能网罗全国硕学宏儒，故遇事皆有可以咨询之处。换言之，有“投考”者，同时亦有“主考”者，而现在吾国方面，则只有“投考”者，无“主考”者。其结果当然不能不听一般“外国博士”横行无忌。近来国内虽有“大学研究院”之设，但所网罗之真正硕学宏儒，究有几人？国家不重视真正人才，只重视亲戚私党；社会不重视真实学术，只重视虚荣头衔，此所以吾国学术永远不能稍有起色也。就现在世界学术进步程度而论，吾国在最近四五十年内，殆难望与人并驾齐驱，故留学一举，在最近三四十年内，实属必要。倘政府及社会方面，不从速奖励真正学者，以提倡讲学之风；并网罗硕学宏儒，组织考试委员会，以检查归国留学生；则吾国学术，势将永远不能独立，势将永为白族之殖民地！而衰颓国运，亦难望其挽回！盖现在无论任何国家社会事业，皆以“学术为其基础”;“学术”不发达，则一切皆不能发达。须知，做官赚钱一事，令郎令嫒或贵亲尊友，虽优为之，而学术事业则非其所长，非专门人才不能为功！犹忆前年上海中国银行经理张嘉璈氏在柏林时，曾谒德国国家银行总理夏赫提氏询其理财之道，该氏答曰:“吾行若遇有问题发生，即向专家叩询。此项专家对于该项问题内容，盖无不如数家珍，洞悉毫末。于是吾人乃得筹划应付之道。贵国可惜缺乏此类专家，故一切皆无从说起。”

可怜一个四万万人口偌大的国家，充满了气焰不可一世之党徒博士，竟寻不出几个专家出来！近来吾国金融被外人操纵，而全国对之，竟束手无策！中国人才破产之现象，殆已昭然若揭，博士学士虽多，实与国家社会无益！

总而言之，余为主张留学之人，尤其主张留学者均须投考外国考试。（外国文官考试，或博士考试。）但吾国当局，必须对于一切得有外国头衔或未得外国头衔之归国留学生，组织一种专家委员会，加以严格检查，始准录用。而其根本问题，却在国家社会方面须极力提倡讲学之风；不以党见或私人关系，尽将全国学术机关握于一般不学无术者之手，庶几全国自爱之士，特出之才，不至望望然而去之。

二十年三月二日，寄自柏林。

以争立国与以让立国

王光祈

西洋系“以争立国”；其长处在因互相竞争，而一切事业皆趋进步；其短处则在人与人之间，造成许多仇隙，以至于不能共生共存。反之，中国系“以让立国”；其短处在遇事退缩，而个人能力，亦渐等于零；其长处则在中华民族能够共同生活数千年，为古代文明民族，开一例外。（按：古代文明民族，如埃及，巴比仑，希腊，罗马等等，皆早已灭亡。现在只有中国及犹太两族，巍然尚存。但犹太民族现只有一千六百万左右，而且散居世界各国，非若中华民族具有人口四万万，而且同居一个领域之伟大有力也。）

我们试翻西洋历史一看，所谓宗教战争，阶级战争等等，几乎无时无之。此项战争，皆系人民与人民之间，因信仰或身分相异而起之内争；与中国内争所谓刘项之争，军阀之争，只为少数野心家所利用者，迥然不同。西洋人向来是，自己信仰什么，便不准他人再有其他信仰。而且只以自己所信者为真理为公理；倘若他人不愿附和，则彼等务必设法威迫其异己，虽采最后手段，以至于彼此同归于尽而不辞。古代罗马人常有言曰：“公理所在，必须力争；即使世界因而陆沉，亦在所不惜！”（Pereattmundus，fiat ustitia！对不住，拉丁文只有三个字，却被我译成二十一个汉字；但非如此，其意义不能明了。）最足以表示西洋人此种“固执己见”的精神；与中国人所谓毋固毋执毋必毋我的传统思想，恰成一个反比例。惟公理之本身，虽为绝对的，一定的，永远不变的，但因个人环境及知识之不同，其所认识之公理程度，却往往彼此不尽相同。譬如欧战时，协约国有协约国的公理，同盟国亦有同盟国的公理。又如德国内政方面，左党反对帝制，固有其所谓公理；右党拥护皇室，亦有其所谓公理。（数年前德国右党方面学者，如哲学家倭铿之类，曾共同发表宣言，直斥德国一九一八年之革命，为一种犯罪行为云云。现在德国右党，尚沿用帝国时代的国旗，每遇节日，辄悬诸门首，毫不畏惧。试问吾国今日尚有人敢悬大清帝国龙旗者否？即此一例，亦可以看出德人之顽固程度，远胜于我。）倘若为争自己所谓公理起见，竟不惜坐视世界陆沉，其对于人类前途，当然危险万分。现在西洋方面，人民与人民之间，因宗教阶级种种隔阂之故，彼此已成深仇，各有乘机消灭异己之志。其所以现刻尚能苟安一时，未至互相残杀者，只因各国“中央权力”未尝解体，足以镇压而已。

吾人一入德国国境，但见旧教教堂与新教教堂，往往邻立一处，彼此各不干涉。至于车上同坐之人，则又往往甲持共产主义报纸，乙持国家主义报纸，各自诵读，两不相问。吾人初见，往往以为德人何其如此彬彬然有礼也！而不知此项个人自由，乃系数百年来，牺牲无量鲜血所求得者，千辛万苦求得之后，复由政府用“无上威力”加以保护，始有今日。譬如号称“解除武装”之德国却具有武装军警二十五万，以其器械训练之精，交通运输之便（交通愈便则军队调用愈灵），至少可以抵当中国军队一百万。（假如说的客气一点。）以一百万军队，维持疆域人口仅及吾国四川一省之地方秩序，当然绰有余裕。至于法国方面，则更有正式陆军七十万，维持国内秩序，当然更可以高枕无忧。假定欧洲各国“中央权力”一旦解体，则邻居杀邻居之现象，必将立即发生，其祸实不可思议。

诚然，西洋各国亦常有革命之举。但其性质，多为“中央权力之转移”，而非“中央权力之解体”。从“帝国政府”到“共和政府”，只如一个商业公司，更换董事；“主权”虽已移转，而“业务”却仍照常进行。其所以能如此者，全在“革命党人能先在社会上寻觅地盘，实力未充以前，从不轻于一试”而已。因此余尝谓：“革命家的最高道德”，是“如自知力量尚未达到足以担任国事之时，千万不要轻于一试”！

反之，中国人的传统思想，在政治方面，则向为“群而不党”；（“群”与“党”之区别，只在前者系以“事之是非”为标准；见善则从，毫无成见。后者保以“党之主张”为基础，排斥异己，坚执成见。时至今日，岂有人敢再主张“不结团体，不定方针”，而足以处置国家大事者？不过排斥异己一点，却始终应该痛改。）在宗教方面，则为“三教同源”。（秀才的母亲死了，可以同时延请僧道到家，念经超度。）

有心“排斥异己”之人，以为异己既除之后，便可为所欲为；而不知，他人愈受排斥，亦复愈自团结。譬如德国，从前因宗教关系，尝大行排斥犹太人。凡系犹太人，每到街上之时，必须戴一尖顶帽子，以别于其他德国居民。而且只准从事医生，律师，商务，各种下等职业——当时见解如此——于是犹太人为自卫计，乃不得不自相团结。并在医生，律师，商务各方面，养成举世无敌之人才。现在一般德国右党，痛恨犹太人；但国内许多学术经济事业，皆握于犹太人手中，却无法抵制。反之，犹太人初到中国之时，（见陈垣氏所刊：犹太教徒初入中国，颂扬帝德之碑文。）中国皇帝乃下圣谕，其大意略谓：尔等犹太人来此甚善。朕将赐尔等良田若干，以便自耕而食。并赐居中国良民区域之内，以便同沐中华文化云云。当时犹太人尝立碑纪之，表示感激不已之意。彼等既不畏惧华人排斥，因而团结自卫之力，亦遂远逊在欧之犹太人。其结果，现在欧洲有所谓“犹太人问题”，而中国则无之。

西洋人“以争立国”之思想，当然不只应用于国内，同时亦复施之于国外。彼等对于与己争强之异国，势必诛之而后快。当西历纪元前第三世纪，罗马共和时代，其时罗马唯一敌国，乃是非洲北岸之卡尔他果（Carthago）海国。当时罗马执政官（等于现代总统）名为喀笃（Cato）者，每于议院出席之际，不管是日讨论何种议案，而彼之最后一语，总是："此外，据余之意，吾人对于卡尔他果，非加以毁灭不可。"（Ceterum censeo Carthaginemesse delendam）可谓念念不忘，其后卡尔他果终为罗马所灭。而喀笃亦得了一个绰号曰：Cato Censorius。换言之，即"据余之意"的喀笃是也。倘若现在南京政府主席，每于中常会议之终，辄结以一语曰："此外，据余之意，吾人对于东京，非加以毁灭不可。"则闻者势将大吓而走。但此种言动，在西人耳中，却不以为怪。现在西洋各国政府，对于彼之敌国，盖无不存此"毁灭"心理，不过不似从前之公开宣言而已。而吾国此种敌忾之心，则向来远逊于西人。

西洋人因为善"恨"之故，是以西洋古代文明各族，大抵因"恨"而"争"，因"争"而"亡"。手灭卡尔他果海国之古代罗马民族，现在自己亦早已成为历史上之名词。

要之，“以争立国”与“以让立国”，各有其利弊。吾人须用“历史的眼光”，从“人类的立场”，以观察之。然后决定：何者当争？何者当让？万不可迷信西洋进化，全在于“争”。至少，中国现在一般鸡虫得失之争，少数人割城据地之争，少数人私利之争，确与进化无关。

二十年五月二十七日，自柏林寄。

比国之部

在比利时住了七个月

寄　寒

留比因缘　我动身的时候，本想在法国巴黎听讲的，后来抵法，看到了巴黎的繁华与生活的昂贵，不胜踌躇；因为一方面舍不得离开这样完备的最高学府，他方面，经济的支绌又使我不能在此久居。后来多方打听，听说比国的生活较贱，最高学府亦有三四，其中功课完备，最有精神的当推鲁文的公教大学。我不是教徒，但六年来所受的教育确完全得诸教会学校，只要学术精神，尽有可取的地方，于我的信仰上是没什么妨碍的。而况鲁文学府，在全比首屈一指，国立学府反蹱乎其后，其所授课程学位，均经国家批准，与国立无异。还有一个特点，就是鲁文学府有五百年的历史，是欧洲最老的学府，欧洲的学风是很古朴的，要浸润西方古朴的学风，也就应赴鲁听讲。于是我就决定变计，在巴黎游息了足有一个星期多，就转道至鲁了。（鲁即比国鲁文之短称。）

学府环境　西方学府，有设在繁华的都市中者，四方学子，万流并容，而讲师教授亦多世界的名宿，但其短处则在繁华的都市每易诱动学子到不规则生活之一途，以致一部《留西外史》也写不尽许多留学生的堕落。亦有设在穷乡僻壤者，则校之所在，自成市区，学子生活，一举一动，多与学府有关，居民对于学府亦有密切之感情，于是学府的精神就激荡而成异样的光彩。第一个例子就是巴黎大学，而第二个例子要算是鲁文大学了。鲁文是一个城区，靠近比京布鲁塞尔，火车半小时可达，与上海到吴淞相若，居民只有五万，而学子则有五千，占居民十分之一。城区范围恐还不及上海南市城厢之大，较大的建筑物，林立各处，除了教堂以外，可算是学府所有了。

衣食住　学府除自己备有少数宿舍外，学生大半寄居民家。比国人口稠密，为世界冠，地狭人稠，所以居民住宅，地盘甚为经济，大都前后两上两下二三层的小洋房，后面还有一个长方形的小花园。因为居民都是小家庭，所以十之七八有余屋出租，鲁文是静僻的城区，所以租屋的主顾，大半是学生，而屋主拣择主顾，亦有非学生不欢之慨，因为学生的生活最简单最纯洁，与人同居是一点没有妨碍的。所以居民有余屋出租，必通知大学秘书处，学生就可到秘书处询问租屋的住址。学生的“住”的问题就这样解决了。

鲁文全市有许多学生饭店和专门招待学生饭食的民家。饭店大的可容一二百人，民家包饭亦可容二三十人，学生也有住于民家而食于民家的，但大都住食是分开的。学生早餐则在居停寓中，午饭晚餐则在包饭之民家，已成为此地的惯例。四五千学生食住的安插，无形中有条不紊，也一些不觉得拥挤。学生午饭后每多在咖啡馆中闲坐休息，下流者则玩纸牌，上流者则打弹子，但用功者多过门不入，鲜有光顾。全城咖啡馆数不可胜计，有许多下流咖啡馆，学校贴有禁条，不准学生混入。间有小咖啡馆僻处行人不注目之地，内容陈设幽雅僻静，专供学生闲坐读报或进点心饮料者。学生的“食”的问题就这样解决了。

鲁文全城有许多裁缝铺和衣料店，光顾的学生占其多数，其他如专售衣服零饰等物者亦所在皆是，这是学生的“衣”的问题之解决。

娱乐　鲁文全城有影戏院六家，内有三家供中等居民与学生的游览，余三家则多工人之足迹，尚有正在建筑中的大剧场一所。城之近郊有体育场二，足球场，网球场，自由车竞赛场，应有尽有；尚有游泳池一所，规模一似上海虹口天通庵之游泳池，星期六日可以男女同泳。至于大规模之跳舞场则未之见，亦有小跳舞场数家及咖啡馆附设舞场者，大多数学校均贴有禁条。除此以外，环城有林木成荫的大道，近郊林场，亦所在皆是。春夏间，绿荫道上，落花满地红；近郊林场，则疏林枫影，又是一景，可供学生散步游息，亦有手不释卷，且行且读者。学生之游息场所大概如是。

图书馆　学府各科各院的试验室，藏书室，标本室，工场等，是不可胜计的。除此以外，尚有一大图书馆，正在建筑完成中，一部分已开放，将来全部开放，可容读者千人，其规模较东方图书馆至少大四倍，藏古籍至富，大战时被德人所毁，此乃重建者。鲁文图书馆之伟大，也是学府最大的特点。

生活概况　欧洲生活程度，英国最贵，次若瑞士，荷兰，德国等，再次则为法比。近来法国生活，亦日趋昂贵，巴黎学生普通费用，每月须千二百方（合华币约八十元），决非穷措大所堪维持；比国生活较贱，其大原因为比币汇价便宜，华币一元可换比法郎十六有零，较法币便宜三分之一强，而其生活程度亦较法国为低。鲁文为僻静之大学区域，消耗之机会更少。吾人在此寄住民家，租书房卧室各一，平均每月租金约一百五十方左右（合华币约十元），有服役费在内者，亦有另计者。服役之责，大都女主人自任，自铺床，折衣，擦皮鞋，以至洒扫，供应茶水等，皆女主人亲自为之，不必有所吩咐，其周到体贴，国内从未之见。早餐每次约二方五十生丁左右（约合华币一角四分），牛乳咖啡，尽量取饮，食有奶油面包三四份，间有炒蛋一方或火腿一片者。午餐晚餐包于学生饭店或民家，每月自三百方至四百方不等，午餐有一汤一菜一水果或布丁，汤多蔬制，菜以肉为主要品，如牛排，猪排，肉丸，腊肠等，和以生菜或菜酱菜花等蔬菜之类。星期五有鱼类，听自选择。粮食除面包外以番薯为主要品。水果有橘子，生梨等。布丁种类最多。晚餐甚简，可就牛排，猪排，火腿，油炒蛋，火腿炒蛋，冷烂鱼等拣一种，除面包外，以油煎番薯条为主要食品，此物和以食盐，味甚香纯可口，星期日午餐多咖啡一杯，其情形大概如是。洗衣费颇贵，大约每月须费十五方至二十方。理发视考究与否，价至不一，剪发每次三方，刮胡（此间无修面）每次二方，烫发，润油等另计。通常只须剪发费三方已够，刮胡等可自为之。洗浴有公共浴室，每次纳费三方。每月生活费统计连零用约七百方已足，约合华币四十余元而已。每年连学费买书等平均约六百五十元。

我的生活　我初来鲁文，第一件事是办入学手续，第二件事是找寻住宿。幸在环城林道之附近，一小家庭中租得卧房书室各一，屋虽小，陈设殊幽雅简洁；书室中有书桌，安乐椅，小圆台各一，靠背椅三，书厨一，已容有我自置重要书籍满架，约二百余册，都是欧西法政学的名著。室中并有小火炉一，冬天每日烤火诵读，每月费煤约二十方左右；壁炉之架上，有长镜一，架上置花瓶等小东西二三件；墙壁糊以五彩之花纸，甚美丽；地为花砖砌成，上铺地毯一大方。书室之布置大概如是。

卧室中有柚木床，衣橱，洗面台等各一，几椅三件，小方台面巾架各一，陈设殊完备。卧室中有长窗二，对窗则田野在望，树荫参差，教堂尖顶忽隐忽现，如此点缀，亦殊悦目。我每日晨起早餐后即往校听讲，下午则散步二小时，诵读名著三小时，间或写作二三小时。星期六上午则洗浴理发，下午写信，晚间或往观电影，或访友闲谈。星期日每作郊外游，日常生活，无形中已成为规律。我不喜在咖啡馆中消耗光阴，间或往进点心等，亦非常事。每日至少购报纸二份，报铺最大者在城中，玻璃窗中报纸琳琅满目，有重要新闻或评论，则以红线铅笔圈出，藉以引起行人注意。比国报纸不足观，故我所购者均为法国报纸，每日必购《巴黎晨报》一份，有时购《时报》,《人道报》,《小巴黎人报》等。我每日阅报时间，至少亦须费半小时，遇有可贵之文字材料则必剪存之，因为阅报也是读书的一种旁助。每星期四及星期日国内由西伯利亚转来的邮件可以递到，故每值星期四或星期日我起身最早，晨八时即得捧读国内亲友信札与国内报纸。我已有《时事新报》《民国日报》《国闻周报》等，我最喜读《时事新报》，以其编制程度，渐可与欧报相伯仲，其评论尤为道地，畏垒沧波的论文，我每高声朗读，颇饶兴趣。我的日常生活，大抵如此。生活安定，有生以来未尝有。惟远离故乡，依旧无“此间乐不思蜀”之慨。故乡虽在烽火连天中，其可爱也如故，思乡病（Home Sick）是没法医治的，晚间睡眠中做梦回家，也不知有多少次了。我来此仅七个月，身体非常康健，体重较国内至少增加十分之二，国内做的衣，都嫌狭小，只得重置，所费甚多。但是有一件小毛病，就是每月须发肚痛两三次，痛时，肚肠几乎绞断，有时倒在床上，痛极而号，连呼“亲娘”，屋主见状必设法多方服侍，周到体贴，私心很为宽慰。大约致痛的原因是饮冷水太多，吾人在国内不惯饮冷水；其次比国的气候变幻莫定，忽雨忽晴，忽冷忽温，在这百花怒放的五月中还是寒气逼人，大有烤火之必要。

观察一斑　比利时适夹在德法两大国之间，德意志的日耳曼文化和法兰西的拉丁文化是迥然不同的。在两大文化激荡之下而生存的比国，从一八三〇年脱离荷兰，正式独立以来，还不及百年，而其文物制度，处处表现出日耳曼和拉丁文化融会结晶的精神：在政制方面，处处都有英格鲁萨克森郑重沉着“士君子”（gentlemant）的风度；在社会方面，扶老携幼，救孤济独，以及劳资合作事业，比任何国家来得发达，七百五十万人民中，有七十五万人民得到职业上家庭津贴的，所以一般人民的生活，都可以说站在水平线上。因为政治清明，社会有序，人民也抱有知足安闲和善的性格；因为生存在两大国间，还是一致鼓勇生存，所以人民的勤朴，也是难能可贵的。比人分芬兰梦与华龙两族，语言性格，迥然不同；芬族所操的语言近荷德语，华族则操法语，至今宪法上还载有语言自由的专条，就是这个原因。芬族性情冷僻而诚挚，大类日耳曼风度；华族性情热烈而浮嚣，颇似法兰西人之性格。而芬族之刻苦勤俭，多过于华族，华族之风采令色则胜于芬族。在法制方面几乎完全承受拿破仑法典的势力所支配，但在实际政治方面又处处表显出英格鲁萨克森之民治精神。比人痛恨英人之专横，独酷爱英之政制，弃其短而取其长，这是比国政治的特色。在人民的信仰方面，比人大都是天主教徒，旧教的风尚影响到社会的生活是很深刻的。鲁文既是公教学府的区域，当然宗教的臭味，特别浓厚。欧洲人宗教和道德是看做一件事的，所以调查吾们没有教籍民族，没有深刻的宗教信仰的支那人，加以十分的惊讶。

鲁文居民五万中多数是中等阶级，他们的生活大半都很严肃而有序。在家庭生活，夫妇间相敬如宾，子女有规则的亲爱，到处都可以发现。男主人出外办公，主妇必送至门外，子女上学堂念书必和父母做甜蜜的接吻，接着母亲慈祥的说："乖些，我的心肝！"于是子女才跳跃而上学堂去。主人归来了，铃声是有记号的，时刻是几乎一定的，主妇笑容可掬地问主人饥饱冷暖，为主人宽衣，殷勤服侍，从不怠懈的。子女归家了，如果今天在学堂里功课做得不好或受教师责罚，就立刻拒绝接吻，儿童不得和父母接吻是一件很严重的责罚啊！到了星期日晨间，全家老小同赴教堂，上午十一时许归家，主人则安闲地吸雪茄或烟斗，主妇则忙着烹饪，星期日的午餐最迟，约在一二时左右。餐罢如果天气清朗，则夫妇子女，同出到郊外散步，或进咖啡馆稍坐，或去观电影。鲁文居民游散相聚的地点，因为天气节期的关系，可以预料定的。平时主妇主持家政，勤俭异常，从上午十时到下午二三时。送面包的马车来了，送报的狗车（此地有大狗拉的车）来了，送牛乳的车来了，送啤酒的重车也来了，主妇的应付是很忙的。星期一三五有露天市场，鱼市，肉市，菜市，花市，禽畜市，杂物市，都分设在城中各处旷场。星期五的市场最热闹，主妇们都携着皮袋或藤筐，向市场去搜觅日用物品和粮食。小贩中多乡下的老婆婆和乡下姑娘，头上裹了白布，肩上披着荷包式的绒绳围巾（数年前上海颇流行），脚上穿的是笨大的木鞋或是软底布鞋，手挽着筐儿，兜售鸡蛋，其神气和卖鸡蛋的浦东妇人竟一般无二。杂货市中，也有指手划脚，叫卖货物，看众围着看热闹，其情景和上海邑庙的小贩也是相仿的。

欧俗三月间有嘉年华会，除了戴面具化装，整天在路上狂舞狂歌以外，还有结队游行，和中国的出会相仿。旷场则设露天游艺场。此外从四月中一直到七八月，每月城区各乡都有轮流的乡会，每次均到一星期，鲁文的女士，在清朗佳日，每于晚间往看热闹。其一种民俗共乐的风气和兴味，处处可以证明此地国泰民安的升平气象。吾自从到鲁文来从没有听见过有作奸犯科者，窃盗扒手是一件很希罕的事情，社会的太平，已经到了几乎道不拾遗，夜不闭户的地步，这种景象，实使我发生无穷的感触。

人说东方人的生活是精神的，西方人的生活是物质的，东方人尚虚伪讲礼貌，西方人持直无礼。但是我在这七个月中所发现的西方生活是精神的，西方人尤其是中等阶级，一言一动都有等节，谈吐应酬，彬彬有礼，其风度是久经磨练成的，治事的勤俭，刻苦，专心，死钻（俗语打碎沙锅问到底），其结果才造成灿烂的征服自然的科学文明，西方人的长幼有序，上下有体统，服从和团结，都是社会文物制度的基础。我敢说一句，征服自然的文明才是真正的精神文明，被自然所屈服的生活，才是卑鄙的野蛮物质生活，这是我七个月功夫留比观察所得的结论，将来一年两年或三年以后，再看这结论有否变更吧。

五月十八日稿于比国鲁文。

留学生中的流落生

寄　寒

“出洋”已经成了普遍的潮流，留学生在社会上已不啻自成一特殊阶级，洋翰林毁誉不一，留学生对于改造社会之功罪亦难断定；但数十年来出洋潮流已经几次变更了方向，从留日而到留美，再从留美而到留欧，就这空间的划分，可以看出留学史上时间的段落，此中关系，不必细说，但现今出洋的潮头确有向西走的趋势了。最近中央大学对于遣派留学的决议有两点是值得吾们注意：（一）此后遣派留学注重实用科学；（二）留学所在地则注重法比。第一点不必说，是应吾国目前的要求。第二点则不但指定了出洋应须向西走，还进一步确定了法比，而比国生活程度又较法国便宜三分之一，预料大仅松江一府的小比国，将受浩浩荡荡的中国留学生所“侵略”了。即就记者所在地而论，刚来时同学仅十余，仅半年即增至三十余人，今则已增至七八十人，在街上行走，常常有机会可遇见中国学生，而且在一家咖啡馆中，几乎完全被中国学生所占，在那里呼么喝六。（痛心！）留比同学在数量上的增加是着实可惊了，从光明的一面看来，留学生是知识阶级的曙光，是建设新中国的领袖；但从黑暗的一面看来，留学生每多贪吃懒做，将西洋的嫖赌吃全副本领学完了，回到中国做体面的高等流氓，此间好坏之分，只不过相隔一线。

本来记者所在地是静居读书，最好不过的地方，但若不知利用环境也可一样的堕落。据予观察，此间中国学生的学风，也几乎可与巴黎相伯仲，而且生活较低，更可以恣意行乐。吾国社会上的公评，有留欧学生在质量上不及留美之说，记者未尝涉足新大陆，故不知底细，但是大陆学风之坏，实在是无可讳言的。记者所在地这样静穆的地方，而终日沉迷于咖啡馆呼么喝六，嗜赌若命者几占同学全数之半，夫复何言！但吾以为与其在消极方面来诅咒堕落的留学生活，毋宁在积极方面提出几点来，请有志留学的青年和负责培植子弟的父兄都加以郑重的注意。

（一）时期　这个所谓时期不是拿年龄来定的，是从意志和能力两方面来说的。假若意志游移，能力不足，最好不必劳驾，即本人有此大志，父兄亦当绝对设法阻止，因为意志游移和能力不足是定做高等流氓的主要条件。据予所见，因此下场者，已不一而足，甚至流落异国，衣食不周，且有以诈骗求乞，度半流氓和准乞丐的生活。据予所见，如此下场者，已有两个人，一个代表年纪很轻的，一个代表年纪很大的，这两个留学生确已变成了流落生。据予详细考查，确是意志游移和能力不足的结果。所以留学的时期，一定要以意志和能力为客观的测断，在年龄上当然也有相当关系，最好是在国内大学毕业，确有深造的意志和能力的才合留学的条件，否则刚从中学毕业的，为郑重起见，做父兄的可绝对的阻止其出洋。

（二）基础　基础可分两点，一点是对于留学国之语言文字，一点是对于所择学科之基本知识。据予调查，留欧同学学风之腐败，基础不足是重要原因之一。负笈来欧者，对于留学国语言文字，大都没有根底，且有一字不识的，不若留美的都能来几句“洋泾浜”。因为国内学校对于外国语多重英文，而对于法文和德文，除了几个特殊学校（如震旦，同济之类）以外，都不加注意的。来欧的同学且多有一种成见，以为吾们懂了英文，再读法文是易如反掌的。殊不知开始补习，就立刻觉得生辣麻烦，因为补习一国语言，如小儿学话，是一件非常枯燥无味的事。大多数人都以为研究一国语言，能身涉其境，必收事半功倍之效，殊不知身入其境后，有耳若聋，有口若哑，明知有学者名师天天在那里设讲而无从享受，好容易乘长风破万里浪，远客异国，还要以一部分的金钱和时间来做学习语言的准备，结果反为事倍功半。而且半路出家，往后入学，将更感痛苦，因为大陆学制，讲学均用口授，不用书本，必须备有个人速记或札记的能力，然后可以凭教授讲述，益以名著，加以参考钩稽，切磋琢磨的功夫。一般同学受了不谙语言的痛苦，上焉者虽精神沮丧，尚知悬梁刺股，下焉者则不甘为语言的奴隶，于是流连潦倒，沉迷于咖啡馆，度呼么喝六的生涯了。不谙语言竟可为堕落的根源，岂是吾人初料所及？因此予以十二万分的诚意，希望有志来法比的青年，至少对于所在国语言具有听读写三种能力，否则为郑重起见，切勿轻易离国；次对于所择学科的基本知识也应当加以注意。譬如习工科者，必须于数理的基本知识有十分充厚的基础，习医科者对于自然科学有相当的根底，习法科者对于哲学历史以及社会科学的常识均有根底，然后来此入学则万无一失。华人聪明倍西人，西友都这样对吾说过，如果吾们对于留学国语言文字和学科的基本知识，都有充厚的基础，那么以吾人聪明的智力，加以切磋的功夫，不但在洋科举的角逐上处处可得胜利，即在学问上，吾人所得而经验的亦多较西方普通学生为高。因为在精神上，吾人的志气实较西方学生来得超越，吾人为学的责任也较彼辈负重，彼辈在社会上以教育普及，且生活程度高，几乎每个人都以毕业文凭为择业谋生的阶梯。所以吾人有了基础，则插足学府，奋发有为，处处感有无上的乐趣；没有基础，则垂头丧气，甘于堕落，毫厘之错，失诸千里，可不慎哉！

（三）经济　在民生问题尚未彻底解决之前，不论在东方或西方，能涉足大学学府，享弦歌不绝之乐者，也只有这班资产阶级的子弟，即西语所谓“布尔曰涯齐”（bourgeoisie）是也。而况吾们万里负笈涉足异国的学生，除了官费生以外，更非资产阶级莫办了。在中国当今教育破产，人不能学的时期，整千整万的有志青年莫不叹无学的痛苦，而有力留学外国者则反自甘暴弃，不事学问，惟知游荡，这种不平的现象，看了谁不痛心！但金钱势力方在作祟的时候，又属无可奈何。国内著名某大学某君读了记者上次所发表的记事，大为振奋，特驰书询予留比种种情形，有家中赤贫如洗，但志愿勤工俭学，准备做工五年，读书五年之说。吾读了非常惊讶，立刻答书，晓以利害，期期以为不可。古哲有言，天将降大任于斯人也，必先劳其筋骨，苦其心志，增益其所不能。时贤吴稚晖先生亦欲青年成为手脑双全的人才，但到西方来做工，是欲和物质文明社会中的平民阶级抢面包，简直是不可能的事。勤工俭学之说，肇于大战中，时以缺乏壮丁，不得不偏劳大批华工，战后各国自身常有失业问题发生，自顾不暇，焉能容纳异国工人？手无缚鸡之力的中国书生更说不上了。而况以血汗换来的工钱，只足以换面包而无从积蓄，否则东方学生能来西方实行工读主义，则西方工人亦能日事积蓄，个个以血汗为代价进而为资产阶级，劳资问题亦无从产生了！所以即能勤工，亦只得一饱，而况借勤工以俭学则更是梦想。勤工俭学主义在事实上早已失败，此间尚有当年实行勤工俭学主义的老将，大都留欧在十年以上，可以琐述苦况而不能高谈学问，能稍有成就者，好比沙里淘金，寥无几人。奉劝有志留学的青年，对于勤工俭学主张应坚决放弃，如果在经济上并不冒险，则在可能范围内，自当奉行俭学，以稍轻父兄的负担，则与勤工俭学一说又当别论了。友人某君为予国内同窗老友，家贫如洗，在国内求学，不但无资缴学费，且一日三餐亦时虞不继，有时竟以大饼和开水度饥，其苦况有如此者。去岁曾服务国民军中，职位已至少校以上，惟志在留学，故将一年积蓄所得，买舟放洋，居然负笈来欧了。讵料初抵马赛埠，未抵巴黎时，囊中已空无一物，幸同舟有慷慨者解囊济若干，始抵巴黎，即驰书向予呼吁。予与彼为患难之交，且事前曾劝其切勿操切，故来书中颇有悔意，但此时欲予在生活费中移出一部分以助彼，实属不可能的事。出门读书人，大都困难，不得已而移借少数款项，偶一为之尚可，若担任常期之救济，是强人所不能为而为之，未免难堪。现在某君流落巴黎，日向各方呼吁求助，苦况不堪形容，以其意志能力和知识而论，确为可以深造之材，而今为孔方所制，留学未成，而流落已久了。奉劝有志留学的青年，当以某君为殷鉴，切勿蹈此覆辙。为父兄者须再三考量，须子弟确有志气学力，而经济上确有充分准备以培植子弟者，然后可以允许子弟出国。箪食瓢饮本非常人所能，营养不足而欲望充分之学养亦一难事，而况游于天涯，潦倒不堪时更向谁诉苦？肚子荒和知识荒相斗，应付亦当有缓急之分。读者若有以“资本家”或没出息骂予者，予亦惟有承听无怒，盖此皆出自肺腑之言，骨鲠在喉，非吐不快者也。还有一事须望有志留学的青年和其父兄们加以注意的，就是此间的生活程度，继长增高，是流动的而非固定的。譬如归国的老同学所述的生活程度和现时就大不相同。记者上次在本刊上所述留比的生活程度与现时也已发现很大的差别，半年前和半年后生活程度已有百分二十之差，如去夏包饭每月金币三百法郎，今夏即涨至三百六十法郎，年前以一百五十法郎左右可租得书室卧室各一，今则以此数只能租得卧室一间，生活飞涨，其可惊类此。以上数端，皆为吾人在此老生常谈，拉杂写来，以告国内之为父兄及青年者。

十八年四月十二日，草于比国鲁城。

山中

寄寒

我自七月年考结束，即赶往山中，借避暑为名，潜心译作。同行有同学路君，在山麓的一座小村子里，寄寓于村人家，凡一月，举凡山林溪瀑，莫不畅游。

吾们所住的山村是在比利时亚顿（Les Ardennes）山脉的高部。诗白（Spa）以泉闻，英，德，荷三国人暑期多在此游历，称为“亚顿之明珠”（La Perel des Ardennes）；瓜镇（Coe）以瀑名，两地生活奇昂，不逊海边。（按：欧洲海边暑期生活甚贵，非吾辈穷读书人所能尝试。）而我人所住的山村，即在诗白到瓜镇的中段，村名磨坊（Molin），因离火车站甚远，虽有汽车道，依旧游迹甚稀。按比国铁道创办甚早，世界第一条铁道建于英之伯明翰，后十年而第二条铁道建于比利时（约一八三四年），时比犹在独立初创时期。（比于一八三〇年脱离荷兰而独立。）常以时物质文明之发达不逮今日远甚，而比利时渺小兮文明国，其建设之猛进可知！比国人口在世界上最密，而铁道网之密度亦称世界第一，凡大小城镇，百分之九十八均有车站接轨，而山洞孔道之多，亦难数计，火车如穿山之甲，交通如此便利，游历毫不吃力。去夏游瑞士日内瓦湖及意法瑞交界的阿尔柏山最高峰白峰，亦赖长途汽车及火车之利便，晨间从日内瓦出发，即可抵意法瑞交界之白峰，畅游半日，晚九时又安抵日内瓦，其往返之神速，岂能忘怀？吾国胜景甲天下，而荒山天险为盗贼土匪之巢窟，加以交通不便，人民吃饭不易，游历是不可能的。际此中俄风云紧急危殆之秋，吾人远涉重洋，负笈天涯，竟在太平社会里偷安一时，更有此游山玩水的雅兴，思之非常惭愧！话回头来，那磨坊村，游迹之所以稀落，实因村无火车站，正是比利时的穷山僻野了。村上有居户三十五家，人口百五十人，小学校有公立与教会两所，比国国民基本教育之普及于此可见一斑。（按：比国小学教育初四高四共八年，此八年为强迫义务教育。）公立小学教员

此为瓜瀑，记者暑季僻居山中，游息于斯者凡三四次。

此为寄寒暑期读书处，地名卢衣磨坊，记者寓一村人家，有叉者即为卧室，推窗一望，环绕皆山林，空气新鲜，极宜读书养身。

（兼校长）住宅由公家供给，住宅建筑之优美，恐中国大学校长亦无福享受，吾与路君对之曾感叹再三，其住宅即在予等寓所旁。

十八年十月三日晚灯下。

小小村里

寄　寒

比国人口虽密，但自欧战以来，生育亦有趋减之势，加以女子多于男子，女子独身者亦不少。（按：英国女多于男，而女子独身者甚多，但女子在职业界学术界均露头角，在大学中女学生之登台演讲者每占大学课余演讲三分之二；英国女子又富于刚强自治能力，莫怪最讲习惯的国家，而政治的革新反处处在人前，女子参政非但到了试验时期，连女议员女总长都没有什么稀罕，此点比法，意，荷，以及中欧诸国不逮远甚。）人谓农民之必繁，独身亦较少，殊不知在这小小磨坊村上，没有婚嫁的白发老男女已不下十人，我们的房东就是两位白发老姊妹，而邻近有一位跷脚的老老终身未娶，他的老妹妹，两腿麻木，亦未尝嫁过，村北有一位曾在壮年时跟随西班牙王室某公爵为随仆，游遍全欧，现充村上的老猎户，也至今没有娶亲，其余更是记不清楚了。吾与路君仔细讨论，终是想不出一个原因来，吾曾经亲自询问他们，他们也无理由可说。据我们的猜测，西洋的结婚，其唯一机会为亲友之社交，青年男女之相识，得父母之指导，友谊到了相当程度，即可谈到婚姻；至若深谷山人，幽居简出，全村人口既少，男女接触之机会亦少，因此无形中误了终身，亦未可知。不料两星期后来了两位小姐，都从大城市里来驻村避暑的，一位是银行职员，一位是小学教员，年皆近三十而未嫁。在比女子若年近三十而未嫁，早视为老小姐，这两位既是大城市的妇女，又是知识阶级中人，社交的机会必多，乃亦未得出嫁，如此看来，吾们上面所拟的理由亦难成立。但须声明一下，原来这两位小姐的相貌虽不丑，亦不美。西洋社交公开，男女格外势利，男子择妻，第一要对方有资产，第二要对方貌美；妻财妻貌，谁不想娶一个有钱的漂亮小姐做老婆？于是家境不裕加以面貌不十分漂亮者往往变成社交择偶的落伍者。在男子的方面也是如此。这样看来，西洋虽实行了自由恋爱，婚姻问题至多

比国亚顿山间风景之一。

解决了一半，离开“内无怨女，外无旷夫”的理想还远！

吾们在山中一个月，勾留虽暂而生活至有秩序。山中不宜耕种，惟植林与畜牧甚盛。村人家家有哺乳牛，以其每日哺乳，利息甚厚，一家五口，有牛四五头，即可安逸过活了。至于山之上下，除了松柏成林外，遍地皆是绿茵为放牧之场。西欧大陆诸国大地主很少，故若美洲大规模之牧场，此地是绝无仅有的。村人养牛以外还养鸡，往往百余成群。因此，我们有新鲜多量的牛乳可喝，鸡蛋鸡腿更是家常便饭了。吾译书疲乏之余，每到寓后园里（即在山岗上）采几串樱桃，摘几只苹果生梨之类，随时可以解渴，或向房东索取山泉汽水，处处都不是在城市中所得享的福利。至推窗一望，山林环绕，更是赏心悦目了。吾们在星期日往往邀村上避暑的男女游客同游山林，平常暇时则步行村之左近山径，全村居民皆甚熟识，脱帽道安，简直忙个不了。有时晚上在山人家与男女老小杂坐玩纸牌，掷骰子，吾带有中国茶叶，就便煮水泡茶，村人得尝中国茶也是生平第一次。山村女子也很温雅可亲，与我们谈得兴采奋发，则不期然而然的唱一曲歌儿，弹一回披亚娜，或是向我们问问中国长中国短。在村一月，离村时依恋不忍遽去，与村人作别，足费光阴一天。临别一夜，在一山人家，男女老幼皆一一轮流为我们唱歌曲赋别辞。中有一曲是爱国的哀歌，里面纪念一比利时田囊地方八岁的幼女，在欧战时，上学归家，途遇法兵俘虏随德兵之驱策前行，一法兵饿极几倒，那小女孩见了不忍，立刻在书包里拿出吃剩的面包赠给那饿兵，德兵见了，立刻一枪送了那小女儿的性命。有心人编为此曲，悲哀动人，听之欲泣。

海　滨

蜀　槐

欧美人有一种最普遍的习惯，凡中产以上人士，每年暑假都要到外面去度暑借资休息，最时髦的去处是海滨，所以在学校里将放暑假时，同学彼此询问假期中行踪，如有人回答 A la mer（到海滨去）三个字的话，都好像要特别说得响亮似的。比国海岸线全长不过二百余里，几全辟为海滨浴场，大小城镇有二三十处，每至暑期，外国人来比过夏的很多，其中尤以法，英，德，荷四国人为最，比国人反而少些，这是因为比国生活程度及钱币单位较为低下的缘故，然而这区区二百里的沙滩却供给比政府以一大笔入款。

今年八月，记者和友人朱君打算在海边上找个便宜一点的小去处住一月，后承房东老太太介绍到 Ostende

她的一个相识处去住，房租及伙食都特别便宜。该处本系比国最大而且最贵的海滨度暑地，我和朱君最初不敢去，因我们并非阔少，就这一月的用费，一部分还是平日节省下来的呢。后因房租伙食便宜，我又和朱君相约，除到海水浴场外，每礼拜只看一次电影，打一两次弹子，旁的玩意儿一概不来，那自然不会多花钱了，于是才决定去。

由岗城到 Ostende，火车一小时即达。去的那天，我们同车厢的是一位女士和她同行的几个孩子，（比国三等车亦分厢，每厢容八人，两排对坐。）问谈之下，她们也是到海滨去的，每个孩子，背上背一个背囊，一手握铲，一手提小铅桶，活泼泼地闹个不休。他们背囊里是盛的夹肉面包，水壶，浴衣等物，铲和小桶是预备在沙滩上用沙造各种建筑物用的，这两件东西差不多是到海滨的小朋友们所必携的伴侣。他们这种办法是住在离海滨不远的人所常采用的，有的人因经济或职业关系，不能在海滨作较久的勾留，于是在有空闲的日子带着一家人于早餐后往海滨去，洗洗海水澡，在沙滩上躺躺，到了午饭时，便把携带的食品饮料取出，就在沙滩上大嚼起来，吃饱了又玩，一直到了日落西山才坐着火车回去。这种自带饮食不进餐馆的经济办法，在比国是很普通的现象。

初到 Ostende 的几天，颇觉无聊，因我们只有二人，除了洗海水浴而外，就只有在沙滩上谈谈天，望见旁的浴客男男女女许多人在一起抛球或作旁的游戏，便愈衬出自己之寂寞；几天后才渐渐和每天见面的人有些招呼询问。我们最初结识了一位法国人 N 女士，由她的介绍而认识她的母亲 D 夫人。N 女士才十七岁，还在读中学，非常活泼，才认识那天下午，她就要我说中国特有的风俗习惯给她听，听起劲了，一定要我继续讲下去，旁听一位老头子，头点几点，微笑地望着我们，喟然道："青年人的好奇心真重！"因 N 女士关系又认得一位荷兰的 M 女士及其母亲，哥哥，另外还认得两个法国中学生，一个英国人和几个男士女士。这样一来，生活便不干燥了，每天午后一点过，我们这一群便先先后后在沙滩上会齐，浴衣一换，便下水去，或游泳，或作水球戏，一会上来躺着晒太阳，或聚在一起谈天说笑，或作夺球之戏，在细软的沙褥上滚来滚去，一会又下水去，整个的午后，便这样过去了，一直要到太阳快走下水平线去时，才握手道晚安而别。

M女士曾在爪哇住过七年，我们最初会见时，她不大和我们交谈，我心里非常生气，我以她在爪哇住久了，因此瞧不起中国人，所以对我们摆出那副臭架子来，于是我也就不理她。谁知几天之后渐渐玩熟了时，才觉得我误会了。她性情真好，柔和中又带几分男子的刚强脾味，她往往拉着我们几个男的去和她在沙滩上赤脚赛跑，结果她虽从不曾在过最前，然而也很少在最后。有一次在谈天时，她说她以后要嫁个喜欢养马的男子，我问她为什么，她说因为她爱骑马，我笑答道："那么你赶快到美洲去吧，去找一位Ranch老板的少爷，他家里的Cowboys都有好几个，这样一来，你这一生就不会缺马骑了。"她说我是中了美国影片的毒！这两位女士的性情都很好，为什么第一次给人的印象差得很利害？后来我仔细一想才恍然大悟，法国人那种"一见如故"的性情是世界闻名的，这是拉丁民族的特性，至于荷兰人，是属日耳曼种，他们的特性是沉毅二字；一个民族的民性，不图于此种小地方表现得如此分明，可见到处都是学问，只在自己留心与否而已。

我觉得中国的女子，不自由的太不自由了，自由了的又太过于自由了，又加以男女双方都有的一种可耻的心理——以异性朋友来傲视同侪和以对方为某种对象物的下流心理——于是造成了今日的畸形社交。在中国一般青年心目中，以为西方的女子就一定怎样怎样的自由。是的，她们很自由，如我前面所述，一位年青姑娘可以自由地和一个素昧平生的异国人结识，而且堂堂皇皇地坦坦白白地就介绍给她的母亲和她的朋友，这样的自由，在中国女界中能够享受的，恐怕不很多。但她们的自由不是漫无限制的，而是相对的，有条件的，有时在中国所谓的新式女性看来还甚至是压迫的。她们在未满廿岁以前，母亲的管束非常有力，她们可以自由地轧异性朋友，但不得母亲的许可是不能单独和男子出去的（已订婚的未婚夫当然例外）。普通女儿出去看电影，听歌剧，或进跳舞场，至少是有母亲跟在一起的，男的尽可以请自己的女友去听戏，但同时必须请她的妈妈；也可以随便约女友在跳舞场相会，但必须预备三个人的消费；还可以自由地和女友挤在一起说情话，她母亲于是既痴且聋地做出阿家翁（该说阿家婆）的神气，但如你要想来一点情话以上的举动，她老人家却又毫不放松了。记得有一次我们正在沙滩上玩时，D 夫人因事要到旁地方去一下，她叫着我们说道："我把我女儿托给你们照顾一会，我不久就回来，你们知道，沙滩人多且杂，你们陪着她玩，免得她去和旁的不三不四的少年们来往。"接着回过头去望着她的女儿："N，当心，我现在替你找着了两名卫队，听话些！"说得大家都笑了，可见她们在年青时代处处都是有相当管束的，也可以说是相当的保护。至于为什么这位太太专于找着两个外国人来给她令爱作"卫队"呢，其中也有一点理由。中国的青年比较沉静些，不如西方青年那般飞扬浮躁，兼以我们黄面皮人处在白人的社会里，处处引人注目，如果闹出一件笑话，别人便会以为中国人都是这样，所以我们的语言举动都非常检点，还有几分像是受过良好教育的上流青年，因此得 D 夫人信任而委以"卫队"的重职。

我并不是盲目地崇拜西方的男女交际而认为理想中的交际，（我前面所述的也仅仅是他们交际界中的一部分，另一部分是"留 × 外史"的作家们的好材料，不是我想说的。）不过男女晤谈时不至即刻向对方作种种虚拟而认为某种对象，这一点他们的确是办到了的；我也不是主张父母应严格地限制儿女的自由，不过我认为此种限制在某范围内是有益无害的，而且有时是必需的。要改良中国现在这种畸形社交，应先从这两点入手：养成男女间的正大态度和坦白心理，限制漫无节制的社交自由。

还有一点也是西方交际界的特色，就是男的用不着花许多钱，有时甚至可以不用一个钱；自然，如要到欧洲大城市的时髦交际场中去混，当然要花许多钱，不过那几乎带有“嫖”的意味，够不上叫作交际了。我们在海滨和这两位姑娘认识了一月，每天都有半日的会晤，我从不曾在她们身上花过半文钱，她们也不因此而笑我穷酸，我也不因此而怕失了她们的欢心，反而彼此玩得非常投机，事后还时常通信。

我每逢想到那位荷兰的M女士，想到她那魁伟结实的体格，富于韧性的肌肉，宽大而外张的胸部，挺然翘然的双乳，灵敏活泼的谈话和举动，因在南洋久住而微黑的皮肤，我每逢想到这一切，便觉得如能配上一个相当的男子，她便是一位产生人类优秀分子的母亲。这样的母亲，中国太缺少了，号称女界中知识最高的女大学生，还有不少穿小马甲的，能不仅仅注意面部美而注意人体美的又有几个？我并非有所苛责于中国这般未来的母亲，其实中国这般未来的父亲也应改良，不过缺点到底比较的少，而且小国民的发育，母亲关系较父亲为大呵。欧洲一般少女少妇，出街时穿戴得非常考究，尤以星期日为最，等到回家后把衣服一换，马上就可以提着笨重的水桶，拿着黑污的抹布或拖帚去擦地板，洗楼梯，拭玻璃窗等繁琐而倦人的工作。试问中国的“摩登”女性们怎样？在这种男女平权运动正在发展的时代，或会有人误会我在提倡贤妻良母主义——这是否值得提倡系另一问题——其实女权运动者也应当这样主张，因为真正的男女平等，决不是在男的和武二郎一般健壮，女的和林妹妹一般的社会里所能实现的，中国现在男的虽尚不如“二郎”，女的却不亚“妹妹”，（这自然就大多数而言。）所以我认为有来一个大规模的“改良女型运动”之必要，其迫切和重要并不亚于开国民会议及废除不平等条约。

要达到这目的，我以为设法转移男性的审美观是最好办法之一。在过去，在现在，事实告诉吾人，女的在修饰方面，大都以男子的爱好为转移。楚王如不好细腰，宫中就决不会多饿死；明皇如不喜欢小脚，杨贵妃就决不会忍着痛去步步生莲；现在的青年如不爱曲线美，女的大概也就不会穿一件将身体箍得紧紧虽说有碍筋肉活动然而可以使臀部挺然的小得可怜的旗袍。如果我们能设法把男性的审美观由专注意身体表面某一部分的美改为注重身心各部平均发展的美，那么对于新女型的造成一定有很大的帮助。记得在国内时，间或在电车上或旁的场所遇见一位十分“摩登”豆蔻年华的姑娘，最初我望着她的面庞时，我都似乎有点飘飘然了，等我想到当她裸体时那种脊骨弯弯，胸部平平，肋骨嶙嶙的情况，我于是又如老僧入定了。

D夫人和她的女儿比我们先离 Ostende 而回法国，临走的那天晚上，我和朱君到车站去送她们，代她们提行李，送她们上火车，D夫人说：“你们两位真好，现在法国一般青年对待妇女都少有像你们这样客气的。”略停一下她又喟然道：“是的，大战以前我当女儿的时代，男人们对于妇女的礼貌真是无微不至，自从大战以后就改变很多了。”言下大有欷歔之慨。欧洲大战的确使人类历史换了一页新的，就欧洲而论，不但政治及经济情形大大变动，甚至他们的风俗习惯也随之而转移。战前男女人口相差无几，要想结识异性朋友比较上要费一点神，因此养成对于妇女必恭且敬小心翼翼的风尚（这固然一部分是中古时代骑士的遗风）。自欧战以后，男子阵亡颇多，女子人口遂超过男子，尤以比，法，德为最，男子要想轧女朋友，真是予取予求，于是从前那种风气就渐渐改变了。此间电车上，除对于老妇外，普通都不作兴让座。

为要符合我们的预算案起见，于是实行我们的“紧缩政策”——每星期只看一次电影，打一两次弹子，旁的玩意儿一概不来的政策——上午在家里看看书，写写信，或者在堤岸上和沙滩上走走；午后则几乎全在沙滩上过活；晚上呢，尤其是夏天的晚上，家里是呆不住的，礼拜六和礼拜日夜餐后，常到有露天音乐的广场旁边的咖啡店阶上坐下，叫一杯饮料，静听场中音乐亭上的乐师们奏技；其他夜里，到堤上散步，然后买一份报，在堤边靠电灯柱子近的地方化几分钱租一把椅子坐下细细地看，报看完了，便抬起头来看如潮般往来的游客，和到堤岸那一头那所最阔气的跳舞厅去的舞侣们，男的一律穿着晚礼服，女的则穿着奇形怪样有时简直是不近情理的最新时装。依我观察的结果，少妇的服装大都尚近情合理，着时装的大都系三十到四十岁的徐娘们，这种心理，大概是因为驻颜无术，若再不到服装上去想点花头以求失之东隅收之桑榆，就会失掉男子的心吧！

这一月海滨生活的结果，体重长了三启罗（约六斤），皮肤上添了一层黑色素。

十九年十二月，于比国岗城市立医院。

春假比京一日记

蜀　槐

岗城大学有一位名勒卜南的教授，喜欢和此间中国人往来，他完全是一位温和忠厚的长者，所以中国人也非常尊敬他。他常常对我们说："你们如果要想认识比国是什么东西，决不是在电影院和跳舞场所能做到的。"每逢礼拜日，他往往约我们去参观各种博物馆和礼拜堂。[1]一年来本城的和文化有关系的去处如美术馆，古

[1] 此间礼拜堂就是一座小小的美术馆。除雕刻及建筑之外，不管大小，几乎每座礼拜堂都有不少的名画，自然都是些关于耶教故事的画，有的非常名贵，例如本城圣巴风大教堂，藏画颇多，世界头等大画家如 Rubens，Van Eyck，Rembrandt 等的作品应有尽有，其中一幅名《神秘的羔羊》（L'agneau mystique）的，系 Van Eyck 作品。它有一段有趣味的故事：此画最初本藏于此教堂，后该堂教士因其两端有亚当及夏娃之裸体像，觉与庄严之礼拜堂不相称，乃将其取下，后以四千法郎卖到法国，继又辗转落到德人手里，欧战前比政府欲购回此画，出价至四千万法郎之巨而交易犹不成，后来直至欧战和约签字时，比政府特别提出以归还此画为对德条件之一，才算原物归赵，由此也足见他们之重视此画了！勒卜南先生曾言岗城的财产大部分装在这教堂里，实非夸大之谈。

物馆，历史馆，生物馆……都跑遍了，还跑了不少的礼拜堂，和他一起去比自己去盲人骑瞎马地乱闯要好得多，因为他能择重要者向我们解释，令人脑海里多少能留下一些印象。犹忆来欧时，道出法京巴黎，久仰罗浮（Louvre）美术馆大名，同了几个朋友在里面脚不停留地跑了半天，虽然见了许多最名贵的画，然而除了数张曾在国内杂志上或他处见过的而外，其余的就没有在脑子里留下一丝痕迹，见过和没有见过一样。所以我觉得凡是参观博物馆这一类地方，除了自己对于该项东西有研究而外，最好和内行的人同去，否则虽觉琳琅满目，其如美不能收何？

今年春假中，勒卜南先生因在比京布鲁塞尔小住之便，约我去游览一天，同行约十人，于四月七日晨八时搭车往比京。数月未至郊外，忽见道旁草色青青，树枝上也点缀着许多绿色的嫩芽，和煦的日光照着正在田间播种的农夫，原来春已回到人间了。欧西节令较迟，三月室内犹须生火，闷处城内数月，每日所见者车马行人，所闻者嘈杂叫嚣之音，今忽睹旷阔疏远生机勃勃的绿野，又值晴和的天气，精神不觉为之一振，如能在这样的日子结伴数人作郊外旅行，实在是久居城市的人们恢复疲倦增加工作兴趣最好而又最经济的办法。

九时抵比京北站，先往钱币及勋章陈列馆，该馆馆长系勒卜南教授友人，亲出领导及解释，因时间关系，只看了钱币一部分，其收罗之丰富及布置之有秩序，都令人佩服，中国古币亦颇不少，古希腊罗马的金币也很多，其花纹之精美细致，较今日所铸者实有过无不及。这位馆长说他收藏了一张世界最古的钞票，是中国的，他特别取出来给我们看，原来是明朝洪武年间户部所发的价值一贯的“大明宝钞”，这钞票的图样，我在中学历史教科书上见过，万没有想到若干年后的现在却在比国见着原物。此票长约一尺，宽约六寸，纸张颇厚，上面印着：“凡伪造者处死刑，财产充公，告发者赏银若干及犯人财产全部”。因馆长不识中文，故由我们译成法文给他听，他非常首肯。此间钞票上也印着“法律处罚伪造者以苦役”的句子，正是此意。

继赴藏书馆，该馆有许多精美绝伦的手抄古本，欧洲在印刷术未发明以前，书籍皆用手抄，其中尤以教士精于此道。名贵作品，大都抄于美丽坚韧之羊皮纸上，其设色之富丽，装钉之精美，近代犹不易多见，惜大都系拉丁文，内容无从得知，只得把它当作美术品赏叹一会。

继赴图书馆古画部，适逢星期二照例停止参观，乃转至近代画部。勒卜南教授是一位天主教的虔诚信徒，颇有一点“古之人”的神气，近代画部里有许多和实际相差得很远的奇形怪状的画，（我对于美术是门外汉，不知是 ×× 主义？）他老先生便斥叱之声不绝于口。他问管理人有一张画买成几多钱，别人回答说是值若干万法郎，他便不住地叫：“天晓得！天晓得！”弄得大家都忍不住笑了。人类本来是演进的，所以新的一代和旧的一代不断地处于矛盾状态中，我们自以为我们的一代是最新的，其实若干年后我们的下一代又要笑我们陈腐了。

出图书馆时，已十二时半，午餐后，在一咖啡馆稍憩，然后赴历史及艺术馆，第一部系化石及古代用具，表示人类进化之阶梯，由石器时代，铜器时代，以至铁器时代，吾人通常视为不值一文的零碎石片或破烂陶器，在此却分别整理，陈之玻璃橱中，并且从这些大大小小的碎石片和烂铁块上就可以搜求人类过去的文明。这些地方，愈使人觉得学问之无涯和到处都是学问。参观时，勒卜南先生向我们说了几句令人猛省而又值得记忆的话，他说："这许多东西，这样丰富的材料，都是在我们比国——小小的比国，抵不上你们一省的十分之一的比国——掘出来的，你们想想看，中国地下埋藏了几多研究人类文化的参考资料？所以近年来欧美的考古学家都要拼命向中国跑……你们都是学工程的，[1]将来你们回国做事，例如造铁路，凿山洞，建桥梁，设堤闸，如发现了这类东西时，应当马上电告从事此种工作的团体前来研究，不要乱动……"

在艺术部有许多中国瓷器，大部分系康熙窑，此间无论大小城市的博物馆，多多少少总有一点中国瓷，这是一般人都非常称道的。荷兰及比利时北部之花边本系世界有名的手工艺品，故艺术部特辟一室，专陈花边，有些细致纤巧，真不像是人工做的。

出历史艺术馆后，又赴军事陈列馆，其中所陈列者，

---

[1] 岗城大学中国学生约二十人，除一人读机械工程而外，余皆读土木工程。因工科，系比国特长，而土木工程又系此校特长故也。

大都系历代所用之武器，军人服饰之变迁，欧战纪念物品，以及名将遗像遗物等。看了欧洲武器之演进，真是十分惭愧，火药的制造源于中国，炮的应用在宋时就有了，然而自己不能改良，弄到现在还得去向别人学；在国内有些地方还算是最新式的武器，而在欧洲却已陈之博物馆中当古董看了！

在本文将完时，我打算附带介绍几句这位教授。外国的教授在社会上的地位是很高的，所以普通都是架子十足，大有拒人于千里之外的神气，而勒卜南先生却是一位有趣的老丈，非常和蔼可亲，有时我们到他家里去，便留着和他家里的人玩一阵纸牌或谈谈闲天才走。他是研究医学及生物学的，但对于历史及美术的知识亦颇丰富。他最令人羡慕的一点，是他已到了六十五龄的高寿，然而唱起歌来还是声如洪钟，还能下水游泳，而且能在水底蛰伏两分多钟，有时我们一起去参观什么博物馆，走了两三点钟，许多同伴见着椅子就想坐下去了，然而他老先生仍然不停地往前进。相形之下，真自觉我们的体格太差，我们大多数人的体格在中国一般青年中说起来，也要算是水平线以上的，其余在水平线以下的更不用比较了。“伟大的事业，寓于坚强的体魄”，这两句老生常谈，我们似乎听厌了，然而我们的体格还得加以严格的锻炼才行。

六月廿五日，于比利时岗城。

震动世界的科学试验

蜀　槐

大约一年以前的这个时候，比京晚报披露了一段动人听闻的消息：比京大学物理教授皮喀尔先生（Piccard）造了一种氢气球，预计可升至一万六千米达高度，他的目的是到空中去作几种关于物理学的试验。普通飞机最高纪录不过一万三千米达，在此高度，因空气稀薄之故，虽体格最强的人，即使不昏迷，然亦绝无作科学观察之能力，何况这还是一位年高力衰的教授。至于气象学上常用的“探测气球”[1]，固可高升至二万五千乃至三万米达，但皮喀尔所欲作试验之用具，其重量非此种小气球所能胜任，且其构造非常复杂，无自动之装置，必须有

[1] 此系一种不能载人之小气球，过一定时间后自行落下，可置试验具于其上以行探测。

人一起才行，所以才不得不想法新造一种气球，其形状与普通气球相似，只是上方盛氢气的球容积特大，有一万四千立方米达（普通只有二千二百），初升时，所盛氢气只能达全容量七分之一，渐上压力渐减，则氢气体积亦渐膨大，将球充满。又普通气球下方载人之篮，则易以一纯铝制成之圆球，人入其中后将门紧闭，完全与外边隔绝，盖以在此高度，空气压力太小，非使内外隔绝不可也。

这消息当时给了我几个很大的感想：第一，在一万六千米达高度，温度常为零下五十至六十度，空气密度只有地面十分之一，人类从来没有达到过的，危险性当然不小，但这位教授却预备亲自出马，这种为探求真理而牺牲的精神实在令人佩服。第二，他这种计划和进行已经经过很久的时间了，但社会上都不知道，直到气球已经造成了，试验的日期和地点已经大致决定了，才宣布出来。这种重实际的精神，也是很足引起我们的注意。第三，皮喀尔的一切试验用费，包括气球制造费在内，完全由比国政府的一个文化机关名国家科学研究基金会者供给。这位穷教授如无此种物质上的帮助，那他的试验也只好放下了，谁能估计这种损失是多么大呢？凡是一个国家要想文化发达，固然要赖各个分子的努力，但适当的环境亦为必具条件之一。中华民族并不是不配出几个牛顿，巴斯德，爱迪生，其实中国有不少的少年时代的牛顿，巴斯德，爱迪生，但皆“不幸短命死矣”，所以“今也则无”；他们“短命死”的原因，固然大部分是由于个人的“半途出家”，例如地质学者一跃而为督办，工科博士忽然做了省长，天文家一变而为外交家，再变而为教育家……然而中华民国的“气候”不适宜于他们的“健康”也是重要原因之一。

皮喀尔教授这种空前的科学试验的消息披露后，我第二天马上就把这件事报告《生活》，因一时的疏忽，稿子是用平信寄的，谁知此信给邮局遗失了，等到发觉时，时间已过去了三四月，当时又适逢皮喀尔先生第一次试验失败，再稿的念头遂于无形中停顿，谁知皮氏经过二三次的失败，再接再厉，竟于一年后的今日，大告成功！从科学上着眼，这试验的价值是无法估计的，所以我打算把他的经过及内容大概地向《生活》的读者报告。

这个气球是由皮喀尔规划后，在德国 Augsbourg 城一家工厂定制的，出发点就在那里。原来德国的器械制造是很有名的，现在欧洲各国有许多科学上的精密仪器都是德国出品。气球造好后，于去年八九月间举行第一次试验，但结果几乎弄成“虎头蛇尾”，气球根本就不往上去，至于原因究竟在那里，外间也不知道，因为皮喀尔始终不宣布。后来不久又照样失败一次，以后就渺无音信，报纸上也不谈起了，人们也以为皮喀尔的大炮吹不响了。谁知正是在这沉寂的时期中，他正在加倍努力，改良工具，置一切外界议论于不闻不问，经过一年之后，才大告成功。

五日二十七日清晨三时后，皮喀尔教授偕其助手启卜费（Kipfer）工程师在德国 Augsbourg 城于万头攒动中攀登进到一个铝制的大圆球内，不久那圆洞形的入口便紧闭起来，同时那铝球也被一只大布袋带着向空中升去。初升时，气球取东北方向，但据皮喀尔事前推测，至达到某高度时，将取西南方向。出发后一小时，升至五千米达，肉眼尚能望见，二小时后，升至七八千米达，已在出发点二百余里外之地面。新闻团体组织许多瞭望队，追随气球的行踪，随时电告各报馆，上午十一点时，气球忽然不见，午后二时，出现于德国 Baviere 省南部，午后五时，气球向南方进行。当时一般人就非常着急了，因据制造该球的工厂传出的消息，皮喀尔只携带了足供十小时之用的氧气，而且动身时他本人也宣布说他的试验只要七小时就够了，但从早上三点多钟至午后五时，已经是十三个钟头，气球还未下降，其凶多吉少可想而知。又有人推测，以为铝球经太阳晒了一天，里面一定很热，即使氧气够用，热也会热死！以后的消息越来越坏，午后六时据说有人瞧见气球上发出遇难的信号，一般人都以为皮喀尔和他同伴一定亡了。到了二十八日上午九时，奥国提罗尔地方一个旅馆老板瞧见皮喀尔的气球躺在远远的一座高山半腰里，于是这旅馆老板和一个官吏，一个宪兵，三个乡下人，马上组织一救援队向该处进发。他们走到山下时，看见皮启二人正在找路下山，他们马上用手势止着他们，因为那里的山被冰覆着，不认识路的人走起来是非常危险的。幸赖这六人的引导和帮助，皮启二氏和他们的仪器才得安全地弄下山来。

皮氏试验成功的消息传出后，各国政府和要人们以及学术团体的贺电真是如雪片飞来，各国舆论界也一致赞扬。比王除去电慰问外，马上给他二人赏衔加勋。后返比京时，比太子亲赴车站迎接，学生并将他二人扛在肩上拥出车站，比王邀请入宫赴宴。

事后皮氏叙述他们在空中的经过，非常有趣："气球离地二十分钟后，外方气压表即降至七十六糎，换言之，即外方气压只有地面十分之一。我（皮氏自称）和启卜费忽然耳鸣起来，我们不安地互望了一眼，知道事情有点不大妥当，同时我又听见嘘嘘的响声，晓得有地方在漏气了，我们立刻寻找漏气的地方。手里握着一块浸以凡士林的棉花，预备去塞着它，否则气漏完了，我们一会就要闷死。启卜费为救急起见，把一瓶液体氧气倾在地板上，球内气压马上增加，我们才多有一点时间去找这罅隙，找着后就立刻塞起来。不久，又闹了一次乱子，有一件仪器打碎了，里面的水银流满一地，这真糟糕！因水银对于铝作用得很快，能将铝穿成洞，在一万六千米达的高度有了一个洞，那还了得！一切的生活力都会从这洞里于百分之一秒的短时间内通通跑去！我们当时望着没有办法，因为水银流在地板和球壳之间，这是我们无法达到的地方，幸而我们事前就想到了这一层，球壳内部加了一层漆，所以水银才不曾将铝蚀坏……至于气球走的路线，我们到不十分去注意它，因为我们二人都忙于作试验………上午十一点钟时，便预备下降，但当时发现放气活塞不灵，这是由于内外压力相差太大，所以活塞不易扯开，我们只得停在一万六千米达高度，等候夜色的降临，因为日光一去，球囊内的气体便缩小，因之压力也就减少，活塞便易于扯开了。晚上九时，我们开始下降，到地面时，已是十点钟了，触地时，震动得很厉害，不过我们都戴了一种特制的帽子，所以还没有什么妨碍；我们就在铝球内住了一夜，第二天将近正午才遇着救援队……我们此次之能安全回来，要算是幸运，照事前的计划，带一筒氧气就够了的，但我临走时带了二筒，等到我们降落时，所剩的气只能供一小时之用了！……”

至于此次皮氏试验的内容究竟是怎样一回事，一则记者非专研究物理学，无能力作此种报告，再则以《生活》性质而言，亦不便容纳此种有专门性的文字，不过记者愿就所知略说一些。

此次试验的目的，最主要者为宇宙线（Rayons cosmiques）的测量。说到这里，读者一定有下面几个问题：何谓宇宙线？从那里来的？为什么要到这样高的地方去才能够测量？宇宙线和人类有什么关系？

请先言宇宙线：一般人都知道爱克斯线（Rayons-X）能够透过普通光线所不能穿透的东西。为什么？因为它具有特强的透射力；但还有所谓卡马线（Rayons-γ）的，其透射力比爱克斯线更大。凡曾读过中等物理学的人总一定见过用爱克斯线照的一只手的照片，肉的地方完全看不见，骨骼只有一点黑影，金属戒指则完全显露，用物理学的术语说起来，就是爱克斯线较普通光线为“硬”，而卡马线则较爱克斯线还硬，因为最硬的一种卡马线能够穿透三英寸厚的铅；但卡马线还不算硬，近年来又发现了一种光线比它还硬得多，这就是宇宙线，其中最硬的一种，能穿透十八英尺的铅！

宇宙线的出处：这是一个尚待解决的问题，各物理学家有各人的解说，但都是“假设”，还须加以“证明”才能成立的。到现在只知道宇宙线不是从地心里发射出来的，因如果是这样，那么在离地面愈近的地方宇宙线就应该愈强，但事实上适得其反，由此可见非来自地心。物理学家又证明了非来自太阳，所以一般学者大都主张是来自星云，尤其是某几座最大的星云。

因为宇宙线离地面愈远则愈强，所以要研究它则愈爬得高愈好，并且离地面愈远，则扰乱试验的因子也随之而减少，结果当然更正确，这便是皮喀尔先生特造一只氢气球的缘故。

据他此次试验的结果，有一件事颇出意料之外，当时令他惊讶不置！在理论上，宇宙线离地愈远则愈强，但他们得的结果适得其反，在四千米达时固较地面为强，可是到一万六千米达时反较在四千米达弱得很多。因有这个现象，他以为宇宙线的发源地不是星云的本身，是来自有瓦斯体的云层的空间，那儿的物理条件或许和我们的完全两样，那儿或许是正在创造中的新世界之摇篮。以上是极简单的说明，这种过于专门的东西，我不愿多说，恐怕读者摇头厌倦。

末了，还有几条小新闻，写在下面以作读者的余兴：

这次的试验，证实了人们有升至“星云带”（即一万六千米达高度的天文学的名词）而不丧失性命之可能，所以如果能设法将飞机弄到这一带去航行，那么以同量的燃料而速率可较普通增至三倍，这是飞行界应特别注意的一个问题。

皮喀尔并非比国人，他原籍瑞士，在比京大学任教授十余年，然而他的试验用费全系比国供给，这真是所谓科学无国界。这位老先生也很有趣味，有位新闻记者问他还作第二次试验否，他说："不，我的夫人怕得要命！"当他初由山上下来时住在一家旅馆里，各处的记者争来访问，但他当时忙于整理所得的结果，所以他把房门锁起来，弄得许多记者替他站班守卫。美国有个报业联合会请他写一篇文章，叙述他上升下降以及在空中的经过，愿以十万美金作酬，但他拒绝，说他忙于整理试验结果，无暇写文章。比国有家报纸说这老头的"傍劲儿"太大，因为写这种文章又并不费事，有了十万美金来用到科学试验上去岂非一举两得吗？

皮氏此次的"壮游"，除却科学上的意义而外，在运动界也要算开高度的新纪录，所以他成功后，有许多体育团体也拍电贺他，送奖章给他；兹将欧战以来的高度新纪录摘录于后：

人名	国籍	时间	高度
Lccointe	法	1919	8585 米达
Casale	法	1920	9520 米达
Mac Ready	美	1921	10518 米达
Lecointe	法	1923	11145 米达
Champion	美	1927	11710 米达
Neuenhoefn	德	1929	12739 米达
Souce	美	1930	13157 米达

二十年七月十五日记于比利时东佛朗德省岗城。

丹麦之部

在丹麦的同胞

卢广绵

记者三个礼拜以前从苏格兰来到丹麦，主要的目的就是来参观丹国的农林商业学校。现在我并不是要报告关于丹国的农林学校的事，乃是关于在丹国的我们中国同胞兄弟的事。

现在长期的居住在丹国的中国人一共有十一位，其中六位已经住在丹国很久。最近五六个月内，又来了五位中国人，他们多是浙江人，到此做小买卖，有的完全是丹国商人的代办，就是他自己本来没有资本的，丹国商人有特别发卖中国或日本的古玩字画的，就另外设一处小商店，教我们中国兄弟给他们售卖。以中国人来卖中国货，很能博得顾主的欢心，因此货物的销售，就随着而十分流畅。最近发生了一件不幸的事件，就是有两个中国同胞打起架来了，以致动了斧头，被丹国的警察传到了丹国的警署，审问的时候，他们都不会丹国话，因为都是新到丹国的。警署没有办法，就特请一位耿普鲁君到场，（耿君是丹人，历在中国盐务署服务，民国十六年辞职返国。）耿君向警署负责任的代为解释了一下，这件事就算完结了。不知道什么缘故，这件事被丹国的司法部查知，马上通知警署限日驱逐最近到丹国的五个中国人出境，同时并由丹外交部转知中国驻丹罗公使，严重的声明，说丹国政府限日请新近来到丹国的五个中国人离开丹国境，并此后长期居住在丹国境内的中国人不得过六个的人数。中国罗公使本来是可以马上向丹国外交部提出严重的抗议的，但他却非常的沉寂安静，始终保持着一种像和他毫无关系的客观的态度，听其自然，以不理了之！

警署里听到驱逐五位中国人出境的消息，当然就要按令执行。警署里有一位警官，是耿君的亲戚，同时也是一位中国人的好朋友，他听到这个消息，觉得实在有些过分一点，为什么对待旁的国人不这样，专和中国人这样的过不去呢？他很替他的中国朋友们抱不平，就马上打电话给耿君，耿君即去见中国罗公使，很希望他能和外交部据理抗议。罗公使回答他这样的话："他们（指外交部的人）都对我非常的好，我那能提出抗议么？"耿君觉得中国公使是靠不住的了，就马上自己去见司法部长，问司法部长为什么这样单独的限制中国人。司法部长答的话是很简单："没有什么理由，就是因为他们是中国人，我顶厌中国人。"这一来耿君更有些气不平了，由司法部出去，就去找他的一位朋友青年会总干事恩柏（Enberg）君。恩柏君是丹京很有名誉的一个公民，马上就答应："这事交给我去办吧。"

次日恩柏君自己又去见司法部长，司法部长的回答还是非驱逐这五个中国人出境不可。恩柏君说："假如你这样办的话，我就要联合民众团体来反对，同时我们给中国南京政府打电报。"司法部长受他这一次恫吓，才变嘴，收回已下的命令，不完全逐这五个中国人出境，只逐出一位，就是那位用斧头打架的。因为用武器打架是违犯丹国的法律，犯法的，当然要被逐出境了。这件事，现在已算这样的平息了。不过以后的问题正多着呢。因为丹国政府总想限制居住在丹国的中国人的数目，这件事假如中国公使始终不和丹国政府交涉，则日后到丹国来的中国人，来一个就要讨一次麻烦。

我这次从苏格兰到丹国来，护照送到丹国领事签字，整费两个礼拜的功夫，一方面他们要我先找得一个他们认为可靠的人来保证我，同时还得等候他们政府的许可，才能给我签字。签字费要我付十七个先令六个便士。（通常不过是六个或七个先令。）

我到丹国这几天，耿君，罗公使，和恩柏君我都曾见面，因此对于这次波折的前后情形，探得很清楚，所以就随便记载下来报告国人。我的感想是这样：我国人在海外常受着不平等的虐待，固可愤懑，但自己人往往乱打乱闹，不知道自尊自重，也不能辞咎。至于中国的官吏，在国内国外差不多是一个样子的，就是对于一般同胞的痛苦是像秦人之视越人的肥瘠般的！

丹麦给我的印象

张叔武

丹麦面积约只一万一千方哩——略等于中国的一府——不过人民的富庶，社会的熙容，景致的优秀，人民的和蔼，使任何处来的游客，都十分赏叹，欣羡。其原因很简单：（一）和平，（二）农产之丰饶，（三）人民的努力。

丹麦自一八六四年和普鲁士大战失败，割南犹兰岛求和后，（南犹兰岛在欧战后，又经该区居民总表决，重复归还丹麦治下。）六十年来，从未有过战争。他们虽嫌这国度太小，不过他们十分努力，上下一心，要在这世界上争生存。他们以家畜农业立国，猪，牛，牛油，鸡蛋等产品，非常丰富，大部分的输出到英德两国，却不像中国人还在吃西贡，仰光的米！实业一方面也不落

丹京 Copenhagen 郊外之汽车路。本文作者寄赠

人后，一切日用品也都完全自制，不仰给于他人。

他们的国家人民委实地可爱。在郊外有绵延数十哩的柏油大道，两旁更常有葱茏的林木。如果在春夏时坐着火车，你可以看见两旁整齐的，青绿的田野，间或可以看见些红色的田舍，黄的牛马等，真可说是一幅天然的图画。他们的人民，至少都受过七年的公民教育，人民既都有了训练，又在这样的社会里，所以他们天性是诚实的，和善的。我记得我初到这里，路途不熟悉，问到路人的时候，他总要送你一程，生怕你走错了。他们的性情可见一斑。

这里社会的情状最安稳，最平均。一位工人每月有十五英镑的薪水，他们可以有一个美丽舒适的小家庭，家里可以有钢琴，唱机，无线电，一切近代的奢侈品。一位普通的工程师所入亦不过如是，所以他们社会里，贫富的阶级不显著。纵横捭阖的政治家更极少机会露他们的头角，报纸上能为一位自杀的优伶占去四五篇幅，却不能牺牲半页给他们的国务总理。

丹国虽是一个王国，不过人民却非常自由，在最近国王六十大寿的时候，市面的气象，完全和平日一样，悬旗的地方不多，人民虽有时痛恨着他们所付的巨额的所得税（工人约百分之五），不过他们绝不愿破坏了这隆治幸福的情状而去换一个民国的衔名。实在他们国王很爱民，他时常到乡间去视察，他有时更独自的在街上行走。

在出丹京 Copenhagen 海口外，可以看见耸立海中的层层堡垒，他们更采用征兵制，普通年届二十的壮丁，都有服兵役六个月的义务，他们说："我们总要有一点预备呀！"

处在强邻中的小丹麦，仍在很光荣稳固的生存着。我觉得人必自侮然后人侮之，物必虫生而后腐，真是千古不移的道理。

瑞士之部

一座戏院的国际联盟

沧　波

瑞士是“世界的公园”，到瑞士去，最好去欣赏风景，最好不要谈政治——无论本国的政治或国际的政治。政治是罪恶，政治最不优美。世界一切优美之物，着了政治的颜色，便黯然减色了！我未到瑞士以前，便存着这种观念，到瑞士以后，这个观念竟证明是一个信条了。我到日内瓦虽前后仅十天功夫，虽然大半的时间是费在参观什么国际联盟会，但是我抱定到瑞士游览主义，所以其余的时间几全用在游览上。美洁的瑞士呵！不是脂粉满面的巴黎可及，不是庄整严肃的柏林可及，更不是尘烟蔽天的伦敦可及，日内瓦湖的波影，白山的山光，真使人梦寐不忘。我们住的旅馆即在湖边，凭在窗沿上，湖光山色，都在眼底。瑞士人真会点缀自然，日内瓦湖边公园满植秋柳，湖内两三白鹅成群，东西游泳，湖上也有游艇，不过没有篷盖，视我们西湖中的画船别有风趣。湖边堤岸，沿岸皆用电灯扎成半月形的环圈，远处看去，好像环绕的珍珠项圈。真觉置身神仙宫殿中矣！我们在瑞士，几乎每天要到湖上去，不是到湖上去荡船，便在湖边闲步。离开中国几个月，阴历的日月完全推算不出了，但是我们在日内瓦的几天，每天晚上的月色都十分皎洁，“海上生明月，天涯共此时”，在我们心目中，对皎洁的月光，只是欣赏，只是爱慕，我们只觉得山湖的可爱，只觉得自然的纯洁。记得一天晚上我们到一个美国朋友家里去夜谈，座上有英国和平运动会的男女会员二十余人，到十一时各会员多散去，主人留我们几个人吃咖啡，咖啡吃完已正十二点了，我和两个中国朋友，一个英国朋友，一个罗马尼亚朋友，步行回旅馆，从湖的东岸绕到湖的西岸，热闹的日内瓦，到那时候也万籁俱寂了。我们经过许多大旅馆的门口，阳台上挂满各国的国旗——大概都是各国参加联盟会代表的住所，许多国旗照入我的眼帘，我们顿时觉得不自在了，顿时把我们欣赏自然的兴趣减低了。政治已是罪恶，国际上的政治更是大骗局小骗局，其实像现在所谓国际联盟式的那样讲和平，一辈子也不会实现真正的和平，和平不是开会就开得出的，何况主持开会的人，各人还怀着各人的鬼胎呢！

参观国际联盟的大会，虽然不能不说是我去瑞士动机之一，然我却不愿对此作何报告，我们根本不信任现在的联盟会能做出惊人的事业来，我们更觉得照现在中国国内的情形，简直也不必去趁这种热闹。国际联盟会不过是一座戏院，每年九月开年会的时候，请几位所谓强国的名角儿去撑撑场面，除此以外，我们实在看不出别种的特点。

人家都称日内瓦为国际的城市，因此说日内瓦最充满和平的空气，其实从这点去观察日内瓦，真如英国诗人 Kipling 对日内瓦所做的两句诗里所谓“日色无光”，“气象常寂”，绝无可观了。国际联盟会那里能够制造和平？它是一个戏院，“五大强国”是后台经理，许多弱小民族是跑龙套。当今的情势，台上的名角，或许是白里安挂头牌，亨特森挂二牌。什么格郎地（意外长）喀底斯（德外长）挂三四牌。大会开会后的第一天，白里安老头儿便走到台上去，说是代表欧洲二十七国来说明什么欧洲联邦计划。会场情景，真像中国小杨月楼梅兰芳登台一般，掌声彻天，演说台四面都围满了听众，“我白里安一天生存，终不愿见欧洲一日有战争发生”，各国代表席上及旁听席上的拍掌声震天地，真还了得！其实这一句话，何待白里安，黑里安黄里安都会说，我程沧波也会说，程沧波说这句话，其效力固等于零，然我不信白里安这句话便不等于零。白里安那天演说有一小时一刻钟，演说完了，偻着背走下来去就他的原座，不久散会，白里安走出会场时，有人替他照相，有人替他写侧面，真是忙得不知所云。当天下半天银幕重开，二牌亨特森登台，光景也与上午仿佛，不过他的谈锋，不少地方竟与白里安针锋相对，捧场的人当然也不在少数。以后三四等角色上场，情景便不同了，可怜若干国家代表团，自分不敢希冀做五六等角色，想补一个跑龙套而不可得，真是愚不可及！

十九年九月十四日自瑞士日内瓦发。

国际大舞台

沧　波

我觉得“国际大舞台”五个大字，送给国际联盟最为确切，我们上午到剧场里面去看戏，下午到湖上去荡舟，抱着这种眼光，倒还可以过去，如过于认真了，真使忠厚人到处受尽烦恼。“国际大舞台”中对新闻记者的待遇总算不错，有招待室，有吸烟室，有写稿室，每天发给各记者的印刷物，便单把废纸称称，也值几个钱。各国的新闻记者，大概欧洲大陆国家最多；美国的大报，原来在日内瓦及亚洲大城都有特派记者；日本有三家报馆派代表列席；中国今年除《时事新报》外，有《生活周刊》记者李公朴，北平《世界日报》，南京《民生报》社长成舍我，《中央日报》丁君，《时报》李昭实。日内瓦有咖啡馆名曰维利亚，晚间各国新闻记者在那边谈天说地，造谣生事，我们每晚去坐坐，听说这个咖啡馆最初有德国前外交总长史特莱斯曼常去闲坐，后来白里安也去坐坐，新闻记者遂趋之若鹜，现在几变成新闻记者的茶会了。

国际和平到现在还是一个空名，我们深觉到政治家口中的和平，不过像走江湖卖膏药者所念的咒语。我们看到欧洲政治舞台上几位名角的演说，当时的神情，真如上海人所谓“像煞有介事”。白里安先生口口声声说战争是罪恶，说对于国际上合理的冤屈，应用公平的科学方法去调查，用和平的方法去解决，政治家说的话，本来是和他们的行为不能对照的，政治上能讲道德，世界的危机也不致如此其亟迫！法国现在在欧洲比较上内外算安定一点，聪明的法国政治家，满意要持盈保泰，所以来提倡和平，来建设什么欧洲联盟。但是前一月德国被占领地总长几场演说，涉及修改《凡尔赛和约》，法国的朝野便哄然不安，退职闲居之普恩嘉赉也居然发表宣言，说修改条约就是破坏和平。现在我们同情弱者，对德国的要求，固觉得不为无理，然想起六十年前德国对付人家，又何尝不是如此？我们当然不劝人家不提倡和平，提倡终胜于菲薄，然而我们还觉得要提倡和平，要为人类谋幸福，应先就自己范围内做去，如各国境内的所谓“少数民族”（minority）问题，着实值得注意。我听到白里安先生的演说，使我顿时联想到安南及其他法属的殖民地。欧洲人常劝我们不应菲薄国际联盟太甚，这次我在日内瓦遇见许多外国人，都是同一的口吻，其实我们弱小民族，何尝敢菲薄人家的和平运动？不过像现在的国际联盟，教我们如何去信任她？照现在国际联盟的主脑人物，把她的言行对照，教我们如何去信任她？我们除掉当她剧场舞台看看，又有何术？我们到瑞士来，除掉留恋风景，又有何物足以慰藉我们的情绪？

十九，九，十四。

旁听国联理事会见闻记

詹　詹

这一次日本进兵东北，我国政府派今年出席国联会的首席代表施肇基氏报告于国联，并请其主持公道。自九月二十二日起，国联理事会专为此事开过几次会，大半都是公开的会议，就是有一次，日本代表坚决拒绝旁听，故临时改为秘密会议。到场旁听的各国人众，及新闻记者，济济一堂，都已坐等多时，只得失望而散，即我国代表团，及其他几国代表，也都已出席多时，也只好陆续退席。日人在国联会里态度的强硬，国联之不得不依从强国，也可以见到一斑了。如果日方是有理的行动，何必拒绝公开会议？其对友邦舆论之畏惧，中情若揭，不然就是要想借此人少的机会，操纵全局罢了。

有一桩事可报告者，就是我方代表在会场上发言，极能引起友邦听众同情。现在且举一二桩事以告读者。

第一次开会时，我国代表首先朗诵政府来电，中述日方所占的地方，及其在东北之如何横行无道。其次他即加他自己的评语，使听者明了此事之如何重要。他说：“现时日方所占据的地方，其面积等于英格兰，加上苏格兰，加上爱尔兰，再加上威尔斯之疆土……。”远东在西方人的印象中，是十分模糊，所以我们的治乱存亡，于彼等不关痛痒。什么奉天，吉林，长春，宽城子……在彼等的心目中，是毫无意义的。现在施氏用了这种眼前具体的比方，于是一般听众就恍然大悟日方这种举动的重要了，这是他善于措辞的一点。

有一次日方代表说：“现时大部分的兵都已退去，所余的就是奉天，吉林，及其他小的地方，有少数的兵士而已。”我国代表就驳说：“奉天，吉林，是我国两个大省会，其重要自不待言。但所谓其他小的地方，是什么地方？少数兵士，是多少人？省会固不必论，就是一国的小地方，难道就能容他国的少数兵士随意侵犯的吗？”

我国代表发言的时候，态度从容，英语娴熟。事前准备的话固不必说，就是临时听到日方发言后，列举其不合之点，而加以驳斥，亦能中肯。且发音极清晰，出言极缓，语声中又略带几分情感的表现，听者皆为动容，事后多啧啧称道不已。何况这次案件的发生，过不在我。我方理直气壮，自然更能引起听众的同情了。

至于日方代表，形容委顿，言语支吾，而且发音极低，殆亦有愧于中讷讷不能出口者。听众虽倾耳凝神，屏息以待，仍无所得。每次开会时，必首先读其事前所准备之法文稿，次即用英语谈话。两种文字，发音都甚坏，即在近处之人，能够听见，也不解其所言为何。幸会中有极好之翻译员，每次朗朗翻译后，听众方明白其所言之内容。最初两次会中，综括其所言，无非推诿未得政府之正式报告而已。其后数次则要求中日直接交涉，拒绝中间人之调查，这一类的话，难怪其讷讷不能出口了。

两两相形之下，觉得我方代表，实在漂亮得多。而且我们是有理的一方面，做代表的人，也容易说话，理直气壮，无所用其支吾掩饰。但是公理是一桩事，外交的胜利又是一桩事。在这种弱肉强食的时代，武力就是公理。而况国联又是操纵于诸强国的手里，因此我们对于这次的交涉，颇难乐观。

现时国联会中，五个常任理事，为五强国代表——英，法，德，日，意。换句话说，就是国联在五强国的掌握中。我国新近被选为暂任理事，在理事会中，总算也有一席，但是不重要得多了。以一个以平等为原则的国联会，而有这种畸形的现象，我们如何能希望他们主持公道呢？济案之失败，便是前车之鉴。这次我们在日内瓦的中国同胞对友邦人家及新闻记者曾一再宣言，我们是信任国联的。国联每年化这样大的经费，用这样多的人，究竟它的存在有没有价值，这一次中日案件，就是它的极好的试金石了——但是试不出金，我们又有什么法子呢？况且无论那一国，都是从本身的利害着想，谁真真因为别人的安危，出来说一句公道话？所以我们还是自己努力罢！这是我们唯一的出路啊！

我想外交上的胜利和失败，外交官虽应当负责，但不是他一个人的功过。这种的结果，有许多分子以促成之。第一，国弱就处处吃亏了。其次，友邦的帮忙，也是不可少的。但是弱国的外交官，应当知道自己地位的重要及困难，要十二分谨慎，十二分努力。国际上应当得到的利益，不可一分退让，一次放过。能将我国在国际上的地位提高一分，就是一分的事。

外交官不是容易做的，他至少须具下列的几个条件，一旦国际间办交涉时，他就能够应付自如了。

（一）脑筋清楚。

（二）熟悉国内及国际的情形。

（三）态度稳定。

（四）有敏捷应付的手段。

（五）外国语娴熟。

这几条是最低限度的条件，缺一不行。所以我国政府，对于人选，要十二分审慎周详。常看见派出洋的公使，或代表，竟然一句外国语都不通，其他的姑不必论。他们以为带了秘书随员，可以随时随地作翻译。但像这次的交涉，其间没有容秘书随员作翻译的机会。代表本身，要留意对方的谈话，立刻准备好如何去应付，去答复。若是说话听话的能力都没有，就是有了其他的条件，也缺乏传达及接收的工具了。

二十年十月廿六日日内瓦。

美国之部

美国的女子

翁之敏

我初到美国，住在费城，费城的地位在纽约与华盛顿之间，居民甚多，他们称为美国第三大城。什么工厂啊，商店啊，以及戏园旅馆，都很多，因此本地居民都靠着以上的各种机关生活。美国女子有钱的当然受大学教育，中等之家受中学教育，如实在无力量而希望女儿去赚些钱来度日者，大约初中或高小毕业，即须找一相当位置做工。有许多年纪在十六岁左右的女子，日间做事，晚上进夜校读一专科，希望日后地位可以升高。女子职业种类之多，几乎要超过男子。小学教员大约百分之八十是女子。就我所参观的十几个小学，没有见过男教员。各种商店门市售货的，大半是女子。饭馆中送菜端汤的侍者，柜台上的收账员，大半都是女子。公事房中的书记及速记员，电话司机生，管理文具杂件，支付零星账目，种种细腻繁琐的工作，均为女子所占据。各公司都喜欢用女职员，因为女子担负轻，无奢望，做事也细心些。同一位置，用女子较用男子可以少三分之一的薪水，而能得同样的成绩。此点为美国女子在职业地位上战胜男子的第一要点。她们勇于工作的精神，确是可佩。

美国大城中女子，大半在二十二岁以外出嫁。在未嫁之前，十六岁以上，除在校求学者，可说完全都在外做事。大约十六岁以上的女子，个人经济，无一不独立。如经济不独立，父母亦不再供给其一切奢侈品。赚钱后虽与父母同住，亦须每星期付父母房饭钱，多少视进款而定。因此她们对于父母不能依赖，惟有自己奋斗，才能有快乐丰富的生活，因此个个人都只得小心谨慎，办事做工，保住饭碗。女子已嫁之后，夫妇二人自立小家庭，从来没有男子养不起妻子而依靠着父母过活的。结婚费当然父母不管。即使婚后无力量立家庭，做父母的亦不加怜恤。父母的责任仅不过使子女尽量受教育，至于成人后的前途幸福，都是子女自己的事，父母不再过问了。讲到他们的家庭，富有之家，当然度他们的奢华生活，无拘无束。平常中等之家，量入为出，家中也布置得洁净简单而有美术化。主妇辛苦远过于男主人。男子每晨出外工作，女子在家洒扫擦抹，整理房间，烧茶做菜，带领小孩，收拾得停停当当，待男子回家来，便可享到安适而可爱的家庭生活。男子在外虽然辛苦了一天，到回家来，受到这样的安慰，眼前有这样的舒畅，疲倦的精神立刻可回复过来了。美国的家庭，确是男女分劳，彼此负责，不像我们中国人大多数的太太们，一天到晚，坐着不动，尚嫌不足，还要打牌，费时失业，不知何日始能省悟！

十九年，九月。

美国亲见的一个小家庭

邹恩泳

离开纽约城三十多英里有一个小城。这小城中除了一间中国洗衣作外，我就算是唯一的中国人了。原来这地方从来未见受过高等教育的中国人来住家过，我到这里住了一年可以算是第一人了。既然中国式环境几乎完全没有，我觉得好像“孤军深入”，“四面楚歌”；我的华语也差不多用不着了，我的中国学友也差不多少遇着了。于是我对于美国生活的印象特别明显，并且细察他们的小家庭生活尤觉有趣。我现在先将一个小家庭情形写出来，这个小家庭就是我所寄宿的人家。诸位要知道，在大学校区域的房屋有专作出租房间营业的，他们对于房客除租金关系外，无其他联络的地方。在这小城欲寻一可寄宿的私人家庭不甚容易，我是由人介绍才到这家居住，既经居住之后也便就像一家人，彼此感情甚好，竟成了好朋友。他们对我也不拘束客气，我对他们也乐于相聚以享快乐。

这个家庭中人口只有三位：一对夫妇和一个男小孩，夫姓郝艾，妇姓白克利。郝君曾在利海大学肄业二年，在一装置水管汽管的铺家工作。他的夫人白氏是本城有名富翁的女儿，郝君三十四岁始娶白氏，白氏嫁时已三十岁，郝君三十八岁才生这男孩，取名罗素。

郝君每星期工资可得美金六十元，除家用外可以积蓄一部分。郝夫人告诉我，他们已积蓄了美金千余元存在银行。他们所住的房屋就是郝君岳父白君的产业。白君在本城为有名的富户，房产甚多。他有四位男儿一位女儿，这位女儿就是嫁给郝君的。他虽甚富，但他的成室儿子与女婿住了他的屋，仍旧要付租金。郝君的屋每月租金六十元美金是要照付的，有一天郝君的屋须油漆一过，他的岳父白君派第二儿子来上油漆，令郝夫人记录工作时间，由白君给予工资。

郝君除星期日外每天早上穿上做工衣服去工作。他出去很早，我没有起来他就出去了，到下午五点钟他始回来；面和手也污黑了，衣服也污绉了。这时我也工作完回家，只看见郝君两手拿了几包东西，笑嘻嘻的走回家来。他每天工作完回家，总是顺便到市上带回菜物，备次日三餐之用，因此可免他的夫人上街买菜，却是一个省事办法。他回家后就要洗面洗浴，换上一套好衣服，预备舒舒服服的吃下一顿晚餐，快快乐乐的抱抱他的小孩儿。晚餐后，看看晚报，听听留声机，谈谈天。这时候免不了我一位在里面凑热闹，乐哉乐哉小家庭。郝夫人是一个很勤俭的妇人，郝君出外工作，她就在家料理家事：洗刷器物，拭扫地板，喂饲小孩，洗衣烹饪，还要整理我的卧室。郝君工作疲倦回家，自然觉得十分快乐；郝夫人也笑脸相迎以安慰他。夫妻常和乐融融，没有听见他们口角过一次，真可作夫妻相处的好模范。到星期日他们夫妻俩总是衣冠楚楚，特别整齐。在早上他们用一小推车，将罗素推至户外散步，常到公园中玩耍。回来后，两人又出去到教堂做礼拜。下午则或到戏院看戏，或与家人聚谈。总之这半日是他们娱乐的时间，一星期工作的辛苦情形完全置诸脑后，务使忘却；今日玩得心满意足，明日工作自然格外有精神。

他们的小孩罗素从不怀抱。他们用一露顶木笼，笼底铺以软褥，并置许多玩物：罗素终日在里面，晚上睡觉另有小床。除喂饲与睡觉，罗素总是自己一人过生活。我有一天守望许久，看罗素或立或坐，自玩各种玩具津津有味，玩到疲倦就躺下睡了。郝夫人一面料理家事，不必分心，不过有时走来看看，如果罗素睡着了，就盖上绒毯，如果溺布湿了就换上干的。罗素当时只有一岁多。郝君虽成立了小家庭，但是他还有老母和妹。他的妹年近三十还未出嫁，在家乡某中学教书，一面可以服侍老母。他的老母和妹每年中必到郝君家数次。老母看见孙儿，妹子看见侄儿，都是乐不可言。他们一来多是连住好几日，并且喜欢和我谈天。

他们每遇请客多邀我作陪。一年中最要紧的一日是耶稣圣诞。这日大餐是很讲究的，常是火鸡大餐，或用鸭。耶稣前夕也是很热闹，这晚他们将玩具放在一只袜内，次日哄罗素说：“圣克罗遗赠的。”罗素未必理会，但他们的宗教的习惯总是如此。以后我离去他们，他们都很依依不舍。郝君说，他积蓄多金以后，要游历世界，如到中国定要找我。我现在很希望他能够达到他游历世界的目的！

这个小家庭生活用不着我再加以批评，诸君看后自己再一细想即得。所宜注意之点：就是他们的迟婚，讲求积蓄，经济自立，正当娱乐，夫有夫责，妇尽妇道，教育小孩合宜等等。

十六年九月。

谈谈美国婚姻

邹恩泳

我国近来主张自由婚姻的很是不少，对于美国婚姻的情形颇为注意。我现在将我所知道的写下一二。美国的婚姻自然不是我们专制式的那种婚姻。他们男女必须相识，然后始可讲到婚姻。男女相识的机会也至不一定，不过他们既然男女社交公开，这种机会自然是很多很多，不消说了。并且男女间相识的人起初也断不是彼此只有一个朋友，其实彼此的朋友都有好几个。如果意思不在婚姻，固然都是朋友，倘若要讲婚姻，这许多人里面就大有选择的余地了。我知道每个女子常将数个男友互相比较，看看谁的性情和她最相合宜，他的品格是否可以配得做满意丈夫，他的本领是否能够养家，以及其他种种都要详细考虑，详细观察，然后才可想到终身大事这个念头。同时男子对于女子也是要详细考虑观察的。在中国这种观察何尝没有，不过多靠媒妁代理罢了；这种考虑也何尝没有，不过多赖父母代理罢了。但是这辈长者和中间人的主观是否可以完全代表双方男女的意思，那我就不敢知道了！

反对自由婚姻的人说，青年男女年青没有阅历，对于婚姻以情感为原动力，恐怕要贸贸然结婚，不能有好结果。但要知道美国的法律规定男女在未成年前，父母有管理他们的权，自然可禁止他们的无意识婚姻。难道男子过了二十岁，女子过了十八九岁，对于人情世故都有些领略了，而于自己婚姻就会如何糊涂？我国如果提倡迟婚，提倡于男女在成年前父母有管束权，这也再好没有。不过许多家长并不是在那里禁止女儿无意识的定婚，乃是进一步，要替他们定起婚来！况且婚姻的考虑，并不必用着什么经世大才，什么半世阅历，究竟不过一点常识罢了。二十余岁是大学毕业生的年纪，难道他的常识一定不够用吗？

言归正传。譬如男女两个彼此都很契合，如果他们有终身关系的意思，彼此自然特别的亲密。这个时代这女子就是男的“女子”(girl)。我认识一个美国男友，他每星期必去看他的“女子”一次，如果隔了一星期没去，他就惘然若有所失，她的情书也就像雪片的飞来了。他们这时期中的许多情境，我不能用笔来形容；不过可以说一句，这是他们精神上最高尚最快乐的时代。

“女子”时期过后，如要成为夫妻，要由男子“提婚”(propose)。这个提婚必定由男子开口，女子决不肯发言。但是男子方面很怕开口提婚：有的脸皮薄，不知如何措辞；有的犹豫不决，还怕这一开口就要铸成终身大错；有的怕女子还没有决定要嫁，或还有所待，这一开口，或要碰一个钉子！

如果女子同意，男子还要到女子家长方面要求一下。多数女子的家长老早已经会意，这时要求，大概不至发生什么困难，不过总要家长首肯才算正式，男女定婚的标记是由男子将一个金戒指戴上女子的手指。女子的家长可发帖通知亲朋，有的由家长请亲朋至家茶会或餐会，报告女子婚事，常出乎亲朋预料之外。

结婚的日期离定婚的日期甚近，多数不出几个月，如在数年以后，很是罕见。结婚前须到政府机关领结婚证书，请牧师证婚。除特别富人家庭有铺张外，平常结婚很简单的，家长也要预先发帖报告亲朋。请客宴会，也有奢俭分别，从俭的多。结婚后多往他地度蜜月，蜜月之后，多另立家庭和父母分居。

“一见倾心”（love at first sight）立刻结婚的，究是例外，不常遇见。也有因家长不许，私奔（elopement）结婚的，这种也是例外，不是普通情形。

十六年。

美国的城市生活

邹恩泳

凡到过美国的，都知道美国城市生活的舒服。这是因为什么缘故？这都是因为他们市政及各种设备完全的缘故。试到美国东部随便一个小城，必定看见宽阔的街道，良好的马路，电车，电话，电灯，煤气，自来水，沟渠，公园，此外还有医院，旅馆，青年会，教堂，戏院，图书馆等等。我国什么首都大城，除租界外，和他小城比较，都有愧色。

生活的幸福是什么？不是要求环境的舒服吗？这种舒服，不是个人屋内排设华丽就可得到；必定要有全城计划，谋得公众利便的设备才可。中国富翁何尝不知道建筑一幢大屋广厦，屋内布置精美，然城中而没有沟渠，小便就在天井墙角；房中器具无论如何美丽，床头就排着一个粪桶；屋内各种房间都有，浴室总是阙如。没有自来水和沟渠的影响已是如此，其余更不必说了。

市政设备既甚完善，家政也易料理。美国平常人家使用仆役的很少，其所以然能够如是，就是因为市政办得好的缘故。譬如家妇自理烹饪，并不十分麻烦：屋内用了煤气，就不必劈柴起火；如不愿亲身上市买菜，只要打电话到杂货店，所需菜肉不久就由汽车送到门前；洗衣固然有洗衣作，但既有自来水及新式的沟，自己洗衣也极便当；有了电熨，衣服可用电气烙铁；有了水流便桶，倒马桶的工作就可免了。甚至扫地一件小小的事体，都可以利用电气转动电机扫帚，也可省却一部分人力。在我国如果不用仆役，简直不便极了，这都是城市环境不良的原因。美国各城设备及许多状况，大概彼此相似。一城市中店铺最常遇的就是饭馆，香烟店，恰如上海的当铺一样。他们的饭馆，并不是预备请客宴会用的，美国独身没有家眷的人很多，他们三餐都靠这种饭馆供给。香烟店多兼卖报纸，杂志，也是一个好生意的店铺。其次药铺也很常见的，药铺多兼卖冰淇淋，汽水等，在夏季生意很是不恶。

美国交通非常便当，在东部各省尤其便当。由这个城市到那个城市，没有火车就有电车，没有电车就有长途汽车。有时这数种同时皆备。至于市内交通也有电车和雇用汽车。就是没有电车的地方，在街上广坦的边路上步行，也是何等舒服。

美国城市多由市民自治，自治机关的组织，繁简至不一律。大概一市的特别费用或特别税捐，须求市民同意。此等事关于市政管理，这个地方，不必多说。

美国城市中分成区域，有商业区，工业区，住宅区，等等。各区情形由法律限定，不许纷乱。他们开店铺的，并不在店铺里面住宿，他们白日工作完毕，把店门锁上回家去了。至于住屋，大概平常城市的相邻住屋，都离开稍远，各屋四围多是草地。平常住屋两层楼的居多。

我们一到美国的城市，觉得诸事便当：住的地方舒服，食的场所便当，玩的机会也多。现在时代，大家都注意城市生活的舒服，因为不讲公众生活，专讲个人生活，必不能得到圆满幸福。假使我一人养尊处优，然而一出门口，走的是狭窄污浊的路，见的是矮而黑暗的屋舍，闻的是种种臭味，我岂不是也要受苦吗？所以城市生活的优良，就是增进个人生活的幸福。

十六年十一月。

美国男子的独身生活

邹恩泳

美国的男子如果没有力量供养妻子，并不愿结婚，所以他们中年男子还没有家眷的不计其数。他们对于婚姻并不视为天经地义非有不可的一回事。所谓“不孝有三，无后为大”一句话，他们简直不懂！传血统的观念在他们脑子里是极薄弱的。有财产的却不一定要遗传给儿子。自己的功名更不必赖儿子来“扬名声显父母”。他们的婚姻，第一是一个经济问题，第二个是一个意中人问题。经济不充裕固然不愿结婚；即使力能结婚，而未曾寻得意中人也不愿结婚，结婚了也要离婚。

他们对于结婚一事既不着急，而个人的独身生活却很舒服。美国物质文明很是发达，衣食住行都不困难。就独身的男子而论，他只要带一两个衣箱，东西南北都可以去，都可以住，都可以食。美国工业兴盛，建设事业随地皆有，要谋一个工作位置并不艰难。有了工作，就有进款，其余生活都易解决，尤其因为物质环境的完美，所以生活更易解决。独身人不须自备铺盖器具：火车的卧车设有铺盖，轮船的卧床设有铺盖，旅馆自然也设有铺盖。如果到了一个地方，在人家租借一间房子，里面铺盖器具都可以一切俱全，就是脸盆面巾浴巾都不必自备。

美国交通非常便当，只要带了衣箱，随便到那里去都好，大有可以“四海为家”之慨。到了目的地，或先住旅馆，或先住青年会，或熟人处，然后再寻人家房子。住所定后，其余更容易对付了。三餐伙食的场所很多，如果不在人家寄膳，街上清洁餐馆很多，随处可以果腹。也有人家专做寄膳事业的，也可以去。洗衣有洗衣作可以代劳。害病重的可以到医院去医治。至于消遣更不成问题了：有戏院，公园，图书馆，青年会，等等。

那么他们既然如此快乐，何以还有人结婚？这又不然。两性同居，是动物的天性。不过与其不能得美满的家庭生活，远不如独身的爽快舒服。他们独身时代，何尝不在积蓄预备成家，一方面留心佳偶，并不是定要守独身。如果无力成家，就是独身于世，也算不得什么了不得的一回事。

十六年十一月。

美国女子的独身生活

邹恩泳

美国女子的独身生活和男子的独身生活约略相似。她们对于终身的婚事并不为着年老而依赖儿女的，所以对于婚姻也是另具一种眼光。我国的女子到了成年，父母必定着急择婿，或且未到成年就已代为议婚了。美国女子既然自己择配，父母只处于指导监察地位，用不着代她发急。有时女子年纪稍长了，也怕不得相当男人，成了“老处女”（old maid）。但是在这种情形之下，也不过她自己着急。并且世故看得透的女子，如果遇不着满意男子，就是终身做老处女，也不着急。有一事我们可以注意的，就是，他们越是自己要择配，越是要自己学习一种技术，使可以维持自己独身生活，然后不妨择婿略苛。如此，如果遇着意中人可以出嫁，否则宁可独身，也不怕不能维持生活。换句话说，经济能够独立，女子人格才能增进。婚前固然如此，婚后也是如此，所以她不致受父母的压迫，也不致受丈夫的欺侮；她们不怕离婚，也是有经济独立的能力的缘故。

现在美国女子在社会上占了很重要地位，有许多职业是女子担任的。譬如电话接线者（telephone operator），几乎变了阴性的名词，因为这种工作差不多都是女子担任的。各公司，各政府机关，各种办事室里面的打字员或速记员，大概都是女子的职业。各中学校教员大半是女人。又各店铺的伙计属女子的居多。她们生活机会如此之多，所以她们生计问题易于解决，她们的独身生活也就易于维持了。

美国独身女子的生活也不是孤寂的。他们男女交际既然公开，女子尽可自由结识男子。这里面道德问题完全在乎个人。如果女子自己要贞节，很难堕落；否则自暴自弃，那就不堪设想了。设使她能够和正当男子为友，她就受益不浅，因为男子总是立于保护女子的地位，处处男子可以照扶她。

女子独身生活的衣食住三事和男子的独身生活不甚

上下。不过女子住屋还有便利的地方，因为她可以利用房东厨房自理伙食。她要出外寻娱乐的时候，如果有男友同去，一切费用几乎都是男人担负，并且处处都得男人尊女的优待，她是何等舒服。

十六年十一月。

美国的工人生活

邹恩泳

美国劳工状况曾经人调查出有报告专书，用不着我再来多说。不过我在美担任工程建筑时候，和很多工人接触，对于他们生活时常有特别印象，所以不妨就我所知道的略写一点。

我所监督工作的工人几乎都不是工党的会员。听说工党工人的工资较高，还有许多条件颇苛，包工的不愿雇用。但是非工党工人的工资已甚可观。工人每天工作九小时，每日工资至少美洋五元。工头每日工作九时，每日工资美洋八九元不等。最贵的可算是泥水匠，木匠等，他们每小时工资美洋二元，每日工作九小时可得美洋十八元。有时他有别处机会，包工的拉他来工作，要给他美洋二十元才满他意。这样说起来，一个泥水匠每月进款不比大学教授的薪水少！大概泥水匠，木匠都组织有工会。

他们工作也有数种。工人的工作可算是完全劳力。他们只要体壮力大，拿了丁字斧和畚铲，就可工作。他们完全受工头的指挥，自己用心思的地方很少很少。工头不必十分劳力，他须有些工作常识，用得着些心思，所以他的工资比工人高。泥水匠或木匠都要专门手艺，所以工资又要特别的高。这般劳动人工资似乎不恶，但都是照工作时间计算的。一天不工作，就一天没有钱赚，一点钟不工作，就少了一点钟的工资。有时天雨，露天工作势必停止，工人很不愿意。

工人住家的地方不一定是工作的地方。住得远的或乘火车，或乘电车，或乘长途汽车，或乘自备汽车，早出晚归，每日如是。工人自备汽车并不希奇，一则因为旧汽车很便宜，二则他们工人很有买汽车的能力。他们早上在家吃了早餐出来工作，午餐是用盒子装好带到工作场所，就在那里用膳。晚餐在工作完后回家吃。

工资在每星期六下午发给。每人有一个号数，工资放在信封内，信封面上写好银钱数目和工人号数。有时他们彼此问得到工资没有，他们只说得到信封没有。他们最快乐的时候就在这星期六下午，因为辛苦了一星期，这天得到酬报，自然快活极了。有家眷的自然将工资拿去养家。没有家眷的独身工人也有好有坏，好的就将进款的一部分贮蓄起来，坏的就将一星期辛苦赚来的工资在星期六晚及星期日完全用在花天酒地之中，或赌博输得干干净净。

星期六晚或星期日，工人都穿得整整齐齐，各游戏场戏院都充满了这般劳力的人。不过有时你简直看不出他前几天是一个面目污浊衣服破旧的苦力。他在娱乐的时候，衣冠楚楚，态度也很斯文，约略看过去，真分别不出他究竟是一个学者或是一个苦力，他们有时遇着我们，也居然作东道主，举止阔绰！

十六年。

美国一个小城的市政会议

邹恩泳

这个小城就是锐艾城，城中居民不到五千，但是市政却由他们自己管理。纳税人举出九人任市政委员，称为信托人（trustees）。市政办事人员有一位市政工程师，一位秘书，一位会计，一位书记。信托人都是名誉职，一切市政设施或其他事项，都要经信托人会议议决，然后付办事人员实行。此种组织固然是极简单，但在一个小城，已可应付一切，成为市民自治的机关。

信托人会议在每星期三晚上举行，全取公开主义。我到锐艾，对于地方市政极欲注意，所以初次遇着他们会议，就生了好奇心，决定赴会旁听。这是初次到场，觉得特别有趣。不过以后我也常常到会，因为有些市政工程，我有时出席报告，或备询问，所以以后也不觉得有什么希奇了。

且说我初次到了市政厅，信托人都已到齐，不久入席开始会议。大家都穿着整齐衣服，态度都很尊严。坐在主席椅的一位瘦面又高的老年人，头发已经半白，端端正正的坐着，看上去好像一位大学教授。其余的人中，只记得有一位魁梧的中年人，好似一位高级官吏；有一位中等身材的人，气概极其端严；又有一位八九十岁的老人，须长及腹，发和须都已雪白，然而精神极好；其他信托人态度都差不多。景象好不严肃！

开会时候，先由秘书宣读议案或文件，每读完一案就付讨论，讨论完就付表决。他们讨论，都很简括，如遇辩论，甲经乙驳得有理，甲就默然不说，并没有看见甲还要争辩几句以维持自己面子。所以他们在两三点钟内可以议决二三十件议案，这里面也有许多是议决付审查再议的。总之，他们除最重要案件外，其余每案只要数分钟讨论，两三句论断，就已了结。

星期三晚上会议完了，星期四早上我在街上经过一家肉铺，我无意中望玻璃窗内一看，只见一位老年人，胸前挂着白布围裙，手拿一把大刀，在那里用力切肉，切了就放秤上一称，称完又切。我仔细一看，原来就是昨晚会场上的主席先生。后来听说他担任主席已经好几年了，很得市民的信仰，市民正在提议为他铸一个铜像纪念他。但是他的职业不过是一肉商，然而得了这种好名誉，精神上何等快乐。

过了两三天，我偶然走过一家人家，看见一位电灯匠在门口装置电灯，他穿的是工人的蓝布衣服，在那里很忙碌的工作。我止步对他一看，却是星期三晚上那位魁梧的中年人。他是开电灯店的，那天亲自出马工作。

又有一天我看见一个装置铅管的铺子里面，坐着一人在那里指东画西的吩咐工人拿铅管。我细看了一回，才记得他就是那星期三晚会议席上一位中等身材那个人，后来知道他是这铺子的老板，但是他也居然在市政会议上占了一席。

那位八九十岁的老年人是城中有数的富翁。其他信托人也有是当律师的，但多数是店铺的老板。当每次选举信托人的时期，有许多人竞争，各人都要献出他的市政政策，希望博得市民赞助，可以因此当选。在这个时期，城中景象煞是有趣：只见各人谈论的都是何人政策如何，何人应当被选。

我以为办理市政，市民必须参预。并且所谓市民代表，不必一定是大家绅士，或一般有势力的人；必须使市民全体知道市政是什么东西，无论老板工人，只要有公民资格，都可以被选为代表或信托人。到了这个情境，真正的民治精神才可以实现，实惠市民的建设才可以容易举办。

十七年十二月。

美国人民对选举总统之态度

李公朴

十一月六号自早晨八时起，至下午八时止，为美国全国人民投票选举下届大总统之时间，到是日下午八点五十分时，此间无线电话已报告说，民主党候选总统史密斯氏已在纽约打电报给共和党候选总统胡佛氏，恭贺其选举之胜利，（美国西部时间较东部相差约两小时，此间九点钟，纽约即十一点钟矣。）而同时全国人民亦即知此次民主党又失败矣。惟按实际情形，民主党此次宣布之政策，及其候选人史密斯氏，均颇受全国一般人民所称许与赞助，故在选举之时，均无人敢确定胜利仍属久握政权之共和党也。然则民主党实因何故而失败？想应为读者所乐闻，兹请简述大概情形于下，虽说共和党党员及其势力本较民主党为雄厚，但下列数点实为重要原因：

（一）宗教问题。美国历来之大总统均为基督教徒，而此次史氏则为天主教徒（catholic），虽美国宪法无天主教徒不得为总统之规定，然一般人心理上，总觉得此已成为历史上所传下的不成文宪法（unwritten law）。虽因格于信仰自由之宪法，不愿公开反对，但吾人知道美国基督教势力甚大，尤其是一班上了岁数的人，彼等成见甚深。曾忆月前于友人宴会席上，遇着两位须发已白之老者，我问彼等选举何人，彼等不约而同的说“一个都不选”，后来细谈后，方知彼等同为共和党员。但因不满意过去政府（共和党）之成绩，及新宣布之政策，故不愿投胡佛氏之票，至对于民主党，则简言之，如史密斯氏非天主教徒，则彼等固极愿投史氏之票也。此种情形，据调查所得，其影响于选举票数固至大也，立德大学政治系教授马格理氏并谓此点或可说是史氏失败之主要原因！

（二）禁酒问题。自一九一九年一月廿九日美国宣布禁酒律后，至今九年矣，惟其成绩殆较吾国禁鸦片烟之情形所胜无几，无论何处只要有金洋则均可得到上好佳酿，所以美国禁酒律之为具文，不待言矣！民主党史密斯氏为主张废弛酒禁之一人，因彼既不愿美国有具文之法律，而同时在今日美国情形之下，欲使酒能绝迹，似已成为公认不可能之事实，故在赞成废弛酒禁者，盖觉其法律有名无实，何如另想较善之法，而维持长久之计。闻此次因赞成废弛酒禁者，捐助民主党竞选之费为数颇巨，然究因反对者仍较赞成者为众，如美国南部诸省，大多数人民本为民主党员，此次因反对废弛酒禁问题而投共和党之票者甚多，故论者每谓酒禁问题，亦为史氏失败之又一原因也。

（三）在上述两个原因之外，尚有一比较重要之问题，即史氏为发源于纽约政治俱乐部（Tammany Hall of New York City），查该俱乐部因以前在历史上为大多数政客谋把持政权会议之机关，美人之对于该俱乐部颇类似国人以前之对安福俱乐部，按实际上论，现在该部已早与其他政党组织机关一样情形，但多数美人仍因原有存见，故对史氏为人有不甚相信者。吾人应知美国一般人民对于大总统之人选，极注意其个人道德声望，研究两党之政策与理论者，吾敢谓实居少数。吾尝问同学中之有选举权者曰："君为何选胡佛氏？"吾所得之答复，十人中每有六七人是说："因为胡氏人好！"（Because he is good man！）此种回答虽甚简单，但美国普通人民对选举大总统之态度，亦可于此推测一斑矣！

两党所得票数及用费之概数　两党此次所得全国选举票之总数，至今尚未公布，兹调查得大概数目为二十一与十六之比。（胡佛氏得二千一百万票，史氏得一千六百万票。）民主党此次若以票数之总额论，则成绩可谓前所未有，盖即以前民主党总统威尔逊氏当选总统之票数，尚无若是之多也。至共和党所得票数之总额，则反较现任总统柯立芝氏减少多矣。若以州为单位，则胡佛氏得四十州之多数，史氏则仅八州而已。

两党此次竞选之用费，民主党则近五百万美金，共和党则逾六百万美金，两党此次选举所费若合华币，竟达两千二百余万元之巨，其费用之大，亦良足骇人也！至其款之来源，则大多数为希望两党当选之商人所捐助，此则殊足耐人寻味之点矣。

选举日之情形　在选举日前一星期，吾即预备至选举日，一定要到投票处看看热闹，及察看彼邦人民在选举时之态度。谁知到了六日下午与同学康君去时，方知所谓选举处者，不过一座小洋房！门前有块小牌，说明“此是本城第一百卅七区选举投票处”字样，楼下半边坐有发票人，对号人，收票人，及监票四人，其余半边则有可容十人写填票子的位置。吾在康君填票之时间，则详细询问填票之手续，均蒙一位发票子之女士按票讲解，最后复得该区主席之许可，至楼上参观数票之情形。数票者亦为四人，一人唱票，三人写下，每一张选票，并不仅仅为各党之候选总统，并有本州政府任期已满之重要职员，及本城市长，与许多须取决人民公意之本省重要问题，如增加救火人员抚恤金养老费，增加汽车油捐等问题，附加说明理由，取决多数人民之意见。选举处之职员，则为本州行政机关所委派，每一区注册之选民亦不过三四百人，毫无拥挤喧哗情形。且照选举日规则，各党在选举日停止一切宣传工作，故在选举日，无论何处，均非常安静。我看见两个工人，一位老太太，都异常慎重填写选举票，此种气象，确值得我人之钦佩！返观我国以前举行省议员，及国会议员选举时，杂乱无章，毫无秩序之情形，甚至真刀真枪，打得头破血流，两相比较，不胜惘然！但我人若再进一步研究，美国现在选举制度及其内容之真象，则结果乃又觉现在美国之民治政体，固方进门而尚未升堂入室也。其人民在政治方面仍为两党所操纵一切，在选举之前，则允许将来如当选后，定做这样，或实行那样，待选举期一过，得政权者之一党，仍照己意而行使职权，其对于彼所允许之政策事件，大多数都敷衍过去，人民亦无如之何，故在此一点上，美国之所谓“民治”精神之表现及实力，则反不如英国人民之为愈矣。再查各州政府职员，及市长之选举，仍多为政党所把持，多数人民对一大张选举票上之人民，十分之九不知其经过历史与为人，选举时圈圈罢了，此为许多同学及政治教授所承认之事实。至于各州政府等机关内所用之职员，庸碌之辈则仍过半数，仅谋生活而已，此则为民主党某议员在城内公开演讲所说。以美国人民之程度，其政治内容尚如此之不完全，于此可知“民治”两字之实现，良非容易之事也。同时我人应觉得，倘今后国民政府积极从事建设工作，健全五院之组织，教育与经济同时猛力发展普及，则廿年后，我国政治工商之进步，要亦不难与英美并驾齐驱，此全视我国人之猛省与努力耳。

十六年十一月十六日灯下。

一个男女同学的讨论会

李公朴

日前美国西北沿海岸各大学中之中国，日本，朝鲜，菲律宾，以及美国男女学生，共有九个大学，在炮特伦城立德大学举行第一次学生对于太平洋国交问题的讨论会。各校代表共有六十人，中，日，朝鲜，菲律宾之男女代表约占半数，此外尚有各处男女青年会代表及各大学教授多人。会期虽只三日，然所讨论者倒都是目前最要紧的问题。此会之宗旨就是要从学生的眼光中来研究太平洋各国之状况及相互间不同之意见，讨论时尤在消除成见作第三者态度之研究。记者蒙特约列席发表关于中国最近政治状况，并参加讨论大会中之重要问题，如日本人口增加与粮食之供给，东三省与日本粮食之关系，美国禁止东方人民入境律之批评，菲律宾之独立问题与将来日美设有战争时之关系，以及太平洋各民族成见的问题等等。这许多问题讨论时，均有激烈的争辩，与有趣的批评，各代本国说话尚不失第三者之态度。在这许多问题中，尤以各民族误会成见的问题为最有趣。主领讨论此问题者为立德大学校长谷爱敏博士。当开始讨论时，先有中日两国学生起立申述他们在美国数年来之经验，与被美国人欺侮之情形；菲岛与朝鲜学生亦继续加以援助，当许多美国人前痛述美国人过失。尤有趣的是有一个菲律宾学生与一日本学生，他们因有时美国女同学也不愿同他们跳舞，所以他们对于这种族成见问题讨论时最起劲，大有主张立刻打倒之慨！（按最近情形，美人对华人已较前好多矣，凡受高等教育者，虽不能说他们没有轻视的成见，然外貌上则多相待以礼。惟因礼节与习惯不同，致起误会，则又在所不能免耳。）而美国男女学生则又群起纠正误会，并提出许多补救此种成见与误会之办法。一种开诚布公融洽之空气充满会场，观此亦可见学生头脑究竟是比较的热诚纯洁！但结

这位就是立德大学校长，主张国际婚姻之谷博士。

果仍无充分解决此问题可能性之提议。最后仍是由谷博士起立谓："我以为欲消除种族间之成见，惟仍有主张国际婚姻是根本解决方法。昨日我曾提起国际婚姻问题请诸君研究，即此意。吾不知更有何方法较此更为妥善者。"盖谷博士在开会词中曾提起种族成见与国际婚姻之关系一语，请大家注意。他的意思就是要使男女代表对此问题去考虑一番，因为谷博士的思想极新，在此城中敬重其品学而怀疑其思想的人很多，即以主张国际婚姻而论，当然又是那班有种族成见的人所不敢赞同的了。再说会场中自谷博士发表意见后，男女学生均不约而同的表示同意。在散会后，有几个美国男女学生来问我对此问题的意见，我除表示认可外，乃转诘彼等的观念如何。谁知内中有位女同学的回答却颇爽快简明，她说："我只知道有爱情，不知道什么种族！"她说完后旁边有位日本学生代表竟笑谓我曰："可惜这位李先生已结婚，（他在房中看见内子相片，故知。）否则你们大可以结为朋友，（编者按：李夫人看此也许要吓得一跳！）倘若竟能因此而发生爱情，那么本会说到就做到，

这位是此次大会主席格韵声女士，她是本州 Oregon 大学四年级生，思想与言语均极清明，并为此会发起人之一。

理论与事实并进，不也是一件极痛快的事么？”这几句话说得围听之人哄然大笑，这段种族成见与国际婚姻问题的讨论也就在这大笑声中结束。

十八年感恩节寄自美国。

五分钟的狂热与一夜天的高兴

李公朴

美国人过新年的热闹，那是不能与中国相比的，他们过年的时间，实际上只有五分钟，说长一点，一夜而已！至于守岁的习惯，倒是中西不谋而合的。记者因要看看外人过年的情形，所以不惜费了半夜的工夫，同一位同学跑到一月一号早晨四点钟才回校睡觉，我觉得此行很不虚。

我们知道美国人都是小家庭，所以他们逢时过节，是不会像我们中国多数家庭能老小在一起热闹欢叙的，他们多数是出来到公共的娱乐场去寻乐。我记得在去年三十一号晚上十一点钟的时候，街上的人与汽车电车热闹非常，声音嘈杂，因为全城的多数人均在这个时候“出来过年”了！最有趣的是到了最后十二点前的五分钟，街上就忽然同“造反”一般的轰动起来，汽车的喇叭，爆竹，小孩子的号筒，口琴，大铃小铃，同在路上走路者的“新年快乐”（Happy new year）的呼叫声一齐叫起来了。当时记者的心理是去看他们如何过年的，所以我的态度就如看戏一般。不过有一点是我感觉到的就是那种“爆竹一声，岁序更新的升平气象！”的情景。在中国自我出世以来，就没有遇着过！只可看看古人诗文中描写的“升平气象”而已！所谓年年刀兵，岁岁饥馑，那是中国最近十数年来的情形，现在到外国来看见人家这样快乐的庆祝新年，回想到我们中国尚有数千万饥民待赈的状况，怎能不叫我触景伤情呢！但是现在中国虽有许多饥民，政治方面究竟已上了轨道，南北究竟已算统一，倘此后没有丧心病狂的人再来争权夺利，借党营私，那么我们再过数年，社会的现象自会逐渐进步，人民可以安居乐业，不就是升平气象吗？想到这里，心中不觉又安慰一点！

第二件事我看见的就是到十二点半钟后街上的人就渐少了，因为人都到娱乐场去跳舞哪，看牌哪，吃酒哪，（美国禁酒的法律在这一夜更失效了！）看影戏哪，看文明戏哪，听音乐会哪，及其他等等的游戏方法。记者走进一影戏馆时，不觉使我吓了一跳，原来今夜的影戏馆内，与平时大不同了，里面五花八门的怪声音都有，小孩子更不必说了，就是二十几岁的青年男女，有许多也是喊着不停，好像非此不足以表示过年一样，据说那一夜各处都是如此。在第二天所谓新年元旦，亦照例是普遍的假期一日，所以美国的元旦日早晨的情形，可说也同中国差不多。到了初二日则又一切如常，新年即完全过去，所余者仅“新年快乐”一句话则仍不时的流入耳鼓。美国人对于过新年不十分注意的原因，就是他们祖宗所传流下的习惯，是重视庆祝耶稣圣诞节，一切历史遗下的礼节习惯也很多，同时他们在过圣诞节时已可说将新年包括在内，如送圣诞节的片子或礼物上面都带“新年快乐”的一句，所以到了与圣诞节日期相隔不远的新年，也只好及时点缀一下就完事了。

在新年与圣诞节这两个大节期中深觉得有两件事很值得提出来与诸位谈谈的，就是“吃”与“乐”。在圣诞节的前一夜庆祝圣诞，非常热闹。记者那天赴一个很正式的宾客众多的家宴，这也是很可代表美国上流社会宴会与娱乐的情形。第一，他们菜的花样虽也很多，但是重质不重量的，加之油腻不厚，所以吃过之后，主人预备的菜虽多而不繁，而客人亦觉口腹舒畅，无多食之苦。论起中国的“吃”，那本来是天下闻名，所可惜者，就是分派的尚不得法，所以我们觉得在过年时候，从普遍的情形上看，大毛病就是吃得太多，于卫生上很不相宜。第二，他们大家吃过之后还有半小时以上之随意谈天，然后由主人将预定的娱乐秩序一样一样的实行起来，如钢琴，凡亚林，独唱，说笑话等等游戏，宾主都能尽欢而散。中国对于这种娱乐，就普通社会上说，本来很缺乏的，在过年过节的时候，除了看戏赌钱式的消遣的种种方法外，所谓比较好一点的娱乐实在不多，我觉得我国对此二事很有提倡改良的必要。

一九二九，一，三。

有了面包以后

李公朴

美国一般人的生活，在要求舒适；但要舒适，须先有职业以解决面包问题，所以职业问题不得不列为大前提。其次则为组织家庭问题。故大多数在大学求学的学生，及半工半读，与方得职业之中学毕业生，其收入尚不足以成家者，则莫不有两个最好或较有交情的女友，时相往来，过恋爱的生活。说到这里，不妨将此邦女子在未嫁之前，她们职业的情形说一说。据调查所得，美国在这十数年中，女子不独在受大学教育方面之数目激增，而女子在职业方面之数目亦大增。其实此固理之当然，比如记者所在之学校女生竟占半数以上，我有一班社会学的班中仅有男学生二人，有时那位男同学不来时，则仅我一人。若是我们中国老学究们当此，必要连呼什么"群雌粥粥"不已了。惟女子在求学时代做工者虽在此间是比较的少数，然较中国大学中做工带读书的男学生则又多多了。此间女子有职业而经济独立者，则到处皆可看得出来。各戏馆之招待员，卖票员，几变成女子的专利品，至各商店各吃食店中则无不有近半数之女职员。大学毕业之女子则多半做较负责任的事务，如管银钱或其他较用思想的工作。惟多数出嫁后则在家料理家政，即有继续其职业者亦多减少其工作之时间与收入。在大学未毕业而结婚者很少，然间亦有之。此校中上月就有两位男女同学结婚。但他们每日来上课则仍与前无异，闻两人均为明年毕业。此间结婚之形式，我以为既简单，亦尊重。吾以为我国昔人制定种种婚姻之礼节，在意以为无非表示尊重，后人纵事奢华，遂失原意。所以现在吾人虽反对麻烦之婚姻仪式，但是照今日中国之社会现状论，仍宜维持简单而尊重之礼节。比如此间两位同学，他们结婚的仪式是于早两日在报纸上结婚宣布栏内登一个很简单通告，广告费是很有限的，然后于星期日，男女到礼拜堂行结婚礼，牧师证婚，两方家长参礼。二十分钟礼成，礼拜一则新夫妇二人同来上课了。

他们的态度与神情与结婚以前无异，校中师生对之除示以微笑之贺意外，亦不若我们中国一般人对于新郎新娘那样奇特的大惊小怪！至结婚之男女亦不若中国结婚者之过分的快乐与失常态的神情，好像终身大事是以那几天为特别重要一般。不过若论到我国旧式婚姻，男女从未见过面，一朝相逢，就变成终身伴侣来讲，则男女二人要失常态，或不为无因。至由恋爱而成之婚姻，则重要点乃在订婚之慎重，与实行同居恋爱生活后，如何使此爱可勿衰或日增浓厚。

十八年三月。

值得我们注意的顾虑

李公朴

现在人都知道美国是世界上最有钱的国家，她的中央政府的国库内，盈余着四十万万的美金，欧洲各国欠她的债，约有十三万万以上之多，此外各州政府及其人民中之大富翁，更是很多。像这样的有钱的国家，她的人民生活问题似乎应当可以敷衍过去，但在事实上却有大谬不然者。原来美国之富，并不是普遍人民之富庶，到美国来的人，若仅在城市中看看，那就只见汽车比中国的黄包车还要多，街上虽时常看得见有工人样子的人，但多数不是临时改装做工的学生，就是收入不错的工人，一眼望过去，就不容易看出一两个一望而知像上海随处可见的黄包车夫那样生活维艰的人；但是我们若到他们各大工厂内去调查调查，他们多数工人的生活以及乡下多数种田农人的生活情形，我们就可以看出仍有多数人民在经济压迫之下，过不足以养家活口的生活。[1]据最近的调查，仍有一百廿万靠做工吃饭的失业工人。何以会如此呢？回答这个问题，从最简单的一方面来说，就是因为美国的人民程度，与政府组织，虽然比我们中国好得多，然其政府之大权与政策，则实际上仍操在资本家地主阶级的掌握之中。[2]老实说，大多数美国人民，对于政治问题，从好听的一方面讲，他们似乎很相信他们祖宗遗留下来的一部宪法，与两个直接主持国家政治的大政党，所以他们就很懒得去时时注意那许多很麻烦的政治问题。有一次我同几个研究政治的美国同学，谈到这个问题时，内中有一位冷冷的表示讥讽他们国人说道："我想我国人多数只注意个人生活方面，

---

[1] 美国平均社会生活程度，每一小家庭每月约须一百五十元金洋之收入，方可过普通的生活，现在美国工人的平均收入则在九十元左右。（农人在外。）但若与一九一〇年较，则工厂工人之平均收入确已增加近半数了。农田雇工之平均收入适等工厂工人之半数，食住由地主供给。

[2] 美国现在之共和和民主两主要政党，历史传下就是如此：一是代表资本家，一是代表大地主。虽界限或不能分得这样清楚，但都是代表有钱的少数人的利益，总是人所公认的了。

并不注意政治的事情；况且改变宪法，以及与金钱万能的资本家去争斗，又是至不容易见效的事；至于外交方面，倘若像中国人嘴上常说的有那样多的国耻，那么方可激动他们对政治的注意……”我觉得这句话诚大可寻味，不过听到中国国耻这样多的话，我虽知道说者非有意讥笑中国，所以并不怪他，但是令我不能已于言者，就是西人所谓“有这样多国耻”的中国，尤其是济南血迹未干，日兵久占，有这样簇新国耻的中国，我不知国人中有几分之几是“念兹在兹”而直接间接作雪耻之图谋的人！自国府改组，五院成立，东省易帜，全国无二色之旗，国际地位似已渐有增进，这种气象，又多么令人兴奋！但是同时我人读中西文的报纸，往往又于字里行间，看出本国内部之意见仍不免纠纷，而一班希望中国多事的帝国主义者之报纸，则更多方揣测，造出许多匪夷所思的消息，极破坏我们在国际间地位信用之能事，又多么令人气愤！

我们知道美国的政府是受资产阶级所操纵的。我们若稍一审查彼邦历史政治上之领袖人物，虽有许多关于个人的学问道德均足令人钦佩，但大都于不知不觉中，

美京夜景。

受其本党历来政策与所代表之资本家利益所束缚，虽要想做一两件与多数农工有大利益的事，亦很不容易。像林肯总统做成那样惊天动地的解放黑奴的伟大功绩，世人多注意于人道主义一方面，殊不知他的最难能可贵者，就是能不顾一切进行之困难，竟提出与在政治上有绝大潜势力的大地主根本利益冲突的主张，后来竟因此发生南北战争，困苦艰辛而得到最后的胜利，他那种超越一切伟大勇敢的精神，自无怪乎要令举世倾倒。然若当时北方各州之大地主亦蓄有大批黑奴，换言之，倘林肯要主张一件与全国资本家根本利益冲突的主张，则吾恐虽至今日，能否实现，亦无人敢说。所以在这一点上看来，我们就可推想得要改进在资本主义势力下之政治问题，又是如何困难的一件大事，而阅者诸君也就可以领会到所谓世界上最富之美国，而她的人民仍是多数在经济压迫下过困难生活，与改进其政治不易的大概原因了。

所以现在凡是关心中国政治情形的美国政治经济与社会学者，他们因深深感觉到他们本国政府为资本家操纵的经验，虽有几条很合“德谟克拉西”主义精神的宪法，不过做政客口中骗骗人民的具文而已。何况那部宪法，现在差不多已为美国研究政治的学者，所一致公认是阻碍美国民治主义一个根本的障碍物！[1]于是他们现在很注意到中国最近政治之发展，尤其是工商业逐渐发达的情形。我在这两三月中曾遇有四五位曾在华盛顿大学及哥伦比亚等大学担任过教授讲师的政治社会学者，他们除问问最近党政组织外，末后总要提起一个问题，就是中国国民政府当此尽力开发国内富源振兴工商业的开始时期，曾否顾虑及或预防到将来资本家阻碍政府举办有关大多数中国人口的农工利益的事业。他们似有很替我们中国将来的政治前途担忧的神情，他们似很不愿中国的政治将来重蹈美国为资本家所把持的覆辙。

我与他们讨论这问题时，除将国内情形略为解释外，并告彼等国民政府此后是要实行孙逸仙先生所主张的节制资本与平均地权的办法，就是将来中国工商业发达到现在美国这样情形时，我们有《三民主义》与《建

[1] 对于美国宪法及其政府组织批评之书有好几本，有一本名《美国政府之精神》（*The Spirit of American Government* by T.Allen Smith），我觉得它批评得最痛快，将美国政府内容分析得非常透彻，不知国内有否此项译本。

国方略》为根据，不会蹈欧美各工业国家之覆辙。他们听了我如此解释后，大概尚能表示满意。但我以为彼外人所顾虑者，亦未尝不很值得我们注意的问题。

女　儿

李公朴

中国家庭中做母亲的，非不爱女儿，但却更爱儿子，最大区别，就是嗣续关系；她们以女儿是人家人，所以比较起来终觉得传种接代的儿子宝贵得多了。若反过来看，儿子女儿谁与母亲亲热一点？谁待母亲好一点？我们用一句似武断而非武断的话来讲，平均起来，似乎还是女儿待母亲较好，较接近一点。但做母亲的人，在丈夫死后，大多数仍是随着儿子，是很少由女儿奉养的；而同时慈爱的婆婆，与贤孝的媳妇，又总很不容易遇在一起，所以结果：中国家庭中因为婆媳不和，直接间接也不知生出多少不幸的惨剧，苦恼的风波！美国社会是完全由小家庭组织起来，父母与儿子媳妇同居在一个大门内的固然没有，就是父亲死后，（此间男子先女子而死者占多数。）母亲同儿子媳妇同住者，也是很少很少。然而在这很少数当中，据说母亲随女儿同居者，则又比较的多一些。记者来此所遇着家庭中住有一位老太太的，已有四家，而查问的结果，又均是女主人的母亲，但经济的负担，仅就吾所见者论，则有三位老太太是自己有相当存款，足以应个人所需用，其所以住在女儿处者，也不过是免得独居寂寞之苦耳；有一位是完全依赖女儿过活的，则是本校一位教授的岳母，这位教授夫人则每日出外教一点钟书，以所得的束脩，来奉养老母，他们外国人对经济问题，你看分得又是如何清楚，不过岳母住在婿家，据说仍是少数。我在一个礼拜堂内，曾遇见十几位年逾花甲或古稀的老太太们，同她们谈起来，方知多数都有很好的儿子女儿在纽约或华盛顿有很好的职务，快乐的家庭，但她们这许多老太太自丈夫死后，即过孤独的生活，其一种凄凉情形，与饮食起居无一切亲人照应的苦况，却也可怜！政府所设之养老院中，亦时有人满之患，此则又为过分注重个人主义之结果，是则为我国今后提倡改良家庭制度者，所应注意的一点。日前记者还听到一个似乎很有趣味的新闻，在我国社会上或者要觉是笑话，但在这里的人们看来，就也不过这么一回事罢了。这新闻是在我们学校附近有一位老太太（五十多岁了），她有一位很宝贵的掌珠，今年就要出嫁了，这位老太太等她女儿出嫁后，她老人家就也要打起精神预备做新娘子去了。原来她有一位老爱人，本早要结婚，俾好互相照应，但因她女儿反对这位未来的晚老子缘故，她不愿违爱女的意思，所以等到女儿出嫁后自己才做新娘。我猛听了这段事实时，就忍不住的哈哈大笑，连说有趣有趣！但他们美国人虽觉此非常有之事，然却也无所谓奇怪。老年人于儿女嫁娶后，没有钱的其孤苦固不必说，就是稍有积蓄，差堪温饱者，那种单独无伴的味道，尤其是上了岁数的人，确也实在是很不容易尝受！

十八，一，一，廿六。

受打击后的振作

李公朴

世界大战（自一九一四至一九一八年）告终的时候，随着德国倒霉的奥匈联邦帝国，因国内民族复杂，全国瓦解，分成许多小共和国，奥国（即奥地利亚）遂削成一个小共和国，其西北为德国，东北为捷克斯拉夫（Czecho Slovakia），东为匈牙利，南为塞比亚与意大利，全国的疆土较我们的江苏省也许还要小。（编者按：奥匈帝国在世界大战前疆土达 261，259 英方里，奥国现有疆土仅 30，766 英方里，江苏省有 38，000 英方里。）她的京城维也纳差不多就要占全国五分之二的面积，比起帝国时代的“威风”，似有“不堪回首”之慨，但经此打击之后，民族不如从前之复杂，人民在政治上的地位亦比前增高，益以全国上下的振作，经济危机的拯

邓格勒。

救，十年来市政之进步，人民自治力之发展，全国教育之积极进行，故在目前的国际地位虽大不及往昔，而循此社会和政治的安定状态向前勿懈，也就很有希望。最近来美演讲的奥国著名教育家邓格勒博士（Dr. Paul F. Dengler）谈及该国情形颇详，我愈觉国家不怕打击，只怕打击后，不知振作，不肯振作。

邓格勒博士最近应美国世界教育学会（Institute of International Education）之聘，来美演讲，日前此间立德大学特约他来该校演讲两次。他第一次的讲题是“由教育而获得国际的了解”（International Understanding Through Education）。他以为“世界主义”或“超国家主义”与广义的国家主义，实际上并不冲突，尤其是因为这世界的范围日渐缩小，国与国的关系日益密切，科学进步使水陆交通日形便利，更加上近年来飞行术与飞机构造之猛烈进步，大西洋飞渡成功，商运飞机已普遍欧美，以前须一月之路程者，今则数日可达，今后世界距离既逐渐收缩，自然界因交通上的阻碍亦日益减少，今后国家遇有战争冲突时，名目上尽管是两国的战争，但实际上必与世界各国要发生直接影响的关系，这种利害所及的影响，在今日国际间已成相互连境的形势，此后这种关系，只会日加密切，决无疏远之理，所以“超国家主义”已成事实上的趋势，他以为要促进这种主义的实现，要注意两点：（一）使国人明白了解关于国际间各邻邦的知识，（二）彼此对他国有一种诚实友好的善意。要达到这个结果，教育实居极重要的地位。

上面所说是邓氏的意思。他关于世界距离缩小而彼此影响日切的观察，诚然不错，不过我觉得正因为有这样的形势，一个国家更须力自振作，否则受他国的侵略亦较前更易，亦较前更快。老实说，在国际上要维持公理，非本国有充分的实力不可；倘使本国先弄得乱七八糟，你尽管说对他国有一种诚实友好的善意，其如他人不睬何！

邓氏第二次的讲题是“奥国教育的新精神”（The New Spirit of Education in Austria）。他对于教育十分注重养成儿童自治自动的精神，也很值得我们的注意。他说奥国以前的教育是专制刻板文章的制度，学校内是没有自由活泼空气的，教员的面似“铁”，严厉得可怕，课堂内的空气“冷”得吓人；是一种机械的例行公事的顽固教育。现在奥国新教育便以使得每个儿童可以得到下列三种精神为原则：（一）自由（freedom）；（二）自治精神，“实行自己管自己”（self-direction）；（三）自动的表现，“予以自由发展本能的机会”（self-expression）。邓氏自己在维也纳创办有实验学校，就是极力提倡这种新教育的中心，他采用所谓“社会化的课堂制”（class community system），把许多学生分成若干小组，譬如说，每小组十人，那么此十人就须共同照料大家读书游戏等等事务，每人均有机会做领袖，有机会管理和执行规则，每人均要时刻顾到并保护本组的信用和名誉，都须有适当的服从领袖的态度。关于这种教学法，邓氏曾谈及一件有趣的事情，他说有一天有一个六岁的小学生跑到他的办公室里，现出很正经很不快乐的样子对他说道：“我们组里的某同学在课堂既未用心听先生讲，等到我去和他讲，帮助他，他居然也不听我的话，我们的小组内有这样的一个人，怎么办好呢？”这个小把戏居然大用其思考力！邓氏实验的这种新教育，已可使初级小学生自动的做他们的功课而不觉无味。

讲到奥国新教育里小学生所做的手工，也是很有趣味的。他们的手工是用分工办法，邓氏带了好几种他学校中六七岁到十三四岁的小学生所做手工作品，其中有几本硬面子的书，那些书做成功的方法，是一个学生说一个故事，一个学生将这故事写出来，另一学生用简单的图画，将那故事分段的描画出来，末了一个学生负责装订成一本书的样式，还要备一个有趣味的封面，四个小学生，一阵忙，谈谈，笑笑，想想，问问（问教员），由此的结果，一本一本很有意味的童话书籍，竟做了出来。这种社会化的教育很能养成国民的合作习惯。

据邓氏对记者说，他欣闻中国努力新建设，拟于明年来华一游，我希望我们不要“坍台”！

寄自美国炮特伦城。

在美的中国人地位

李公朴

在美国之中国学生每年暑假期内照例有一次中国留美学生联合会，分东，中，西三区举行，今已为第二十七届之年会。此次美国西部十余州之年会时间，为六月十四日至十八日，地点适在记者本校炮特伦城立德大学。

此次大会虽只有一次两小时的讨论会，但所讨论的问题却颇有一记之价值。兹简述如下。

洗衣店　中国洗衣店前在美国本甚发达，当记者初来美时同学每以“中国洗衣人”相取笑，我先莫名其妙，后来方知究竟。但现在此种营业已有日趋淘汰之势。自洗衣机器发明以来，美国人所办之洗衣公司大为发达，处处以科学方法改良营业之手续，在在使用户感到便利与满意。但中国人之洗衣店既不能互相团结以求与人争，更不谋改良仿效，应环境之需要，所以相形见绌。我们讨论结果是：中国洗衣店营业在美失败之主要原因，即无团结精神，科学知识，及创造能力等等。

堂斗　“中国人尚于自相残杀而不知互相团结以谋改善腐败现状，试观各大城内中国人之‘堂斗’（tong war），数十年来年年都要发生几次，家破人亡，惨不忍闻，此种毫无意义之举动，殊为人类羞也！”此为去年芝加哥城中国人又发生“堂斗”时，美国某报评论此事之一段。吾人觉得国人之被外人轻视，此亦重要原因之一。对于此问题讨论结果，以此种风俗乃由中国以前之地方主义（sectionalism）及广东之大姓械斗一类情形相传而来，侨胞中知识浅陋者太多，殊难理喻，补救之办法惟有希望生长是邦之青年同胞（大多数均受有相当教育），将来对于此类无意识的行为力加革除而已。与“堂斗”有密切关系者仍有许多不正当之营业，如各种赌场及贩卖私货机关，亦为发生“堂斗”之重要媒介，所以仍由美国政府之警务人员不能严厉执行法律所致。

工人地位　近数年中国工人之在美国地位已是江河

日下，固已尽人皆知，惟吾人所尤加注意者，即坎拿大与美国西北之阿拉斯加州（Alaska）两处。该两处前数年尚有多数之中国工人，分散各地工作，但近来因菲律宾人不受美国移民律限制，故来者日众，而其吃苦耐劳工价不大亦与中国工人相似，同时又受美国政府直接保护，中国工人既横受本地工人之排挤虐待，又不能得中国政府之保护，其地位反不如亡国奴矣，言之良足使人痛心。此外还有日本工人，他们因有强硬政府的缘故，虽美国移民法律对日人也与中国人一样的要限制，然他们因本国政府曾派有专员为之计划一切，而工人本身又较中国工人有团结力，故日本工人在坎拿大与阿拉斯加州之情形反日有进步。所以今后中国工人在坎拿大及阿拉斯加州之原有地位不久即将为菲律宾与日本工人所夺，乃为显明之事实。华侨中感觉寄人篱下之痛苦，自国内北伐成功后，极想回国经商者颇不乏人，徒以一年来既因国外时有奸人造谣，说许多国内不安静的揣测言词，而事实方面又确有军人叛变反抗中央之举动，遂使有意欲回国的商人及到处受人虐待之工人也只好叹一口气，将回国做一个自由国民的念头暂时搁起。“回国既不能平安过日子，亦只有忍气吞声，继续在外人势力下再过几年了！”这几句话是记者到阿拉斯加州做工的船上遇见一位华侨老先生亲口所说的。

同化问题　此处所论之同化问题，乃指生长是邦华侨青年子女而言，我们很相信在美成家立业的侨胞大多数均不容易被人同化，但一班自小虽生在中国家庭而却长在美国社会，受教育于美国学校的男女青年，照目前趋势，则诚有日趋美国化之慨。他们对于国学可说大多数与外国人一样，惟都能说一点广东话，以及其他自小从家庭得到的中国习惯而已。有几位生长是邦的男女同学很诚恳的向我们来自中国的同胞，询问他们回国后几年就可以学会国文，极少限度到底要有怎样的程度，其恋恋于祖国的态度，亦殊可嘉。所望我国政府对华侨教育要特加注意才好。

此外有数同学对美国人种族成见问题有所讨论，有一位美国女士，（姓名已忘，是大会特请来做英文演讲比赛会评判员之一，时在讨论会旁听。）于请得主席允许后，也起来发表她对于此问题之意见，倒也颇足耐人寻味。女士先引一位大学有名生物学教授的话，说：“两个不同的种族中的优秀分子结婚后所生出来的子女是可以青出于蓝而胜于蓝的。”她接着并引证了几位美国女子嫁给日本与中国学者后家庭间美好之情形。最后她并力言多数美国人种族成见之不当，因为美国本身就是一个许多种族合起来的国家。现在已入美国籍的犹太人，意大利人，以及德国人法国人，他们在美国社会里无形中种族间成见仍很多，尤其是犹太人，彼此隔膜更厉害。但是美国少数领袖却不以为然，他们的态度才真是美国人对于中国人友爱之代表，但根本上要解决这个问题，仍不能不盼望中国人要自强，俾自侪于优秀民族之列云云。

关于中国来美学生的本身问题，因时间短促，仅略涉及“什么是今后中国最需要的事业？”，讨论结果，很多人都表示教育与交通为最急切的事业。惟彼时适值国内冯军破坏交通消息传到海外，所以有几位同学都说：“交通固然是重要，但在目前这样武人横行的时候，仅仅现在原有的一点铁路尚被军人任意因私人之利害而破坏，那里还谈得到其他路政建设问题？外国的水陆交通是为人民用的；中国的水陆交通是要等军事机关用了剩下来时才可以派到人民。在这种现象下之交通事业还有什么谈头！”这虽是他们的牢骚语，但也未尝不是出于怀念祖国的好意。

公朴寄自美国阿拉斯加州。一九二九，七，一。

此即鱼厂山后涧水深处，记者来此坐读时最多。朴附志

百看不厌

李公朴

美国阿拉斯加州（Alaska）在新大陆的极西北角上，州之北部沿着北冰洋岸与俄领西伯利亚之突出一角相近得很，近欲辟中美空中航线之飞行家，将来即拟由是处飞渡太平洋，惟两岸的天气寒冷，居民稀少，亦一阻碍耳。此州前本属俄人，后由美联邦政府以七百八十万美金向俄政府购得，数十年来已为世界最大鱼场之一了，现在沿太平洋岸及山岛中大小鱼厂闻竟达三四百家之多，州之内部生产不计外，仅以历年来之渔业收入算，也不知超出多少倍七百八十万了，这又岂俄人出卖时所料及的呢？记者在暑假中工作之鱼厂，为资本规模最大鱼厂之一，厂中装置最新式机器，四五千条三尺余长的大鲑鱼，（salmon，此一类鱼为此处出产最多者，味甚佳。）两个钟头内就能用蒸汽蒸熟了，冲洗得干干净净，装入罐头；再两小时则贴上罐子上面有商标装璜的招牌纸，装钉成箱，一切完事了。（每条鱼平均斩头去尾，可做五六罐。）鱼厂之地点在州之中部，建筑于一海湾内，名 Union Bay。（中文若译为“连环套”，倒还有趣。）这地点不独是便于捕鱼且可说是一绝妙的避暑佳地，前临海湾，遥见太平洋面，后倚高山，有一条山涧从山后流出，鱼厂特搭一长广的栈道，沿涧通山深处，自来水管附设道上，厂中的饮料与多量的洗鱼水均赖此水。山中仍保存着新大陆初发现时之森林状态，古木参天，并时有熊鹿出没其间（熊并甚畏人），山顶上积雪终年，故来此一月余，虽闻纽约及旧金山等处炎热达百数十度，与国内亲友来函谓沪宁间又是如何亢热无雨之种种“热”话，然此间早晚天气则固仍如初冬一样寒冷，故每觉此番来做工固属生平第一次际遇，而避了一季夏天，也是我做这廿世纪时代的人以来空前的第一年也。这鱼厂孤独的设在此山海之间，除每星期二三有一次邮船来收送邮件外，就可说与世界隔绝交通，幸风景怡人，夕阳西下时之海面是百看不厌的。沿栈道走进峻拔峭绝之山中，到涧水深处临流垂钓，或倚石读书，是则工余后得借鱼书而独乐之时也。一日钓得大山鳟两尾，烹之味佳绝！

鱼厂之工作大概是洗鱼，切鱼，装鱼罐头，做装鱼的纸箱子等，及其他一切杂务，大半是由机器做，并非要用苦力气的工作。记者是管一部做鱼罐头的机器，只立在机器旁，将洋铁皮子装进机内去，掌开止之职务，比较在做鱼的机器间工作已是干净而省力，然头两天我仍觉立得腿酸腰痛！此间工作忙与不忙，全视鱼船上的渔人送进来的鱼多少为标准。公司的运气好，鱼捉得多，钱赚得多，我们工人每日就要忙八九小时，以及十个小时。公司倒霉，鱼不多，赔本，就是工人的运气，每日吃饭睡觉拿钱，做二三小时工作而已。在我则一月以来做工的资格却已算是练出来了，立在机器旁，手不停的忙一天九个小时，也不觉得什么苦而难做了。

十八，七，二三，寄自阿拉斯加。

工余见闻与感想

李公朴

谈到记者此次要在暑假期中做工的动机，是要尝尝劳工神圣的滋味，实验一下素来只会主张“双手万能”的思想。如今做过汗流浃背的工作后能不能立即埋下头来读书，这是在学校常看见许多同学这样做，而我每感觉自己不能的怀疑。至于愿意跑到这没有夏天的冷地方来，乃是想借此既可有一个不化钱的旅行（旅费均由鱼厂付），并可看一看这世界大鱼场之一的阿拉斯加州与捕鱼制造等状况，同时又因闻此鱼厂的工人是以日本与菲律宾工人为最多，顺便能实地调查些中日菲三国工人的情形，至于一探此州中国工人的地位渐为日菲工人取代之真相，亦为促成我来此原因之一。此番来做工之目的虽照上面看起来，似乎是大题目很多，然仍不外想于离开学校期中竭力求一点受“教育”之机会耳。两月以来，此种做工教育之结果不独可说达到我上面所要得到的各种希望，并似乎得到较学校里更好的成绩。除读完了几本应读的书外，又知道我这双手也不在别的工人之下，挑煤，搬运货物，以及钉箱子，劈木材等事，在我原有的管机器的职务外，都时常做过。初做的两天，确有吃不消之势，不是腰酸，就是臂痛；可是现在已不在乎了。又因工余时间之宝贵，故读书之兴味尤浓。心志专一，是做工生活中最感到快乐与舒畅的事情。此均为我一生中所得的一部分大教训，为我所永不能忘的。

鱼厂中虽只有工人一百余，然经详细调查后，始知工人中竟是各色人种都有，殊属有趣。比方除中日美工人是代表黄白两种外，二三十印第安人，我们可算他代表红种，菲律宾人代表棕色，马来人种及从奴隶解放为美国国民的非洲人，代表黑种。国籍则有中，美，日本，朝鲜，菲律宾，瑞士，墨西哥，意大利，以及红黑两种无国籍的民族。想不到一个小小鱼厂，竟包含有全世界的各色种族与若干国籍的人民，是亦未始非洋洋乎大观也。在此各色人种都有的环境之下，最足使人发生感触者，即于这许多工人接触中，到处可以冷眼看出彼此对待之心理完全以各人之种族在世界上所占地位之高下为缩影。卅余国籍不同之白种工人内，至少有一半是未受教育，说浅俗之英语者，但他们却无人不自视为世界上最文明的人物；许多日本工人对白人是很客气的，然对其他任何国人则又傲慢异常；菲律宾人在红黑两种人前又时会做出“自命不凡”的神情来；至于几个中国人虽面皮同日本人一样“黄”，然因国际地位是远在日本之下，所以其他人种之工人对待中国人也就不知不觉的显出不若对日本的客气了！

国家地位之高下，国势之强弱，与个人之关系，到了这种地方就格外看出它的密切程度。我想国人中除驻节各国之外交官与旅外之华侨等应有相当之感觉外，至居住东三省，山东，尤其是上海的民众，当然更应有此感觉！近来国内军阀乱国不成后，多半都是出洋考察，我们应希望他们最少亦要考察明白中国国际地位低下，主要原因就是由于内争不息，政治不上轨道所致。他们驾临一国时，其政府与人民有时甚至连理都不理，那种目无中国之情形若与别的国家什么陆军大将到中国来时之景象一比较，我想身受者之感想自比旁观者为更甚。倘这样的刺激可以使一班仍有封建思想者觉悟，则国际地位之增高亦可计日而待矣！

此间工人生活在大体上总可说是过得去。属团体生活方面，如饮食起居以及做工，大概都是随种色而分。白种工人在一处，日本中国及朝鲜人在一处，菲律宾人又另在一处，至黑人与印第安人则多半是属捕鱼工作，所以他们大概都宿膳工作于一处。此鱼厂前年尚由华人承包一切工作，工人亦以华人为多，闻后因工头管理不善，宿舍内既不清洁，工作亦不认真，遂改由日本人承包。此州沿海岸及海岛中大小鱼厂不下数百家，工人则百分之八十以上为中日菲三种人，盖因生活起居可以不考究，有木板床大米饭即足，而工资又较白人为廉，各鱼厂自然乐于雇用。我有一次跑到白人的宿舍内去看看，那就实在比我们工人宿舍内整洁多了！一半虽由待遇之不同，然亦由工人自身有清洁的习惯所致。

论到各种工人工余之生活倒也形形色色，花头很多。白种工人则下棋，钓鱼，闲谈，睡觉，游泳，及作扑克牌戏等。日本多数工人则一有余暇即以赌钱为生活，闻有人已把所有工资输完了！菲律宾人则弄音乐者很多，差不多每天晚上有许多菲人及黑人与终年住在鱼厂的十余印第安女子在海边的码头上奏乐跳舞起来。美国工人亦有加入跳跳者，有时两个女子唱一曲她们印度歌，虽闻之莫名其妙，也觉宛转动听。此外印第安人等，他们在渔船上的时候多，与之接触机会甚少，闻彼等做工余暇则以入黑酣乡为乐。

美国政府对于捕鱼法律甚严，每年捕鱼期间为七月十号起八月廿号止，每礼拜自礼拜一晨六时起至礼拜六下午六时止为捕鱼时间，星期日前后三十六小时中又不许捕。自鱼起水后必须在四十八小时内开始制造装罐，工人制鱼时必须戴白手套，每一二星期政府派有稽查察看一切。鱼厂方面对于所有规则亦严守不怠。所谓政府稽查人员，对此种守法者除称许满意而去外，厂方对之既谈不到什么应酬招待，虚耗双方办公时间与精神，而徇私舞弊之机会亦无从发生。这种守法精神，实为政治上了轨道之国家所不可缺少的要素。

十八，八，十五，自阿拉斯加鱼厂发。

海外的官瘾

李公朴

我国在前清时代，政府对驻外领事向不注意，民国以来，因内争频仍与政费竭绌的关系，亦无暇顾问。政府连公使馆经费尚一欠若干月，小领事馆则更不必说，所以就是官热的人，见此味同嚼蜡，应没有什么人想钻头觅缝去奔竞图谋了。但是仍有人情愿贴钱来做什么名誉领事，过他们海外的官瘾。美国方面除华盛顿京城设有我国的公使馆外，余则仅纽约与旧金山各设有总领事一人。其余华人众多之地如芝加哥，西雅图，罗安琪等许多大城中，仅设有名誉领事一人。我国自己国内连年闹得一团糟，要想替海外侨胞谋什么幸福，本属梦想，政府既一时无力委派领事以护卫侨胞的利益，得些自告奋勇不必政府出钱的什么名誉领事，似乎聊胜于无，让政府揩揩油，原也未尝不是一件不幸中的幸事。但是便宜货有几件是好的？据生长此邦的华友说，这班名誉领事大多数还是用钱运动得来的，因为他们都是留居各该城中的大富商，袋袋里有了不少“麦卡麦卡”，（编者按：此为上海洋泾浜语，言人金钱富裕之谓。）“既富”矣，又想“且贵”，借此过过官瘾。说者如是云云，真相究竟如何，记者未亲加调查，未敢乱说，不过就闻见所及者言，这班号称“名誉领事”在外边似乎对我国的“名誉”没有什么好处，而且恐怕无益而有害，因为他们均为中西学识毫无者流。去年记者到某城，不久即晤此处所谓名誉领事者，不独英文说不清楚，即很普通的交际态度也一点没有，简直是一个“名誉阿木林”！同时该处的那位日本领事却是谈笑温文，礼貌周到，连他的夫人也能陪着她的丈夫在交际场中周旋合度，受人欢迎。这真是令人看了气闷！我和诸君谈起这件事，绝不是有心恭维日本人，也不是说日本人一定都比我国人好，我所要注重的是要告诉诸位他们对于驻外领事知道慎于人选，给以政费，所以他们的侨民处处得到好处，我国则国内乱得不知所云，无暇顾及海外的国际体面，真令人痛心！彼时墨西哥中国公使李锦纶先生尚代表国府驻美京，记者曾致书李先生，询及国府革命外交对于此类领事有无处置办法，据李先生复言说，此间某城的名誉领事某君尚为伍廷芳老公使驻美京时所任命，此后驻美各城领事须待伍朝枢公使到任后酌量办理。近据新由国内来美的友人徐挹和君来信说，他今夏与清华学生同船来美，途经西雅图时，有该处我国名誉领事当着许多中美人士开会时演说，竟说美国是中国的娘，做儿子的对娘非服从不可云云，简直使我国人听了无以自容，而乃出自堂哉皇哉的本国外交官，吾人慨叹国内自顾不暇，恐怕只好纵任这类名誉领事安如泰山的过他们的官瘾，替祖国在海外多增加些“名誉”！

十一月十五日自美发。

工 旅

李公朴

此次由美赴欧，幸有一友人代谋得一船上工作，经巴拿马运河赴纽约，约可省去三四十金元的火车费，始勉得成行。转瞬间余已航海两旬，明晨即将抵中美巴拿马运河，从美国旧金山城海程至此约三千海哩。回忆去年暑期中得机会赴地近寒带之鱼厂做工，彼时方幸今生少过一个夏天，讵料今年暑期竟辗转跑到热带来航海两旬，连日来炎日当空，海水如沸，虽在大洋中，而热度犹近百度，我工作时无不汗流浃背，故每自笑去年在鱼厂中所幸免者，今则补足之而有余也。此船为航行美国东西两海岸之转运货船，船中除船长上级船员及机师等十人外，有水手及下级船工二十余人，大半为菲律宾人，工资较美人为少，惟此船大体对于职工待遇颇佳，每日工作八小时，饮食起居亦好。余于七月十八日上船时，因水手船工的住所已无余位，遂得例外以船上所特设的病房为宿处，地位宽大，又在甲板上层，与上级船员的卧室相连，空气既佳，出入尤便，此可谓幸得之者。若水手等的宿处，则在船尾甲板之下层，有风浪时，其摇动比船之中部来得厉害。我在船中应做的工作是属于膳务部，每日除三餐前后在上级船员的饭厅内做清理洗刷的工作外（洗碗擦干刀叉等尤为主要的事情），则为上午早餐后，约自九时起至十二时止的杂务工作，这是完全听那位膳务长（chief steward）的指挥而行，有时做漆匠，有时做下灶的大司务，削山芋皮，洗生菜，或帮助他在冷气房内搬取各种鲜肉等食品。至于下午则多半是休息，晚餐的工作完毕后即可洗澡纳凉矣。如我这种工人，他们称之为“Work for traveling or transportation”，简译起来，在中文似可称为“工旅”。

此船在旧金山原仅拟停留数小时，因待装货，竟停留三日，我乃借此意外的机会，畅游一番。现就我在旧金山所见之中国街（China Town）（编者按：或译唐人街），择其较有趣味者略述一二。除纽约外，旧金山实为美国最大世界人民杂居最多之商场，其中中国街尤有可观，国人到此者，几疑置身广州市也。杂货店，京广货店，其中布置可说与国内者一样。我看见木头柜台内账桌上写账的朋友，虽穿着很入时的西装，然所用的流水账簿子却仍是长方形的国货。柜台外面一位穿西服的态度深沉的老先生还衔着一支短旱烟袋。我也看见吃食馆的送菜大司务用头顶了一托盘的菜在街上很自然的行走。又见两位十六七岁小姑娘穿着在上海乃至内地已不多见的镶宽边的淡湖绿色洋绉的褂裤，在路上很正经的闲步。至于许多老太太们，则衣服样式更是很多中国数十年前老古董式的装束。国内近来似易趋洋化，至少可以说是易于骛新，而此间海外华侨却颇守旧。此中得失，亦颇难言，盲目的骛新与盲目的守旧均无可取，我觉得解决方法还是二千年前的圣人说过的两句话不错："择其善者而从之，其不善者而改之。"

在中国街上见有两家古董店中陈列有祖先牌位，玉皇大帝的神位，城隍老爷的宝座，甚而至于人家祖先的引像，以及其他种种我国无人顾问的旧家伙，真令人看了笑不可仰。我曾戏问同行的几位美国朋友道："你们看这许多中国美术如何？”谁知有位女同学竟忙着指向那个祖先牌位回答道：“我想这上面雕刻的花纹非常的美观……”我至此才恍然这古董店的主人不惜运费将那些废物运来的缘故。

中国街的建筑亦颇足代表东方建筑的大概。亭台楼阁，一眼望去，甚为壮观。街道亦整齐清洁，较许多意大利及俄国人丛集的街道上不知要好多少，这也是我们旧金山华侨所可以自豪者。

八月九日自巴拿马寄。

学府造成的环境

李公朴

史丹佛大学有美国西部哈佛之誉，建筑尤壮丽可观，创始于一八九〇年，校址甚广，乃加州并入合众国后之第一任州长史丹佛氏为纪念其子小史丹佛之死而设者。离旧金山城只三十余英里，乘公共汽车一小时可达，火车则仅三十分钟耳。其所在之城名普罗阿陀（Palo Alto属加州），今美总统胡佛氏故居在焉。城中景象与旧金山沿途之各小城不同，虽无海山环绕，然全城静穆异常，花草均布置整理有序，余缓步道左，深感此一方净土中之人与物似均陶镕于大学教育风化之内。向路工询问途径，就童子探问电话处，彼等均和颜悦色，详细指示，礼貌有加，诚恳动人。闻美国各大学所在之小城均多少有此种气象，盖因此种小城之各项职业中人民几全部由直接或间接与大学教授职员学生等发生接触之关系；又因地属高等学府区域，非商业中心，环境既优，遂少招致恶风气之媒介；而大学既为培植青年学养之所，因势善导，耳濡目染，潜移默化，故间接自成为改善社会环境之策源地矣。即以礼貌一层而论，则学校中人总可说大多数是较社会上一般人为优（间有因种族成见而犯不敬者，则似应另作别论）。曾举此事与一位研究社会学的美国朋友闲谈，彼笑谓有许多居此种有大学所在之小城中人，其态度往往因环境不同，变更极快，例如在小城有礼貌者，到商业中心种色复杂之处，或竟变为无礼貌之人。其实此仍由于良莠不齐环境中之心理作用与礼貌之习惯养成不深所致耳。

中国素有数千年礼教之邦之美名。当今英国哲学家罗素氏于十年前来中国讲学，曾著有《中国之问题》一书，对于中国旧有文化之价值，批评利害，持论公允而透彻，甚为欧美学者所称重。书中曾极赞许中国人民一种普遍的爱好和平与讲礼貌等美德，此种美德，我人久处若忘，每不自觉，试回想昔之一私塾秀才先生尚多少能得一部分社会之尊敬，视为问礼之处，大小学生在礼貌方面亦较市井未学者有别。文质彬彬固违近代健身教育之旨，然粗暴蛮横，又岂是强壮体魄之原则？余因参观史丹佛大学区域观感所及，遂发生以上之一点联带感想，深觉我国今之所谓最高学府者，其大多数对于社会群众之影响，较诸我人所早视为时代落伍之私塾如何，虽范围与制度彼此悬殊，然即就此可比者比之，或亦值得教育界之注意。学校之风气应为来日社会习尚之先导，若并区区外表之一点礼貌亦不足为社会之准则，则遑论其他乎？

八月二十日灯下，纽约。

突闻惊喜

李公朴

游史丹佛大学返船后，第二日因开船之时间未定，未敢远离，偶至码头上散步，忽见有两只大货船，不知何时进口，泊于同一码头空处，走近看看，突闻有许多宁波口音的朋友在船尾的甲板上闲谈，初甚惊喜，以为中国招商或宁绍三北公司有新添设的海外运输航线，既而细视船名，方知仍为美商之经营远东各国商船者经过该地。在此船的后面，则见另有一船上全是日人，一面太阳国旗高悬飘荡于旗杆上，船吃水甚深，一望而知为重载，船中人正开始忙着下货。我询问岸上一位日本船员，方知适从横滨直接开来者。

这个当儿，我船的膳务长忽跑来对我说道：“你要和那个正从上海开来的船上几位中国朋友谈谈吗？我认识他们里面的一人，他现在该船做厨头。那只船和我们的船是同属于一个公司的。”（即美国商办国家轮船公司[State Steamship Co.]）我欣然随他到那只船上去，见他上甲板时，先向一个穿海关制服者言明领我上船的目的，（事后调查，方悉美国海关因防运私货入境者，故每遇有船只从他国入口时，即派一人立于船之出入口处检查。）然后同到船上的厨房里，把我介绍给他所认识的那华友后，先行辞去，我留在那里闲谈了一小时之久，吸中国牌香烟饮龙井茶，可谓尽欢而散。当日晚餐后，他们穿整衣冠，于上岸消遣之前，还到我船上来回看我，体貌颇周，异地国人，另有一种感情。原来彼等共有七人，薪水自四十五元至十五元美金，工作已近一年，以前该船所用者均为广东人，后因时有带私货及到美上岸私逃等事发生，故公司遂改用宁绍籍人。惟每人须有一千金洋保证金，因依美国移民局对公司雇用华人之条例，如有人私逃不回船，则该公司须受罚一千美金。又因宁波人与在美的华侨言语不通，故可减少带私货的引诱。至船公司愿雇华人的主要原因，当然因为贪华人工资的低贱；若用美国人，则两个正副厨子即须二百金洋，其余工人每名至少亦须四五十元金洋。

论到私运货物事情我曾与船中某职员谈及。他说中国从前曾有自办商船三只，往来太平洋两岸，听说后来竟因偷运私货不已，积欠美国海关罚款，以致船被扣留而终于停办。就大概言之，外人均信华人较日人为诚实，但对于偷运私货一层则否。年来日政府鼓励本国航商经营海外航运事业不遗余力，同时并严禁此种偷运私货的行为，以维国家信用。我在沿途中时见日本货船，闻美国航业中人言，年来美国对远东运输的营业已受到日本竞争的极大影响。

八月三日，灯下，纽约。

中日在美侨民之前途

李公朴

日人虽与中国人同受美国移民律的限制，然日人在美各处的商业与居民的数目则有进无退，此虽由于日政府之有力的辅助，然亦由于日人有团结进取的精神所致。忆一月前在炮特伦城寓青年会宿舍中时，曾有史丹佛大学社会学教授雷诺博士（Dr. Reynold）就我询问关于在美华侨各种问题的意见，因为他正在研究有色人种在美西部前途发展等问题，闻该书明年即将出版。他在谈话中告诉我说华侨在美前途的趋势将减少至极小数目，日本人则不然云。以我前日在洛斯安极立司城（Los Angeles）上岸所见情形而论，益证雷诺教授所言之不虚。是日船泊该城对岸码头上，地为一小海岛，名 Terminal Island，我上岸送信时，见全岛几全为日本人，后与一日本人攀谈起来，方知岛上竟有日人二千余，多以捕鱼为业，而沿途小孩子甚多，足见其生殖之繁。岛上荒地甚多，将来发展亦易。此岛在十数年前尚属荒芜不堪，今则交通便利，建筑已粗具规模，凡铁道，轮船，码头，堆货栈房等等，无不齐全，此虽为洛斯安极立司城政府所经营，然劳工则多为日人。近来该城市议会中已时有关于限制日本工人的立法建议。此本为美国西部对待华日工人的老政策；需要劳工苦力时则欢迎，迨市面已好，其本国工人来者渐多，乃逐渐发生仇视的现象。投机的政客议员遂乘机提议限制的法律，以投市民自私心理之所好，以巩固他们在议会中的位置。惟此处日人以捕鱼为重要业务，而渔业又为洛斯安极立司城第二大出产（第一为石油），故议会中因有渔业界强有力者之反对，同时日领事及日侨团体亦同时作强烈的抗议，故市议会中至今未曾通过此项法律。

十月四日晚，纽约。

艰难缔造

张大同

美国比中国的强处很多，不用说了。他们的各种科学都已升堂入室，精上加精；即如动物学植物学中一小部分的研究，也得要化几万美金，请人去研究。中国一切都不完备，藏书楼实验室都欠缺得很。现在陕甘等处还有几百万的灾民，奄奄待毙。人家如彼，我们如此，真该猛醒！

然而一切都不要紧：第一国内要不打仗，第二教育要办好。我到这里来感到最刺激的一点，就是外国教员终身教学的精神。他们以研究为本人兴趣所在，以造就人才为终身大任。此间的教员学生，在课外大家都预备得很充足，上课后就尽量利用这时间来讨论。有一位同学告诉我，说这里两星期的功课，足抵得野鸡大学半年的课程，这虽是言之过甚，但足以见得现在中国学生的“不读书”，实是中国前途无穷的隐忧。

其所以如此的原因很多，学风的不好，师资的幼稚，实是最主要的病根。学风的不好，是相依于政治的不安，社会的混浊，经济的困难而生的。至于师资的不好，实因为国内太重视留学生，在国外混几年，就回去教书，其实留学生所学的，未必立刻可以应用于中国，必须先在国内就情势的需要，斟酌改善，俾资应用。最可笑的，我记得在国内时候我校有一经济发展史的科目，这位刚从外国回来的经济教授，就把美国的经济史照本宣传一回，我们当然是莫名其妙，他却视为当然呢！

外国的教授薪水不算高，但是的确在社会上占很高的地位，而他们也能安贫乐学，猛力向学术界进攻，这真是最好的现象。据一般的情形看来，美国的学位并不像中国这样看重，这仿佛是跑到什么地方给他一些纪念物罢了。然而也不至于轻相授与，尤断无给那个资本家送什么博士学位的笑话。譬如此间法科的主任 Boylow 氏，他在这里教书已经三十年，最初是教物权的，现在还是教这课，他对于这课熟极了。现在最高法院有物权方面疑难的案件，常有询他意见的必要，这就是欧美流行中的所谓权威者了。

其次则美国人的生活，实无足为中国人取法。他们是好像富家子弟，盈藏极富；而我们是由贫苦的国家来的，要学也学不像。昨天有一位从德国敏与大学（德文 Machen）来的教授演讲德国目前知识阶级的生活状况，亦刻苦艰难得很，他说："现在德国大学校读书的人，有一半是做工的，自立求学的，所以夜学近来很多。"此外日本的艰难缔造，不下于德。我以为中国人应该以德日两国的生活做起。至于美国的大学学生，的确太舒服了，不必顾家事，尤不必顾国事，社会事。所以为中国计算，要先使时局平定下来，学生都能专心读书，这才是培养后来新中国的元气；尤其是中学生，如果要他去干国事实是太糟了！

五月八日，芝加哥。

白首大学

曹云先

美国人对于求知识的兴趣异常浓厚；他们无论老小男女，只要有机会，都必设法进学校。贫者不惮做工以自给，富者不图偷闲以苟安。所以一国上下，教育普及，知识发达。

最引起我注意的是这次我们暑期学校里许多白发苍苍的老人。暑校全数学生四千余人，而那些白首的老翁老妇竟差不多居三分之一。听说不但密歇根一校如此，其他各大学暑校亦都有此情形。在我所选的几科同班之中，至少有一半是年过四十或五十。所以外人观察美国教育者有白首大学（university of grayhead）之誉。当然，这“白首”二字决不是显示老而无能，却是表示他们老当益壮的精神。因为那些老少年，男的女的，大半是别的学校里多年的教员或校长。他们不愿消磨这残年可贵的时光，乘假期之中仍欲力求进益。这种自强不息的毅力，实足令人起敬。举一两件事实来证明。这里与我们同住的有一位威尔斯先生。他今年五十三岁，头发全白，是一个沉静的学者。他曾在别大学教过好几年书，并且当过十几年校长，今夏也在此间暑校选读几门功课。看他按时上班，临期考试兢兢的非常用功，我们一次同他谈天，对他说："先生这样高年还如此努力，真是可佩。"他说："我并不老，我今年不过五十三岁。因为对于哲学很有兴趣，所以乘假中余暇想再求一点进益。"听他这几句话，我们可以见到求知的精神了。并且这位老先生还非常守校规；他因为新来此处，常常问我们这里学校的规矩，恐怕犯过。以我们看来，以为以他这样资格尽可随随便便，何必如此认真？然而他绝不因自己具有资格而忽视学校的规则。

再有一件：在西洋史班中，每次上班时我总见到有一位龙钟的老妇坐在我们前面的一排椅子上，凝神一贯的听讲。有一天我早去课堂，她来同我闲谈。她问我说，你觉得我的儿子讲得怎样？她这一问我才知道她原来还是我们那位教授的高堂。那教授对西洋史极有研究，演讲时真是如数家珍，非常动听。所以他这位老母也很感兴趣，每次都来听讲。本来学问境内何分老幼，只要自己肯努力，谁都可以享受。我们如果把学问视作人生精神上必需的营养品，我们尽可以活到老学到老。

八，廿五，密歇根。

纽约之华侨公立学校

张月庐

侮辱中国人的影片《不怕死》虽在国内禁止开映了，但在美国人眼中看起来，此片都是描写实情，丝毫没有故意侮辱之意。因此我联想到我们中国人心目中的唐人街究竟是怎样的。我未到美国以前，以为唐人街就是几条狭窄污秽的街道，抽烟赌博无不齐全的。到了美国后才知道不然，以后当写几篇唐人街的情形，以期给国内同胞一种真实的印象。现在先说纽约唐人街的华侨学校。

纽约华侨学校始创于前清光绪三十年（编者按：即日俄开战之年，距今二十七年前），初创时学生很少，因为那时候根本唐人街的儿童就不多。华人携眷来美盛于民国四年。至民国十三年，美国通过移民律后，携眷来的就少了。此种家族的儿童到近年来才长成，所以华侨学校也是近年才发达，始创目的不过是教育一般儿童，使他们认得华文，足以写信管账罢了。

华侨学校是纽约中华公所设立，经费除学费外由中华公所补助。中华公所是唐人街中联合全体华侨的唯一机关。校长由学董选举，三年一任，而学董又由唐人街中全体铺户选举出来，所以这华侨学校算是唐人街公立的。现在学校里有一百六十三人，男女各占一半。学生年岁自七岁至十七岁。纽约唐人街的儿童有百分之八十入校读书，程度分六级，完全与国内小学的编制相同，另设特别班以备成人失学补习。校中学生有十分之九是在美国出世，照例是美国的公民，要入美国的公立学校，每日下午三时散学后，才到华侨学校，所以华校的上课时间是下午四时至七时，校中的教职员都由国内大学毕业，又在纽约哥伦比亚大学或纽约大学研究院读书。

管理及教授方法，因有许多特别情形，与国内学校微有不同，学校教授的方针，第一是教学生们讲话，国内的人听了或觉得奇怪罢。学生们平时说的只是一点家常用语，而且说的还是广东各县的乡下土音，就是听得懂广州话的人也丝毫不懂他们说的是什么。小朋友们在玩耍时全是说英语，因受了美国学校的训练，所有的意思只有用英语才能明白发表出来。作文时每人都有一本英汉字典，国内的学生是用这字典去查英文的解释，此处的学生是有了英文的意思再去查中文是怎样写法。因此，教学生们说流利而有条理的广州话，使学生们的意思能用广州话发表出来令人明白，是华侨学校的第一件工作，这工作包含提倡演说辩论演剧等，每星期有一个演说比赛会，各级一定派二人加入。各级代表由级中学生轮流的强迫担任，每星期又举行级际辩论会，又将国内的剧本译成浅近的广东话，教学生们演剧。年来实行这几种方法，颇著成效。第二个方针是教作文，讲话有进步了，作文自然也进步。学校完全授白话文（艰深难学的文言在华侨社会中当然不适用），作文时只要将广州话的语尾虚字换成国语，就是一篇好文了。现在学生们都使用四角号码法的新字典，作文参考更加便利。第三个方针是激起他们的民族观念，学生们受了美国学校的麻醉，颇以做美国人为荣。我曾问过一个小孩是那里人，他傲然答说："My father is a Chinese，but I am an American."（译言：我的父亲是中国人，但我是美国人。）

学校时时将我国悠长的历史，广阔的疆土等观念印入稚弱的脑筋中，又讲外人在我国内的强横傲慢的情形，对稍高级的学生还讲些领事裁判权等不平等的地方，激发他们爱护民族的心。教授的课目，以国文为主，助以本国史地党义社会等。其余各科，如算学自然等科，在美国学校已经有了，不必重复，此外还有国语一科。在华侨社会中，标准语言人人都能懂的是广州话，要学讲国语是不可能的。有许多在纽约留学的人来校参观，都说学校为什么仍用广州话教书，仍奖励学生用广州话演说，不知华侨学国语没有听和讲的机会，是永远不成功的。而且学生不愿意学，家长也不赞成，所以华校教国语的目的只求学生能听得懂国语，这已经是奢望了。

将来的计划是现在六年级生毕业后就加初中一年级，以后每年加办一班，倘经费有着，六年后中小学都完全了。还希望毕业生回到国内考大学时，于国文一道不发生困难，此处华侨子弟都是颇优秀分子，家里又有能力供给读书，如任他们在美读大学，毕业后仍在美国做事，和祖国不发生关系，那是中国每年将这许多有用青年送给美国，这是何等的损失？唯一的方法是在此中学毕业后鼓吹他们回国读大学，不必要在国内毕业，只要他们能深切留下祖国的印象，认识祖国的文化，将来再回美无论所学何科，总可回国效力，不致送给美国人。所以此时就打下国文的根基，使他们愿意回国，使他们知道回国考学校毫无困难，这就是华校同人现在所努力而希望将来能实现的计划。

二十年三月。

在美的华人餐馆及侍者

张月庐

由国内寄来的报纸上，常常看见有人骂留学生为贵族，为分利者，为不中用的阶级，看了很不平。我承认留学生中应该骂的很多，然而在全体中究竟还是少数。据我所知，在纽约百分之五十的学生都是靠一种工作以维持生活，这工作就是餐馆中服役，我不反对国人骂留学生，我只愿国人略为知道这种工读学生生活的一斑。这就是我写此文的动机。

此文所谓华人餐馆是专指华人为美国人开设的而言。此种餐馆，门口总有一招牌，红绿电灯一闪一闪的显出 chop suey 二字，这二字就是华人餐馆的特征，也就是华人餐馆的代名词，二字的来源是从广东话杂碎二字转变而来。杂碎就是杂炒。在外国普通饭店食饭，向来不用久候。广州香港沿岸的小餐馆有专为外国水手及游客而设，他们为适合“性急”的顾客起见，就不管什么肉类菜蔬，只要是现成的胡乱炒在一锅，只取其快，不管其味。奇怪得很，这种又杂又碎的东西，倒非常合外国人的口味。后来中国人到外国来开店，也以这杂炒享客，又以杂碎二字为招牌。此即 chop suey 二字的起源了。这种餐馆在美国略为繁盛的城市都可以看见，大城中更多。芝加哥城中最著名的 orchestra 就是在一间华人餐馆中，每晚的音乐还用无线电传播各处，纽约城中差不多隔两个路口就有一间，百老汇路上，是繁华的中心，戏院舞厅，群集于此，几十层高楼中，有两家三层矮屋，巍然竖立，红灯闪耀，乐声铮钬，就是两家纽约饭店的巨擘，也是华人餐馆的大王，一家叫 Chin Lee，一家叫做 Palace Door。其中服役周到，菜肴精美，久为纽约人士所称道，每间生意好的时候，月盈二三万美金，每年就能赚百万墨银，恐怕国内没有几家公司能及此区区一餐馆罢！

餐馆中的装璜大都是富丽中带有东方色彩。上面挂着国制的纱灯，四壁挂了湘粤的丝绣品，还有国内带来的云母石镶的紫檀桌椅，桌上还有一盏小小的纱灯，极为玲珑精致，各种颜色，配合得非常调和。大餐馆还布置一跳舞场，以供顾客餐余跳舞，餐馆中的菜，除了杂碎外还有炒面，他们所谓炒面与我们食的大不相同。厨房中早就预备好了油炸的粉条，切好的鸡丝，炒好了的洋葱，顾客来时，将洋葱浇在粉上，上面放一把鸡丝，就是鸡丝炒面了。我们中国人看起来，这种办法是很滑稽的，然而这炒面和杂碎就是华人餐馆中主要的食品。此外还有许多餐馆兼做西餐的，不过客人来华人餐馆食西餐的极少。

美国自动取食不雇侍者的食店极多。但华人餐馆则全用侍者，生意忙时，每个侍者只能照顾五张桌子。一间餐馆，最多要用到三四十人，此中大半是临时招得的学生。这种侍者叫做企台（站在台旁之谓），或叫做威打（waiter 的译音）。侍者又分为三种。第一种是长工，每日十时上工，晚上二时散工，每日工作十六小时！第二种是午餐工，每日只做午餐时的工作，从上午十一点到下午两点钟。第三种是“礼拜尾工”，就是只做星期六及星期日，每日从下午三时至晚间三时，学生做的侍者，大概以第三种居多，第二种也有。至于第一种的长工，除了暑假外是绝对没有学生做的。

侍者的工作，每星期洗地板一次，每日擦碗碟一次，最重要的工作是伺候客人。顾客来了看他点了菜，到厨房叫了菜，再由厨房端出来；客人将走时，给客人一张账单，这就完了。看起来真便当，但是做起来够有得麻烦，第一样困难是客人叫的菜名是英文，而到了厨房说给厨子听就要用广东话。此种广东菜名都有一定的。譬如“菜心炒肉”你如说了“肉炒菜心”就是错了，就要被厨房一顿臭骂！第二件困难是端菜。生意忙时，每个菜盘上都装得满满的，厨房至餐厅只有一门，几十个侍者同时在此门出入。这满盘东西，一定要练到能高高的举起，左右随意，才能在极忙时杀出重围。稍不留心，满盘打翻了，要赔偿还不算，满厅的人都对你望着，不由你不面红耳赤。第三种困难是伺候客人。一个餐分三道，第一道是一碗汤，第二道是种种不同的杂碎或炒面，第三道是各种点心。有时一个侍者同时要照顾二十个客人。有时汤已端出来，客人叫的什么杂碎忘记了；有时客人已经食毕而账单忘记写了。诸如此类的事，不知多少。

工作虽然辛苦麻烦，但辛苦和麻烦在我们远游万里孤穷无依的学生看起来，不算得什么一回事。初做时固然觉得不惯，久则安之若素了。最难堪的是精神上的痛苦。餐馆中最与我们这种学生侍者做对头的就是厨房，他们大都是所谓四邑（广东的恩平，开平，新会，新宁四县）的乡下人，在美国会做厨子的人很少，物稀为贵，所以他们的工资极高，又可以随意发脾气，就是东家也怕他们几分。有时厨房中还有兼股东的，那更是暴戾强横达于极点。暴气发泄的集中点就是侍者。侍者稍微叫菜不清楚，或菜尚未煮好走到厨房看一下，只有一些小事，厨房大师傅们即刻破口大骂，骂你本身，骂你家中，骂到你祖宗。我曾看见一位北平国立大学中的教授，在哥伦比亚大学得了哲学博士，戴眼镜的文弱先生，因盘费无着也到餐馆做工，被那厨子走到跟前，仔细看了好久说："你的父母是什么东西，会生下你这不中用笨蛋来这里现世！"那位先生托着盘子索索的抖着，愤怒到几乎连盘子都摔了！第二，侍者同事中的学生究竟还是少数，多数的侍者是以此为职业不曾受过好好的教育的。他们认学生为同业竞争者，是没有好脸相待的了。他们的态度又较厨房不同，他们是冷淡的，嘲笑的，讥讽的，揶揄的，正与厨房的强横一样使人难堪。第三就是顾客。美国餐馆的顾客从不挑剔侍者的错误，但在华人餐馆中就似乎侍者应该有十二分周到的伺候。许多常在杂碎馆光顾的贵客，有时嫌桌布太脏了，有时嫌汤太冷了，稍不如意就告诉掌柜，掌柜照例不管三七廿一当着餐馆中许多客人大骂一顿。虽然他知道错处不是侍者，然而客人不高兴了，向例是侍者倒霉。有时客人带来的妖姬，还同你开玩笑："差利，你的软领太脏了！""差利，你做 waiter 还戴眼镜么？""差利"就是 Charlie，是杂碎餐馆侍者的代名词。听了人家叫一声"差利"，真觉其中含无限揶揄的意思，非身受的不知其中况味。

来美国读书的在国内自然都是学生，未出国时决不会被人恶骂冷嘲到如此地步。来了美国做侍者已经倒霉的了，又受此恶气，怎么还不走呢？不消说，这是受了经济的压迫。有几人当时被骂，一语不发的穿起衣服就走。不过第二天囊中空空，买面包的钱都没有，没有法子又到另一餐馆中低声下气的寻工。这次受过教训了，火气也低了，然而有时还气不过走了出来，下星期又到另一餐馆中寻工。现在美国工商业凋落，餐馆也受影响，连想受骂的机会都很难了。

在大城的餐馆，如能在暑假做长工，每月可得二百余元，平时做午餐工，每日可得两三元不等，如做“礼拜尾工”，每个“礼拜尾”可得十五元至二十元。有了此款，可以交学费进学校，还可维持生活。所以就是受尽冷嘲恶骂，还有学生去尝试。工资极少，每日至多一元半，所有收入都是从客人小账而来。国内诸君，请少骂留学生都是贵族学生，少骂留学生都是慕虚名少实学的。要知道留学生中从蠢如鹿豕的厨房，满面烟容的侍者，鲜红血唇的妖姬的三面包围中挣扎出来，积五分，一角，一点一点赚下来的钱来入校下死功读书的人，还有许多呢！

二十年三月。

纽约市长之被控

卢钺章

行政官吏之溺职被控，本为各国政治界中常见之事。惟纽约市长此次被控，其事迹中颇有几点可为我国的借鉴，故乐为一述。

纽约城人口，据最近的调查共一千一百万，其中一百万是黑人，二百万是犹太人，其余还有俄罗斯人，意大利人，挪威人，瑞典人，中国人，日本人等。四方混聚，良莠不齐。纽约又是世界金融的中心，许多大银行大企业的巨擘都住在纽约，他们都挟有雄厚的资本，势力足以左右政局，市长一方面要管理这些混杂的居民，一方面又要满足这一班"财阀"的要求，其困难可想而知。现任纽约市长占士获架（James T. Walker）是历任市长中之杰出者，他曾做过新闻记者，编剧家，律师，省议会议员等职，读他个人的小传，描画他成功小史，颇饶兴味。他极得纽约市民的拥护，称他为“真的纽约人”（A true New Yorker）。虽以他负责的精神，灵活的手腕，仍不免开罪于一方，控他于纽约省长之前，要求将他撤换。

原来美国的政治界素来是共和党与民主党互相争雄，在纽约省素来是民主党得势，现任省长隶民主党，纽约市长由市民选举，获架市长也隶民主党，已是第二次当选了。控告他的是一个偏于共和党的市政委员会（City Affairs Committee），呈文中罗列他纵容属吏，玩忽公务等十四条，最近要求省长撤他职务，那时市长正在西方海滨养病，闻讯赶回，于十四项中逐条替他自己辩护，一星期后省长即将控案注销。

此事值得我们注意的第一件，就是他们政争的合法。反对市长的委员会将控告文呈交省长，省长将此文转市长阅看，市长逐项答辩，然后省长将控案注销。无一处不依法律行事，判决宣布后失败者无一怨言。这正是民主政治家应有的态度，比起我国匿名贴标语，散传单，再指使游民去闹官署，使当权者不安于位的手段，真不可同日而语了。我国内地有些县长竟非带兵不能到任，其流弊使地方上军人纵横，行政官吏不敢干涉。此次纽约政争解决后，市内忽传一种谣言，说有人将不利于市长，要行刺他，一时人心极为不安。他为消灭这种谣言起见，特于警察授勋典礼那一日率领六千警察步行游街，他穿着市长的礼服，不用一人保护，徒步行经市内最繁盛的街市，沿途与欢呼的市民谈话握手。这样一来谣言不扑自灭，此事非但可以显出民主政治中在野党的宽容态度，还可以显出当道的推诚相与，不以小人待人，以坦白来博取市民的同情，而不以武力劫持权位，这种民治及法治的精神可供我们的效法。

还有可以注意的，就是他们尊重事实，不尚空谈的精神。纽约省长注销控案的理由是控文中过于空泛，而市长的答辩案中每项下都提出数字来证明他非但不溺职，而且有功。遇了党争之事，评判者不为成见所蔽，不为感情所冲动，单凭事实来评判是非，这也是民主政治家应有的态度。记者以为纽约市长之被控，颇足为我国呈控官吏者一个很好的参考。

五，十九，纽约。

罪犯中的天才

卢钺章

新近纽约发生一谋杀案，被杀的是一个青年，名叫司龙（Roy Sloane），警官于调查被害者的身世中发现了一个罪犯史中极有趣的故事。

被害的青年是哥伦比亚的学生，在校素以聪颖著称，平时亦不是浪费无度的，然而他竟因两次犯窃车罪被判入监。在大学未毕业前，他又再犯一次偷窃车辆。这一次情节较重，又是屡犯，于是他被判送入美国最大的监狱“猩猩牢”（Sing Sing Prison）为期十年。他在牢中竭力研求出狱的方法，他的方法有两种：一是研究法律预备上诉，还有一法就是偷走。他的法律研究还未成功，管狱官吏就得了一个警告，他搜查这罪人的住室，在他床下发现一把掘墙的锄，一顶看更人的帽，还有一件监狱军乐队的制服。于是审判官将他的刑期加多七年。逃走计划破获后，狱中将他移到一个更严密的所在，不许与其余的囚徒往来，他于是时乃专心研究法律。在狱中三年，他要求再审判他的偷窃罪。狱中有两个监犯竟挺身自认偷窃汽车并证明与司龙无干。他不请律师，当堂为自己辩护。从容的态度，犀利的辩词，使堂上的法官律师都为之惊讶不置，审判结果判他窃车部分完全无罪。于是他由“猩猩牢”中被移到一较小而待遇较好的监狱，在那新监狱，他仍继续的奋斗，后来他再上诉，说既然第一次入“猩猩牢”是冤枉的，那么他的越狱罪也应该减轻，他的上诉又胜利了，审判官将前定的七年徒刑改成一年。但他在狱已经四年，所以判决一发表，他即时出狱，恢复自由。

他出狱后立刻有一个纽约很著名的律师事务所请他办事，谨慎勤奋，极为同事所器重。出狱后二个多月，纽约城中最繁华的第五街中一间珠饰店就发生一窃案。原来这间珠饰店外面看来似乎保护得很疏忽，其实各处都装有自动报警铃，窃贼入内后不知如何触动警铃，登时铃声大震，店中各门都自动的关闭起来，百余个警察入内彻底的搜索，在被擒三个嫌疑犯中，此著名的“监狱造就的律师”赫然在内，他到公堂纳了很大的保证金保了出堂。此案尚未开审前，他被人枪杀于一咖啡店门前，凶手不知去向。据店中侍者说他在死前几分钟和几个人在店中争吵些什么事，他们出门外不一分钟枪声就作了。侦探推测他因分赃不均而被杀，颇有几分可信，他还驾一汽车到那小店，而此车后来发现，正是一星期前被窃而搜寻未得的！

据犯罪学者说，犯罪的原因有二，一是环境，一是遗传。他犯罪的原因却不可解。他的父亲是一个守律极严的牧师，他的母亲名 Dr. Anna Sloane，是美国极有名的著作家，曾得有几个大学的博士学位，他自小就受很好的家庭教育，他的交游也都是上流社会人物，平常恂恂纯谨，绝不荒游无度，谁都料不到他是个屡犯不悛的窃贼。

不过他的自求出路的奋斗精神却值得我们佩服。他的越狱计划虽然失败，仍能继续努力直到成功为止。我们要注意西洋人这种特质，就是无论做什么事，不做则已，一做则拼死命去干，不达到目的不止。在罪犯固然为屡戒不悛的凶徒，不可为训。但在科学界则为发明家，在疆场上即为奋勇的战士。观于外国来华的传教士，他们目的善意与否是另一问题，而他们不畏艰阻，栉风沐雨的精神，却令人钦佩，与这位司龙的犯罪精神正同一特质。美国监狱如何待遇囚犯，亦可于此事见之。他虽被禁在与众隔绝的囚室中，仍得自由安心研究法律，可见狱中亦允许给他书籍。有了他的天才，亦有这方便的牢狱，方能发展。司龙若不幸而被困在我国内地有些黑暗的囚牢，恐怕越狱发觉后，皮鞭的伤痕还不易医治，更无心研究法律了。美国法律之尊重国民个人的自由，在可能范围里无不允许个人的要求，于此事亦可窥见一斑。

五月二十三日，纽约。

海外土生子

卢钺章

胡适先生曾有诗道：“海外土生子，生不识故里，终有故乡情，其理亦如此。”他所谓“如此”者，即谓在海外出世的中国子弟虽不曾到过中国，然而他们到底对祖国有绻恋之情，因为他们对于祖国仍有一种名分，到底仍是中国人，所谓“由分生情意”。

但是在美国生长的还有意大利人，德意志人，还有挪威人，瑞典人等。(照美国的法律，在美国出世的都可以做美国的公民。)他们都很骄傲的自称为美国人，把祖国忘记得干干净净了。欧战时美国有许多家庭，父母都是从德国来，而儿子却欢然荷枪去同德国打仗。难道他们不如中国人的爱国吗？不是。其中的分别就是白脸的欧洲人来做美国公民是受欢迎的，而黄脸的中国人日本人来做美国公民是不受欢迎的。白种人在美国都有同等的权利和机会来发展事业，他们觉得美国是他们所有的国家，所以很愿意做美国人。但是黄脸的美国人呢，在法律上是享有美国公民一切权利，他们入省立大学也是无须缴纳学费，但在校中已觉得一种歧视了。校中各种社交团体，荣誉学会等很少请黄种人加入，就是黄种人自己想加入而遇得的回答却是极难堪的冷静态度。有时大学旁边的小屋，明明贴有空房招租的字而黄种学生去敲门时，房东太太就会告诉他们说空房都已出租了。有些竟老实不客气说房子是不租给中国人的。这时候不能用公民资格来要求同等待遇了。等到学校里将毕业，生活问题横阻在面前时，他们更深深地感觉到痛苦。在同一个公司里谋事，黄种学生走入去见经理，经理先生很客气的说："你的成绩极好，但是对不起，我们公司里刚巧收满人，没有空位置。"但是等到第二个白种学生入内，不到十五分钟却欣欣然出来说已在这公司得一位置。有时美国政府在校里招考政府服务人员，华生去考没有录取，然而他的同班而成绩低了许多的白种同学却被选了。凡此种种俱是海外土生的青年一个当头痛击。须得费了无限气力才谋得一个小小的事。学工程的或在工厂里做画图生，学商科的或在公司里做记账员，虽受很好的大学训练，没有机会发展。眼见那几个白种同学，在公司或工厂里受很好的训练，一年复一年，擢升做总工程师，做总经理。而黄种人做画图生的仍是画图生，记账员还是记账员。薪水增加少些，而责任永不加重。不幸工商业凋落时，他们连这仅足糊口的小事还保不住。有时他们觉得在工厂公司做事还不如在华人开设的餐馆里工作而多赚些钱，于是还是跑回来在餐馆中做侍者。据作者所知，他们在美国最好的职业是在与华人有交易的公司中做翻译，或在大城中的唐人街教初来的华人学英文。其余的固然亦有在美国人的事业中得有很好的位置，但这是极少数。大多数仍是在餐馆或洗衣馆中做工。中学未毕业的是这样，中学毕业的亦是这样，大学毕业生仍是这样。反正这种工作是毋须受什么教育的，虽是美国的公民受了美国的训练，结果仍不能插入美国人的社会中，仍被驱入唐人街，仍被逼在唐人街中讨生活。土生子既然在美国没有出路，当然回头想起祖国来，此即胡先生所谓“终有故乡情”了。

但是故乡又是怎样呢？可怜故乡正是贫病交困，许多熟悉情形富有经验的人都没有事做。海外土生青年走回故乡，人地生疏，不熟习故乡的语言，不习惯于故乡的环境，又不十分通晓故乡的文字，怎能不失望而回呢？因此有许多海外青年回国住了年余，不得已重到美国来做工，就此终身埋没在托菜盘的生活中，有才能不能舒展。

海外土生子在美国既不受欢迎，在祖国又少人注意，就在这双层被弃下挣扎着！

作者在美国与这班土生青年往来颇熟，觉得他们有西洋人果敢负责的精神，同时又有中国人勤勉刻苦的习惯，忠诚朴实，有似国内的北方人，而机警灵活则又过之。在学校成绩品行从不输别国人。国内时时听见人才缺乏的呼声，而此等绝好人才竟令其遗弃异地。每年送许多学生出洋受训练，而此等已受训练的青年却不能有用。而且前辈土生青年既学无所用，后辈的亦裹足不前，以餐馆职业为满足了。绝好的资质，绝好的求学机会不来利用，其可惜为何如？

近年美国唐人街中的华侨学校，教授华文颇为发达。但此处土生男女一面须入美国公立学校读书，费在华文的功夫不多。华侨学校教授阅读普通书报的能力则有余，欲求其能认识祖国文化回国能担任重大的职务却嫌不足。根本的办法还有赖于祖国的救济。作者的意见最好能在国立大学中设一华侨补习班，等他们回国能补习国文，使他们与祖国人士多点接触，多熟习中国社会的习惯。有了这些训练，然后在外国的专门学识可以展布，社会上亦要给这班归国子弟一种鼓励，给予种种的机会，使他们乐于归来。

这样，海外土生子岂只有故乡情而已，他们将带欧美先进的学识精神回来，将故乡做成一光明灿烂的世界！

二十，六，十七，纽约。

内政部长入狱记

仲　雨

美国前内政部长柯路士近因贿案入狱，在美颇轰动一时。柯路士前在内政部长任内时，曾受油商杜宣尼之巨贿，后经法庭检举，认为证据确凿，罪无可逭，乃判令其入狱一年零一日，仍须缴罚款十万元。惟柯氏曾声明不服裁判，须提起上诉，迨上诉亦败，柯乃服罪，但柯氏年逾七十，衰弱多病，能否受此囹圄之苦，尚不可知。法庭乃派官医前往诊断，诊断结果，以衰弱多病为老年人常态，固无关于入狱。柯见情势迫切，囹圄之苦殆难幸免，乃大展其政治金钱之势力，以运动各方，冀求减免，乃有七月十六日上议院纽墨西哥省议员两人及该省上下两院议员联名电请总统胡佛以一国元首之资格赦免柯罪。（按：美国总统及各邦邦长皆享有此项赦罪特权，前不久一华侨因堂斗命案，曾经法庭判以死刑，迨刑期届，邦长以其情有可原，乃赦免之。）但柯氏受贿罪，全国愤恨，舆论抨击尤力，总统亦不敢冒昧赦免之，乃由白宫将此电文发交司法部，于是柯路士之入狱遂成铁案。

七月十八日下午六时左右，预备载柯氏往监狱之黑色大十字车一辆，于氛雾朦朦中驶到其美奂美轮，富丽堂皇之住宅前。当柯氏由人扶掖下阶而入十字车时，其妻女及亲友齐集于车旁，泣涕如雨，悲苦不胜。有报界摄影家数十人，由各处赶来向之摄影，其邻人多由窗牖间探首外望，又有多人站在街前，其中有与柯氏邻居二十年者，平居往还，感情甚深，见柯氏以风烛残年，而不免受监狱之苦，相顾唏嘘，深为可惜，挥泪相送者，亦不乏人。七时许，柯氏老泪横流，神气沮丧，由人扶上特载囚犯的黑色大车，其价值数千金之最新式福特汽车，不得不依稀冷落的停立阶前，一若悲其主人之遭此厄运。与柯氏同车去者，有其亲信医生金保罗，及其十六岁之女公子孙兹打，另有机器脚踏车一架为之前导。

柯氏于是晚十时半到纽墨西哥省三水埠，在其别墅中歇宿一宵，翌晨继续起程直往该省山他斐埠监狱，开始度其一年零一日之铁窗生活。处大多数有监督政府力量的国民与舆论之下，执政者亦不得不顾到所谓司法神圣，于此可见。

二〇，七，二三，于美国华盛顿。

美国女校生活之一斑

陆尔昭

时间如飞电一般的快，去秋九月到此，考入本校（卫斯理女子大学［Wellesley College］），不知不觉，一学年已将要完了。一年间的经过概况，可分读书，考试，体育，工作，交际等，分别述之如下，以告读者。

（一）读书　“读书所以明理，明理所以适用”，此为中国的格言，我入本校，处处觉得读书这件事，没有不切于实用的，课程中的数，理，化，及各学系，当然切于应用，不必说了，就是文学，体育等普通科，也适合环境所需要，教授以是教，学生以是学。即校中每星期请名人演讲，亦无非注重解决人生的种种问题，无线电筒所传来的，也是如此，回忆杜威博士主张“知识思想是人生应付环境的工具”，此间教育即对此点特别注重。

（二）考试　考试为我国之名产，说者谓系科举时代的秕政，其实科举考试，材料不好，考官不好，并非考试制度的不好。本校考试很严重，也很有兴趣，平日成绩，十分注意，每月小考，并不预告，月分到九十分以上者，可享受各种权利，如游泳，拍球，到乡村演讲，学生自治会中主席团之一等；在八十分以上者，除去演讲及主席两种权利；在七十分以上者，除去游泳；不满七十分者，即区区拍球之微利，而亦不准；若六十分以下者，则两星期或一月内，剥夺其出外游玩权，返家省亲权，那更不得了！其实全校中各学系各学生不满六十分者，百不得一的。我在这里因常常自勉勿贻祖国羞，故尚能努力赶上，但是有一件极困难的事，就是游泳两字，有生以来第一次学习，心里十分害怕，见了同班生的脚既长，臂又粗，那能和她比赛呢？虽自问已很努力，终不免望洋兴叹，不但饮水数口，以视她们手舞足蹈的，我尤瞠乎其后，结果，得教授的原谅，幸而勉强及格，但我心里不愿以我们中国的学生受美国的教授原谅，究属坍台，仍努力练习。人家去看戏，我去游泳；人家去

美国卫斯理女子大学里的三个亚洲学生：由右而左，一为陆尔昭，二为日本梅美子，三为谢祖怡。

购物件，我去游泳；人家去省亲，我的双亲远隔东半球，也去游泳。如此努力练习，自十二月一月（一九三〇年）二月至三月，居然能纵身乎中流，随波浪而上下。教授见了，以为诧异，他不知道我已费了好几个月的苦工。

（三）体育　美国女生非常活泼，对于各种运动，各种游戏，无不兴高彩烈，学校行政当局于是用奖惩法，以考分之多寡，为各种运动准行加入与否的标准。我尝见同班或异班中，因成绩不满七十分的人，每遇友人赴游泳池，或运动场，正如小孩见他人吃糖，而馋涎欲滴；又如饿猫闻腥鱼触鼻，而食欲横生，其痛苦有不可以言语形容者，等到下次考试便不得不格外努力。美国女子酷爱运动，可见一斑。（若在我国女校，行此方法，未必有此奇效。）且美国女生的手足，均较我国女子为大，以拍球而腕粗，因赛跑而胫壮。以鞋子论，每当游泳休课，互相登岸之际，各人所置之拖鞋，与我同等年龄者，其鞋必约长寸许。凡体育成绩，我竭生平之力，仅能及格，比较她们游刃有余者，常觉惭愧，我想这不一定是我的底子不好，大半是因为在国内时平日无充分的训练。

（四）工作　我在本国读书时，心中想着美国女学生必定华丽奢侈，异乎寻常，今来本校，乃自己非笑自己从前思想的荒谬。各生举动，与奢侈二字，截然相反，各生宿舍，轮值扫除，理发整容，彼此互助。手帕及轻微杂物，均自行洗涤。对于物理化学等科学系，注重试验，力求真切，校中电话，电灯，无线电台等等或有损坏，均由学生自行修理，大学生的理化知识早于中学时代立好基础。我于本年（一九三〇）春假时，偕校长师母及克女士旅行，所到各处，顺便参观男女中等学校，没有一校不设理化试验场，和化学制造所的，理化工作，养成习惯，大学时代，自然兴趣浓厚了。

我的个性，对于各种工作中，最有兴趣者，为到乡村去演讲。自本年三月起，由教务处派定，每星期到乡村去演讲，材料总以输入他们的知识为标准。我对此事很高兴的去干，其原因有两种：（一）以短于口才的我，对众人宣讲，不能不努力预备，预备就有进步的希望；（二）美国乡间民众，一定不知我国的内容，偶然有宣教师，讲些中国事，然他们为募捐起见，大都说中国的弱点，掀动一般人的慈善心。老实说，外国人看中国人的内情，都如雾里看花，那能准确呢？我趁此机会，表示我国的道德，文化，和亚东哲学，有兴趣的史事。但自恨学识谫陋，未能尽情发挥我国文明的底蕴。

（五）交际　美国火车无头二等的分别，职业无高下贵贱的等差，男女交际，没有畏首畏尾的拘牵，但是彼此界限截然分清，各守名分，绝不侵犯，就以出去游玩说，食的，饮的，和一切的费用各付各款，并没有客气夺付的。我在本国时候，听人说美国男女学生同出散步，或遇饮食，必男生付款，其实现在此种风气亦渐变，惟亦有吝啬的女生故意迟迟付款，让男生先付；亦有谄媚的男生，冒充阔绰，先付款项者，这已是例外，确非平常人的举动。

二十年七月。

琴娜湖畔

陆尔昭

一年容易又秋风，去年九月中旬，记者到美，忽忽至今，已经一年了。我校卫斯理女子大学于上月（六月）一日放暑假，美籍同学均束装返家，此间所仅有的同国同学谢祖怡女士赴华盛顿访友，故只有我和一位日本同学暂留校中，温课余暇，促膝谈心，以亚洲人而一同远处美洲，旅居慰藉，自有其出于自然的情谊。

六月十二日我应校长师母之约，到北克劳立拿省（North Carolina）之琴娜湖（Lake Junaluska），和她的女儿同入该处的暑校，乃借暑校逭暑，借此获睹美国的乡村状况。这个地方离阿希凡尔城（Arshival）二十五里。阿希凡尔城造在山上，风景绝美。琴娜湖在一小镇，湖系由人工造成，平日居民不多，千余人而已。而林木繁密，荫翠欲滴，为避暑胜地。镇上住宅百余幢，结构玲珑，大都仿结晶体，掩映于深林山谷之间，大有“修竹压檐桑四围”之景。每值夕阳西下，晚霞映天，村女结伴游行于绿杨碧水之间，金发垂肩，雪肤凝脂，歌声风卷，入耳悠扬。我常与丽雅（校长的女儿，与我同学）静观其间，觉彼等愉快，有如天仙，默诵陶彭泽《桃花源记》，宛然在目。尤使我不能忘者，为湖畔香气馥郁之金银花（honeysuckle），我国人对于此花，初不奇视，而此处则花多而香烈，干矫而色齐，栽花作字形，剪叶作图案画形，人工增加自然之美，亦殊令人心醉。

该处暑期学校系杜克大学（Duke University North Carolina）所分设，教员大都系该大学教授，或他处专家避暑来此者，学生则多中等教员和家属之来此避暑者，利用避暑之地，作增进学识之用，可谓一举两得。学生男女兼收，约三百余人，间有须发苍白，行走濡滞之高年男女，亦来校听讲，叩其原因，大抵经验之余，欿然不满，趁此暑期，弥补缺憾，其耄而好学的精神，殊令我辈青年益为振奋。

校门临湖，湖的面积宽约六里，水色净绿，微风披拂，时有小舟荡漾其间，秋水长天，大有诗境。校旁辟网球场，供各生课外运动之所；另有儿童游戏场，备避暑家属的儿童休息之需。星期六晚间有音乐会及名人演说等，镇上居民俱得参加娱乐。全镇中仅我一人为亚洲的中国人，由同班生公推于七月四日晚间演讲“中华民国近况”，可见外人欲明了我国实际状况之殷切。

记者此次之赴琴娜湖，乃承母校校长贵师母之请，做了她的宾客，招待膳宿所需，无须自理，我现在就观察所及，略述她的家庭。她的家并不广大，而有草地，有车房，有球场，有音乐室，有阅书室，有聚餐室，有会客室，凡家庭需要之所，大抵完备，在美国地方，就一般社会状况观察之，可算中等家庭。但其家庭中，室无废物，家无闲人，除她的丈夫贵先生的职务无暑假，往返无定外（他在乔奇省任教育行政人员），一女和我同学，此次并同入暑校，课余返家则助母工作；一子赴其他暑校就学，所有各室，分工洒扫，清洁朴素，并不华丽，而一种清净静穆气象，令人怡悦。所雇黑种妇一人相助工作，闻已十九年，每日所做有备餐，洗涤烫熨衣服，拂拭汽车（汽车之修理及驾驶，均贵校长和她的丈夫自理）及扫除草地等。黑妇工作亦有一定时刻，午后二时至五时，晚间八时至十时。她于工作之余，也常到湖水之滨，绿荫深处，静坐闲观，悠然自得。每星期日午后为黑妇例假，该日晚膳由主人自理，仆人得完全自由。

此中等家庭中父母子女及黑妇共五人。贵师母年四十余，她的丈夫年五十余，其女和我同年，学程亦同，其子年略幼，今春方毕业于中学部。我此次既在他们家里度暑假，对于他们平日颇留心观察，觉他们都能以爱字相结合，全家融融如也，父母尤处处注意以身作则，其主要之点，无非彼此诚实不欺。除女佣应做的工作外，各事都由子女分任之，各有工作，从不见有颐指气使的现象。

七月二十日，寄自琴娜湖。

三联经典文库第二辑简目

《游击战教程》　明凡 / 著

《游击战术纲要》　陶剑青 / 编著

《汪精卫卖国的理论与实践》　钱俊瑞 / 著

《抗战以来》　韬奋 / 著

《陕行纪实》　楚云 / 著

《随军散记》　沙汀 / 著

《被日寇囚系半载记》　王研石 / 著

《倭营历险记》　房沧浪 / 著

《活跃的新西北》　田影 / 编著

《保卫华北的游击战》　刘清扬　陈北鸥等 / 著

《徐州突围》　《徐州突围》编委会 / 编

《沦亡的平津》　长江　小方等 / 著

《淞沪火线上》　胡兰畦等 / 著

《瞻回东战场》　长江　罗平 / 著

《东线的撤退》　胡兰畦等 / 著

《抗战中的西北》　徐盈 / 著

《鲁闽风云》　徐盈等 / 著

《西线生活》　西北战地服务团集体创作

《中国解放区见闻》　［美］福尔曼著 / 朱进译

《全面抗战论》　潘汉年 / 著

《日本的间谍》　范士白自述 / 尊闻译

《日本大陆政策的真面目》　国难资料编辑社 / 编

《民众动员论》　李公朴 / 著

《中国外交史》　钱亦石 / 编著

《太平洋军事地理》　蒋震华 / 著

《世界经济地理讲话》　思慕 / 著

《列强军力论》　［德］马克斯·威纳尔著 / 宾符　仲持　梅益等译

《近代国际关系史》　张铁生 / 著

《太平洋现势手册》　沈志远　石啸冲 / 编著

《近代世界政治史》　钱亦石 / 著

《从战争到和平——一九四五年的世界政治》　乔木 / 著

《战后日本问题》　思慕 / 著

《最近一年间的国际动态（1946.7—1947.6）》　《东北日报》社 / 编

《论政党》　翟放 / 著

《法与宪法》　韩幽桐 / 编著

《中华民国宪法刍议》　罗家衡 / 著

《民主·宪法·人权——作之民》　费孝通 / 著

《宪法论初步》　潘念之 / 著

《对反民主的抗争》　韬奋 / 著

《农村改进的理论与实际》　江恒源 / 著

《上海产业与上海职工》（上下）　　朱邦兴　胡林阁　徐声 / 合编

《陶行知教育论文选辑》　　陶行知著 / 方与严编

《中国通货膨胀论》　　杨培新 / 著

《中国及其未完成的革命》　　H·普拉特著 / 蒋天佐译

《中国的建设问题与人的训练》　　卢作孚 / 著

《论中国特殊性及其他》　　艾思奇 / 著

《中国经济问题讲话》　　钱俊瑞　徐雪寒　王渔邨　姜君辰　骆耕漠 / 合著

《中国经济的道路》　　许涤新 / 著

《中国财政之病态及其批判》　　孙怀仁 / 著

《官僚资本论》　　许涤新 / 著

《五四运动之史的评价》　　陈端志 / 著

《中国通史简编》（上下）　　中国历史研究会　范文澜 / 主编

《论文学的工农兵方向——读〈在延安文艺座谈会上的讲话〉》　雪苇 / 著

《中国近代史（上编　第一分册）》　　武波 / 编著

《文学百题》　　傅东华 / 编

《中国史学之进化》　　周谷城 / 著

《论民族形式问题》　　胡风 / 著

《论批评》　　荃麟等 / 著

《中国史纲》（第一卷上下、第二卷上下）　　翦伯赞 / 著

《近代中国思想学说史》（1–4）　　侯外庐 / 著

《中国政治思想史》（上下） 吕振羽 / 著

《中国哲学史纲要》 向林冰 / 著

《中国政治史讲话》 钱亦石 / 著

《中国社会经济史纲》 王渔邨 / 著

《新财政学大纲》 千家驹 / 著

《太平天国革命运动论文集——金田起义百周年纪念》

华北大学历史研究室 / 编

《理性与自由——文化思想批评论文集》 胡绳 / 著

《战斗者的诗人》 黄药眠 / 著

《国语文法》 曹朴 / 著

《教育哲学》 张栗原 / 著

《妇女问题讲话》 杜君慧 / 著

《婚姻 · 子女 · 继承》 沙千里 / 著

《性教育新论》 布士克 雅各生合著 / 董秋斯译

《狱中杂感》 杜重远 / 著

《七人之狱》 沙千里 / 著

《爱迪生传》 伍况甫 / 译

《歌德自传》（上下） 歌德著 / 思慕译

《尼赫鲁自传》 ［印度］尼赫鲁著 / 毕来译

《列宁传》 ［苏］凯尔任采夫著 / 企程 朔望译

《罗斯福总统传》 C．Mackenzie 著 / 张尚之译

《托尔斯泰传》（1–3） ［英］阿尔麦 · 莫德著 / 徐迟译

《革命文豪高尔基》　［美］亚历山大·康恩著 / 韬奋编译

《鲁迅纪念特辑》　新中国文艺社 / 编

《回忆鲁迅先生》　萧红 / 著

《人民文豪鲁迅》　平心 / 著

《亡友鲁迅印象记》　许寿裳 / 著

《鲁迅思想研究》　何干之 / 著

《鲁迅研究》　夏征农 / 编

《过来的时代：鲁迅论及其他》　雪峰 / 著

《电影戏剧表演术》　洪深 / 著

《日常心理漫谈》　［美］约瑟夫·查斯特罗著 / 曾宝施译

《心理常识漫话》　朱智贤　杨云美 / 著

《读书的方法与经验》　王任叔 / 著

《美国黑人生活纪实》　［美］加德维尔　斯坦倍克著 / 董秋斯译

《初访美国》　费孝通 / 著

《事业与成功》　［美］马尔腾著 / 汪原放译

《萍踪寄语（初集）》　韬奋 / 著

《一生的幸福前途——〈生活周刊〉信箱选集》　生活书店 / 编选

《深刻的印象》　生活周刊社 / 编

《海外的感受》　生活书店编译所 / 编

ISBN 978-7-108-04600-0
9 787108 046000 >
定价：61.00元